9 AOÛT 2001
$39.05
2.73 TPS
$41.78

Programmer

en

Turbo Pascal 7

D1293924

CHEZ LE MÊME ÉDITEUR

Du même auteur

C. DELANNOY. – **Exercices en Turbo Pascal**.
N°9045, 1996, 208 pages.

C. DELANNOY. – **Programmer en Java**.
N°9157, 2000, 600 pages + CD-Rom.

C. DELANNOY. – **Le livre du C premier langage**.
Pour les débutants en programmation. N°8838, 1994, 280 pages.

C. DELANNOY. – **Programmer en langage C**. *Avec exercices corrigés.*
N°8985, 1996, 296 pages.

C. DELANNOY. – **La référence du C norme ANSI/ISO**.
N°9036, 1998, 950 pages.

C. DELANNOY. – **Programmer en langage C++**.
N°9019, 4ᵉ édition, 1998, 624 pages.

C. DELANNOY. – **Apprendre le C++ avec Visual C++ 6**.
N°9088, 1999, 496 pages.

Autres ouvrages

Programmation Windows

D. ZAK. – **Programmation avec Microsoft Visual Basic 6**. *Cours et exercices.*
Avec un CD-Rom contenant Microsoft Visual Basic 6 Working Model Edition.
N°9105, 1999, 832 pages.

I. HORTON. – **Visual C++ 6**.
Avec un CD-Rom contenant le produit Microsoft Visual C++ 6 Introductory Edition.
N°9043, 1999, 1 250 pages.

Programmation Internet-intranet

P. CHALÉAT, D. CHARNAY. – **Programmation HTML et JavaScript**.
N°9182, 1998, 480 pages.

A. TASSO. – **Le livre de Java premier langage**.
N°9156, 2000, 312 pages.

N. MCFARLANE. – **JavaScript professionnel**.
N°9141, 2000, 950 pages.

L. LACROIX, N. LEPRINCE, C. BOGGERO, C. LAUER. – **Programmation Web avec PHP**.
N°9113, 2000, 382 pages.

C. ULLMAN, D. BUSER. – **Initiation à ASP 3.0**.
N°9236, 2000, 1100 pages.

Programmer
en
Turbo Pascal 7

Claude Delannoy

CINQUIÈME TIRAGE 2000

ÉDITIONS EYROLLES
61, Bld Saint-Germain
75240 Paris Cedex 05

© Éditions Eyrolles, 1993, pour l'édition originale

© 1997, pour la présente édition, ISBN 2-212-08986-4

AVANT-PROPOS

Le langage Turbo Pascal, de par sa popularité, s'est dorénavant imposé comme un standard de fait. Cet ouvrage s'adresse à tous ceux qui souhaitent en acquérir la maîtrise, que ce soit dans un but professionnel ou didactique. Pour ce faire, il se fonde largement sur notre expérience de l'enseignement des langages de programmation.

Les exemples illustrant le cours sont toujours des programmes complets accompagnés d'un exemple d'exécution. Ils peuvent ainsi être expérimentés directement sur votre ordinateur.

A la fin de la plupart des chapitres, vous trouverez à la fois des exercices et des manipulations. Leur rôle est complémentaire.

Les exercices visent plutôt à vous faire appliquer les connaissances théoriques concernant le langage Turbo Pascal lui-même. Nous vous conseillons de les résoudre d'abord "sur papier" en comparant vos solutions avec celles fournies en fin de volume et en réfléchissant sur les différences de rédaction qui ne manqueront pas d'apparaître.

Les manipulations sont orientées vers l'utilisation efficace du système Turbo Pascal et vers la connaissance de son comportement en "situation d'exception". Elles sont, selon nous, indispensables pour aborder dans de bonnes conditions le développement et la mise au point de vos programmes personnels (n'oubliez pas que bon nombre d'erreurs de programmation ne font l'objet d'aucun diagnostic et que leur localisation nécessite une "technicité" qui va bien au-delà de la simple connaissance théorique du langage).

Tout au long de ce livre, des "encadrés" viennent récapituler la syntaxe des différentes instructions. Nous avons cherché à y privilégier la lisibilité en évitant un excès de formalisme dont l'expérience montre qu'il est nuisible à une bonne compréhension. Néanmoins, nous avons fait en sorte qu'ils soient toujours complets, de manière à servir de référence.

La version 7.0 du Turbo Pascal offre des possibilités de "Programmation Orientée Objets". Celles-ci sont étudiées dans les chapitres XIX, XX et XXI. Cette place quelque peu tardive se justifie pour, au moins, deux raisons :

- les points abordés font intervenir bon nombre de connaissances exposées dans les chapitres précédents,

- la Programmation Orientée Objets (lorsqu'elle est associée à un langage "classique") ne doit être abordée qu'après avoir acquis une maîtrise raisonnable du langage lui servant de support.

N.B.

Ceux qui le souhaiteront trouveront ici les informations nécessaires à la réalisation de programmes portables, soit vers des versions de Turbo Pascal antérieures à la 7.0, soit vers d'autres produits que Turbo Pascal. En particulier, nous parlerons parfois de "Pascal standard" pour désigner le langage Pascal ISO.

TABLE DES MATIERES

I. PRESENTATION INTUITIVE
D'UN PROGRAMME PASCAL

Ce premier chapitre vous propose une approche intuitive d'un programme Pascal. Son objectif est double :

- d'une part, il constitue le prétexte à l'exposé ou au rappel des notions fondamentales d'informatique générale (programme, compilation, exécution, données, résultats),

- d'autre part, il vous fournit, d'une manière pour l'instant informelle, les rudiments nécessaires à la compréhension de petits programmes Pascal. Cela nous permettra ainsi d'illustrer nos premiers chapitres d'exemples complets (donc plus explicites) et ceci, avant même que nous n'ayons abordé une étude détaillée des instructions qui le constituent.

1 - NOTRE PREMIER PROGRAMME PASCAL

Voyez cet exemple de programme Pascal et, avant de lire les descriptions que nous allons en faire par la suite, essayez d'en percevoir plus ou moins la signification :

```
program Racines_Carrees ;

const Nombre_Fois = 5 ;

var    i        : integer ;
       nombre   : real ;
       racine   : real ;
```

```
begin
    writeln ('bonjour') ;
    writeln ('je vais vous calculer ', Nombre_Fois, ' racines carrees') ;
    for i :=1 to Nombre_Fois do
        begin
        write ('donnez un nombre ') ;
        readln (nombre) ;
        if nombre < 0
            then writeln ('   ce nombre ne possede pas de racine carree')
            else begin
                racine := sqrt (nombre) ;
                writeln ( nombre, ' a pour racine carree ', racine)
                end ;
        end ;
    writeln ('au revoir')
end..
```

Un programme de calcul de racines carrées

2 - STRUCTURE GENERALE D'UN PROGRAMME

Comme tout programme Pascal, notre exemple comporte un en-tête, une partie déclaration et une partie exécutable.

2.1 L'en-tête

Il s'agit de l'instruction :

```
program Racines_carrees ;
```

Cet en-tête, obligatoire en Pascal standard, est facultatif en Turbo pascal. Il permet de donner un nom au programme. Ce nom n'a aucune signification pour Turbo Pascal[1]. Néanmoins, il doit être écrit suivant les conventions applicables à tous les "identificateurs"[2] (nous les aborderons dans le chapitre 3).

Nous placerons systématiquement un en-tête dans tous nos programmes en leur choisissant un nom suffisamment évocateur de leur rôle.

Notez que l'en-tête est séparé de la suite par un point-virgule (;). Ce caractère sera fréquemment utilisé en Pascal comme "séparateur" d'instructions.

---

[1]. En particulier, il n'aura aucun lien avec le nom qui pourra être attribué à un fichier contenant le programme.

[2]. Ce terme est synonyme de "nom".

2

2.2 La partie déclaration

Elle comporte ici 4 lignes (nous ne comptons pas les lignes blanches, lesquelles, comme nous le verrons, peuvent être introduites à volonté dans un programme sans en modifier le sens). D'une manière générale, elle s'étend de l'en-tête jusqu'au premier mot *begin*. Elle sert à fournir un certain nombre d'informations qui seront utilisées lors de la traduction du programme en langage machine. On peut dire qu'elle a un rôle purement descriptif.

2.3 La partie exécutable[3]

Elle s'étend du premier mot *begin* jusqu'à la fin du programme, laquelle doit obligatoirement être repérée par *end* suivi d'un point. Notez que, en quelque sorte, le *end* final correspond au *begin* initial, comme une parenthèse fermante correspond à une parenthèse ouvrante. Un ensemble d'instructions commençant par *begin* et terminé par *end* porte le nom de **bloc**. Mais un bloc peut en contenir d'autres (c'est le cas dans notre programme). La partie exécutable est en fait un bloc terminé par un point.

La partie exécutable décrit exactement ce que fait le programme et comment il le fait.

Voyons maintenant plus en détail le contenu de la partie déclaration et de la partie exécutable.

3 - LA PARTIE DECLARATION

Dans notre cas, elle comporte essentiellement deux sortes de déclarations : l'une introduite par le mot **const**, l'autre introduite par le mot **var**.

La première :

```
const Nombre_Fois = 5
```

précise que l'identificateur *Nombre_Fois* désignera, dans tout le programme, la valeur 5. Notez que *const* est l'abréviation du mot anglais "constant'. Nous dirons que *Nombre_Fois* est un identificateur de constante.

Remarquez bien que nous aurions pu nous affranchir de déclarer un tel identificateur en remplaçant *Nombre_Fois* par 5 dans la partie exécutable du programme. Cependant, il deviendrait alors moins facile de modifier, en cas de besoin, le nombre de valeurs à traiter. D'une manière générale, l'utilisation d'identificateurs de constantes contribue à une meilleure lisibilité du programme et à sa facilité d'adaptation.

La déclaration :

---

[3]. On l'appelle aussi partie instructions ou énoncés.

```
var i     : integer ;
    nombre : real ;
    racine : real ;
```

s'appelle une déclaration de "type" des variables utilisées dans le programme. Ici, elle précise que :

- l'identificateur *i* représente une variable de type entier (*integer*). Nous aurons l'occasion de faire une étude plus approfondie des notions de variable et de type. Pour l'instant, disons simplement que *i* pourra recevoir des valeurs numériques entières. Remarquez bien que cette fois *i* désigne une variable ; autrement dit, sa valeur (unique à un moment donné) pourra éventuellement évoluer au fil du déroulement du programme. Il n'en était pas de même de la valeur de *Nombre_Fois* qui restait nécessairement constante.

- les identificateurs *nombre* et *racine* désignent des variables de type réel (*real*). Comme le type entier, le type réel sera étudié ultérieurement en détail. Pour l'instant, il nous suffit de savoir qu'il correspond à des nombres réels, ou plus exactement à une approximation des nombres décimaux (1.38, 0.459, etc).

4 - LA PARTIE EXECUTABLE

Examinons maintenant plus en détail la partie exécutable. Nous y trouvons tout d'abord une instruction :

```
writeln ('bonjour')
```

Nous y reconnaissons le mot *write* (écrire) suivi de *ln* (abréviation de *line* : ligne). Il demande simplement d'écrire, c'est-à-dire ici d'afficher à l'écran, les informations qui sont spécifiées à sa suite, entre parenthèses ; le "ln" demandant de passer à la ligne suivante après affichage. Ici, les informations à afficher se réduisent à :

```
'bonjour'
```

Cela représente simplement le texte placé entre apostrophes, c'est-à-dire *bonjour*. En Pascal, un tel texte placé entre guillemets s'appelle une *chaîne de caractères* ou plus simplement une *chaîne*.

L'instruction suivante :

```
writeln ('je vais vous calculer ', Nombre_Fois, ' racines carrees') ;
```

demande, cette fois, d'afficher trois informations :

```
'je vais vous calculer'
Nombre_Fois
'racines carrees'
```

4

La première et la dernière sont à nouveau des chaînes ; la seconde, en revanche, correspond à la valeur de l'identificateur *Nombre_Fois*. Ici, donc, cette instruction affichera à l'écran :

```
je vais vous calculer 5 racines carrees
```

Nous trouvons ensuite les instructions :

```
for i :=1 to Nombre_Fois do
begin
.....
.....
end ;
```

La première ligne demande en fait de répéter 5 fois le bloc d'instructions qui suit (un bloc est délimité par *begin* et *end*). Plus précisément, cette ligne spécifie que la variable *i* sera utilisée pour compter les "tours de boucle", en précisant sa valeur initiale (ici 1) et sa valeur finale (ici *Nombre_Fois*). Quant au bloc ainsi répété, c'est lui qui permettra de réaliser, à chaque fois, le calcul d'une racine carrée. Voyons-en maintenant le déroulement.

Tout d'abord, la première instruction du bloc affiche le texte : *donnez un nombre.* L'instruction suivante :

```
readln (nombre) ;
```

est une instruction de lecture. Elle attend que l'on entre une valeur au clavier et elle la range[4] dans la variable indiquée, c'est-à-dire *nombre*.

Les lignes suivantes du bloc se présentent suivant ce schéma :

```
if nombre < 0
   then .....
   else begin
        .....
        end ;
```

Elles correspondent en fait à un "choix" entre deux possibilités, basé sur la condition *nombre > 0.*

Plus précisément, si cette condition est vraie, on exécute ce qui se situe après le mot *then*, c'est-à-dire ici une seule instruction écrivant un "message" (*ce nombre ne possède pas de racine carrée*). Si en revanche, la condition est fausse (autrement dit si la valeur contenue dans *nombre* est positive ou nulle), on exécute ce qui est placé après le mot *else*, c'est-à-dire ici un bloc (délimité par *begin* et *end*). C'est dans ce bloc que sont réalisés le calcul et l'affichage de la racine carrée. Notez que l'instruction :

---

[4]. On devrait dire "elle l'assigne" ou "elle l'affecte".

```
racine := sqrt (nombre) ;
```

se nomme une **instruction d'affectation**. Elle réalise deux choses :

- le calcul de "l'expression" située à droite du signe : = , c'est-à-dire ici *sqrt (nombre)*. Le symbole *sqrt* désigne la "fonction racine carrée", de sorte que cette expression représente simplement la racine carrée de la valeur contenue dans la variable *nombre*,

- l'assignation[5] (c'est-à-dire le rangement) du résultat obtenu à la variable *racine*.

Lorsque la répétition s'achève, il ne reste plus qu'à exécuter la dernière instruction, laquelle affiche à l'écran le texte : *au revoir*.

5 - L'EDITION ET LA COMPILATION D'UN PROGRAMME

Disposant ainsi d'un tel programme écrit en Pascal, quelles opérations effectuer pour le faire "exécuter" par votre ordinateur ?

Tout d'abord, il est nécessaire d'enregistrer[6] le texte du programme en le frappant au clavier. C'est ce que l'on nomme **l'édition** du programme. Elle est réalisée à l'aide d'un programme nommé éditeur. Le texte ainsi enregistré porte le nom de **programme source**.

Bien entendu, le programme source, en tant que tel, n'est pas directement exécutable par votre ordinateur. Il est nécessaire d'en effectuer ce que l'on nomme une **compilation**, c'est-à-dire une traduction en langage machine, à l'aide d'un programme nommé **compilateur**. Le résultat ainsi obtenu porte le nom de **programme objet**[7] ou **programme exécutable**[8]. Un tel programme est directement exécutable sur votre ordinateur.

Comme nous le verrons dans les prochains chapitres, ces programmes d'édition et de compilation sont complètement "intégrés" dans le "système Turbo Pascal", ce qui facilite considérablement leur emploi.

---

[5]. On rencontre parfois le mot affectation (du nom de l'instruction qui réalise ici l'assignation). En toute rigueur, ce terme est incorrect car d'autres instructions que l'instruction d'affectation peuvent réaliser une assignation : c'est notamment le cas de read.

[6]. En Turbo Pascal, cet enregistrement se fera (dans un premier temps) en mémoire centrale. Cependant, pour conserver votre programme de manière permanente, vous serez amené à le placer sur une "mémoire de masse" (disque ou disquette), sous forme d'un fichier.

[7]. Ce programme objet, résultat de compilation, pourra éventuellement être conservé en mémoire de masse. Néanmoins, il ne s'agit plus d'une nécessité aussi impérieuse que la conservation du programme source lui-même, dans la mesure où il reste toujours possible de recréer le programme objet par une nouvelle compilation du programme source.

[8]. Dans certains langages, le programme objet n'est pas directement exécutable ; il doit faire l'objet d'une "édition de liens", laquelle fournit effectivement un programme exécutable. En Turbo Pascal, cette distinction n'est pas nécessaire, du moins tant que l'on n'aborde pas la notion d'unité.

6 - L'EXECUTION D'UN PROGRAMME

Supposez que nous ayons effectivement édité et compilé le programme proposé précédemment. Son exécution, en Turbo Pascal, se présenterait alors ainsi :

```
bonjour
je vais vous calculer 5 racines carrees
donnez un nombre 4
   4.0000000000E+00 a pour racine carree    2.0000000000E+00
donnez un nombre 2
   2.0000000000E+00 a pour racine carree    1.4142135624E+00
donnez un nombre -3
   ce nombre ne possede pas de racine carree
donnez un nombre 5.8
   5.8000000000E+00 a pour racine carree    2.4083189158E+00
donnez un nombre 0
   0.0000000000E+00 a pour racine carree    0.0000000000E+00
au revoir
```

Exemple d'exécution du programme du paragraphe 1

Ici, nous avons demandé au programme de nous calculer les racines carrées des nombres 4, 2, -3, 5.8 et 0. Notez la façon dont Turbo Pascal nous affiche les résultats de type réel : ainsi, par exemple *4.0000000000E + 00* correspond à 4.10^0, soit simplement 4. Ultérieurement, nous apprendrons à maîtriser quelque peu la présentation de nos résultats.

II. LE SYTEME TURBO PASCAL

Le chapitre précédent vous a présenté le langage Pascal. Nous y avons rencontré un exemple de programme et même un exemple de son exécution. Mais, nous ne vous avons pas indiqué comment procéder "concrètement" pour créer (éditer) le texte d'un tel programme, le compiler, l'exécuter, le modifier, le conserver... L'objectif de ce chapitre est de vous montrer comment réaliser ces différentes opérations à l'aide des produits Borland Pascal 7 ou Turbo Pascal 7.

Dans tous les cas, vous disposez d'un ou de plusieurs logiciels dits "Environnements Intégrés" se présentant comme des ensembles complets permettant de mettre en oeuvre, de manière conversationnelle, les différentes étapes de développement d'un programme.

Les différences entre les deux grandes lignes de produits que sont Borland Pascal 7 ou Turbo Pascal 7 se définissent par rapport au système Windows. Plus précisément :

- Turbo Pascal 7 ne fonctionne que "sous système DOS" et ne comporte en fait qu'un seul Environnement Intégré.

- Borland Pascal, en revanche, permet de travailler :

* soit sous système DOS, avec un premier Environnement Intégré analogue au précédent,

* soit sous Windows. Dans ce dernier cas, vous disposez de deux autres Environnements Intégrés :

* un Environnement Intégré vous permettant d'utiliser Windows pour son aspect "interface utilisateur conviviale", tout en continuant à écrire des programmes destinés à fonctionner sous DOS ; cet Environnement est, là encore, analogue au précédent (son "écran" est simplement plus agréable puisqu'il profite des possibilités graphiques de Windows),

* soit développer des programmes exploitant les possibilités de Windows. Cette dernière possibilité nécessite des connaissances (Programmation Orientée Objets et, surtout, utilisation de l'importante bibliothèque "Object Windows") qui sortent du cadre de ce livre ; a titre indicatif, sachez que, même dans ce cas, l'Environnement Intégré proposé reste proche du précédent, au niveau des principes).

En définitive, ce chapitre s'applique à tous les Environnements Intégrés (DOS ou Windows) permettant de développer des programmes destinés à fonctionner sous DOS. Par la suite, nous ne ferons plus de distinction et nous nous contenterons de parler de "l'Environnement Intégré du Turbo Pascal".

1 - L'ENVIRONNEMENT INTEGRE DU TURBO PASCAL

1.1 Généralités

Lorsque vous démarrez Turbo Pascal, vous voyez apparaître une "fenêtre" portant le titre *NONAME00.PAS*[1] ; c'est celle dans laquelle vous serez amené à réaliser l'édition de votre programme (en toute rigueur, la version 7.0, comme la version 6.0 vous permet de travailler avec plusieurs fenêtres).

La **barre des menus** vous propose 10 menus différents, chacun de ces menus donnant accès à des "menus déroulants" comportant diverses "commandes". Certaines commandes peuvent être exécutées directement ; d'autres (signalées par des points de suspension) nécessitent des informations supplémentaires que vous fournirez par l'intermédiaire d'une **boîte de dialogue**[2].

Par ailleurs, il faut noter que les commandes auxquelles vous avez ainsi accès se répartissent en deux catégorires :

- celles qui réalisent effectivement une action (édition, compilation, sauvegarde...),

- celles qui se contentent de préciser certains paramètres ou certaines options (options de compilation, choix d'un répertoire...).

Bien entendu, nous allons bientôt voir quelles sont effectivement les commandes permettant de réaliser les différentes opérations évoquées au début de ce chapitre. Auparavant, nous allons vous donner quelques informations supplémentaires concernant la manière de "naviguer" dans les menus et d'utiliser les boîtes de dialogue.

1.2 Principes de navigation dans les menus

L'utilisation des menus à partir du clavier se fait de façon relativement naturelle : F10 "allume" la barre des menus, les touches fléchées permettent de sélectionner un menu, puis une commande dans un menu ; la validation se fait traditionnellement par la touche "retour"[3]. Vous pouvez également aller plus vite en sachant que la sélection d'un menu ou

---

[1]. Du moins si certaines options n'ont pas été modifiées depuis l'installation du logiciel. En effet, il est possible de demander à Turbo Pascal qu'à chaque lancement, il nous présente l'état de notre travail tel qu'il était la dernière fois où il a été utilisé.

[2]. Dans les versions antérieures à la 6.0, ces "sous-menus" faisaient à leur tour apparaître d'autres menus de niveau inférieur, et ainsi de suite (les boîtes de dialogue n'existaient pas).

[3]. Suivant les claviers, elle pourra être gravée "entrée" ou "enter"...

d'une commande peut se faire en frappant une "lettre caractéristique"[4] (souvent la première de son nom - elle apparaît différemment des autres lettres). En outre, beaucoup de commandes disposent d'un "raccourci clavier" (il est mentionné à la suite du nom de la commande) : sa frappe permet d'activer directement la commande correspondante.

Si vous disposez d'une souris, vous pouvez sélectionner directement un menu ou une commande en "cliquant" dessus.

Pour sortir d'un menu ou d'une commande (non encore exécutée), il suffit de frapper la touche "echap[5]" (ou, éventuellement, d'utiliser le bouton *Cancel* s'il s'agit d'une boîte de dialogue).

Par ailleurs, vous pouvez à tout instant obtenir de l'"aide" en pressant la touche F1. Turbo Pascal vous fournira alors des explications "dépendantes du contexte", c'est-à-dire appropriées à l'endroit des commandes où vous vous situez.

1.3 Généralités sur les boîtes de dialogue

En principe, les boîtes de dialogue ont été conçues pour être d'un maniement assez intuitif. Il est néanmoins utile de préciser les différentes sortes de manipulations qu'elles proposent. Rappelons tout dabord qu'une commmande donne accès à une boîte de dialogue dès lors que son nom est suivi de points de suspension.

a) Les différents objets contenus dans une boîte de dialogue

D'une manière générale, une boîte de dialogue peut comporter jusqu'à cinq sortes d'"objets[6]" différents.

1. Les **boutons action** : ils proposent chacun une action à réaliser. C'est généralement l'action sur un tel bouton qui met fin à la commande sélectionnée, en l'exécutant ou en l'interrompant suivant le cas. De tels boutons seront pratiquement présents dans toutes les boîtes de dialogue. On trouvera souvent le bouton **OK** qui sert de "validation" et le bouton **Cancel** qui sert à annuler.

2. Les **boutons radio** : il s'agit d'un ensemble de boutons parmi lesquels un seul peut être actif à la fois (et toujours un). Par exemple, la commande *Search/Find* propose trois ensembles de boutons radio nommés *Scope*, *Direction* et *Origin*.

---

[4]. Cette lettre doit être associée à la touche Alt, si l'on veut accéder à un menu (pas à une commande) alors que la barre des menus n'est pas "allumée".
[5]. Suivant les claviers, elle pourra être gravée "escape", "anul"...
[6]. Dans le jargon de Windows, on parle aussi de "contrôles".

3. Les **cases à cocher** : il s'agit d'un ensemble de cases pouvant, chacune, être activée (elle est alors marquée par le symbole [X]) ou inactivée (le X disparaît et la case apparaît ainsi : [ ]). C'est sous cette forme, par exemple, que vous serez amené à choisir des "options de compilation" à l'aide de la commande *Options/Compiler*.

4. Les **boîtes de saisie** : ce sont des boîtes dans lesquelles vous pourrez fournir du texte. C'est ainsi que la commande *File/Open* vous demandera un nom de fichier.

5. Les **boîtes de liste** : elles permetttent de sélectionner une information dans une liste. Par exemple, lorsque vous chercherez à ouvrir un fichier source, vous pourrez obtenir ainsi la liste des noms de fichiers répondant à un "masque" donné.

b) Les actions possibles sur ces objets

Tout d'abord, il faut savoir que, parmi tous les objets d'une boîte de dialogue, un seul peut être sélectionné à la fois. La touche "tab[7]" permet de passer d'un objet au suivant et la combinaison *Shift/Tab* permet de passer d'un objet au précédent. Un objet peut également être sélectionné par la frappe de *Alt/x* où x représente sa "lettre caractéristique". Il faut noter que les boutons action font exception à ce qui vient d'être dit, car il y a toujours un bouton action d'allumé (il s'agit souvent de OK) : l'action correspondante peut être déclenchée par une simple validation.

Pour activer un bouton radio, on frappe sa lettre caractéristique, alors que l'ensemble des boutons radio est sélectionné. Notez que l'on ne peut pas désactiver un tel bouton, tout au plus peut-on en activer un autre.

Pour "cocher" une case, alors que l'ensemble des cases à cocher est sélectionné, on y amène le curseur à l'aide des touches fléchées et on frappe la barre d'espace ; si la case est déjà cochée, une telle action supprime la marque.

Pour activer un bouton action, on valide après l'avoir sélectionné ou on frappe *Alt/x*, x étant sa lettre caractéristique. Certains boutons action peuvent ne pas être accessibles dans un contexte donné ; dans ce cas, aucune lettre de leur nom ne se détache.

Avec une souris, les choses sont beaucoup plus simples car on peut agir directement sur les différents boutons et cases à cocher, sans devoir effecteur de sélection préalable de l'objet correspondant. Pour activer un bouton action, il suffit de cliquer dessus ; il en va de même pour sélectionner un bouton radio, pour marquer une case ou pour supprimer la marque, ainsi que pour sélectionner un élément dans une boîte de liste. Bien entendu, la boîte de saisie nécessite le recours au clavier après qu'on l'ait sélectionnée (par exemple en cliquant dessus).

---

[7]. Il s'agit de la touche de tabulation, souvent gravée de deux flèches de sens opposés.

Beaucoup de boîtes de saisie comportent ce que l'on nomme un "historique", c'est-à-dire la mémorisation des dernières valeurs employées ; dans ce cas, une flèche verticale figure à droite de la boîte et il suffit d'appuyer sur la flèche correspondante pour voir apparaître la liste de ces valeurs : on peut alors choisir l'une d'entre elles en y déplaçant le "marqueur" et en validant.

2 - GESTION DE PLUSIEURS FENETRES

Comme nous l'avons déjà signalé, l'édition s'effectue toujours sur un programme source situé en mémoire (et non directement sur un fichier source) que l'on "voit" à travers une "fenêtre d'édition". Ce programme porte toujours un nom, analogue à un nom de fichier[8] ; il apparaît en haut de la fenêtre d'édition.

Depuis la version 6.0, Turbo Pascal vous permet d'ouvrir simultanément plusieurs fenêtres d'édition. Chaque fenêtre peut alors être affectée à un programme source différent (ou encore, elle peut permettre de voir différentes parties d'un même programme). Si vous n'êtes pas habitué à ce type d'environnement multi-fenêtres, vous chercherez probablement, au début, à n'utiliser qu'une seule fenêtre d'édition. Cependant, l'expérience montre qu'on ouvre assez facilement de nouvelles fenêtres sans le vouloir. C'est pourquoi ce paragraphe vous apporte quelques informations essentielles.

A un instant donné, une seule fenêtre est "active" : c'est sur celle-ci que se fera l'édition ou que porteront d'éventuelles commandes. La fenêtre active est entourée d'un double trait.

Pour changer de fenêtre active, vous pouvez frapper la combinaison de touches Alt/x[9] (x étant le numéro de fenêtre) ou cliquer n'importe où dans la fenêtre (si elle est visible !), ou encore la sélectionner à l'aide de la commande *Window/List*.

Pour fermer la fenêtre active, vous pouvez frapper la combinaison de touches Alt/F3 ou cliquer sur sa case de fermeture (en haut à gauche) ou employer la commande *Window/Close*. Si vous cherchez à fermer une fenêtre contenant un programme source non vide et que celui-ci n'a pas été sauvegardé (du moins depuis sa dernière modification), Turbo Pascal vous demandera si vous souhaitez le faire avant de fermer la fenêtre.

Enfin, la commande *File/New* ouvre une nouvelle fenêtre d'édition, vierge, de nom *NONAMEXX.PAS* (XX variant de 0 à 99), dans laquelle vous pourrez saisir un nouveau programme source. En général, vous disposez déjà d'une telle fenêtre au lancement de Turbo Pascal ; dans ce cas, vous n'aurez pas besoin d'utiliser cette commande (au moins dans un premier temps).

---

[8]. Et, d'ailleurs, la plupart du temps, il correspondra effectivement à un nom de fichier.

[9]. Ce qui signifie : appuyez sur la touche Alt et, tout en gardant cette dernière enfoncée, frappez la touche x puis relâchez le tout.

3 - L'EDITION D'UN PROGRAMME

Après avoir lancé Turbo Pascal, vous souhaiterez souvent réaliser l'une de ces opérations :

- création d'un nouveau programme source puis sauvegarde dans un fichier ; en général, cette sauvegarde sera effectuée dès la fin de la saisie (voire à plusieurs reprises au cours de la saisie) et non après une éventuelle exécution, et ceci pour éviter tout risque de perte du programme source (notamment en cas de "plantage" lors de l'exécution),

- modification d'un fichier source existant (qu'on aura "chargé" en mémoire) puis sauvegarde dans le fichier initial ou création d'un nouveau fichier (dans le cas où l'on souhaite garder les deux programmes).

Ces opérations mettent en jeu trois types d'actions élémentaires : **l'édition** proprement dite, la **recopie en mémoire** d'un fichier source existant, la **recopie dans un fichier** du programme source situé en mémoire.

3.1 L'édition du programme source

L'éditeur du Turbo Pascal dispose d'un très grand éventail de possibilités. Nous vous présentons ici le minimum nécessaire pour démarrer mais vous trouverez également d'autres informations dans le paragraphe 5 de ce chapitre ; d'autre part, si vous êtes habitué à l'emploi d'une souris, sachez que beaucoup de manipulations "naturelles" sont possibles.

Le **déplacement du curseur** dans la fenêtre active se fait naturellement avec les touches fléchées ou avec la souris. Les **corrections** peuvent avoir lieu dans l'un des deux modes :

- **insertion** (mode par défaut) : le curseur prend la forme d'un caractère "souligné" (_) ; tout ce que vous frappez au clavier s'insère à la place du curseur ; la frappe de la touche "retour[10]" (touche de validation) provoque une coupure de ligne,

- **recouvrement** : le curseur prend la forme d'un rectangle plein ; tout ce que vous frappez remplace ce qui se trouve sous le curseur ; la touche d'insertion (*Ins*) fait passer d'un mode à un autre.

L'effacement d'une ligne peut se faire par la combinaison de touches Ctrl/Y. Pour ajouter de nouvelles lignes, il suffit de se placer en bout de ligne et de frapper Ctrl/N (ou "retour" si l'on est en mode insertion).

3.2 La recopie en mémoire d'un fichier source

La commande *File/Open* vous permet de recopier en mémoire un fichier source, en lui associant une **nouvelle fenêtre[11]**. Elle propose une boîte de dialogue dans laquelle la boîte

---

[10]. Gravée aussi d'un graphisme particulier ou du mot "return".

14

de saisie "Nom" permet de fournir directement le nom du fichier à ouvrir, avec éventuellement un chemin (par défaut, il s'agit du répertoire courant) et une extension (par défaut, il s'agit de .PAS). Vous pouvez également rechercher un nom oublié en mentionnant dans cette boîte des caratères génériques (? et *) ou un simple nom de répertoire ; une boîte de dialogue vous affichera alors les noms correspondants, ainsi que la mention ..\ et les noms des éventuels sous-répertoires existants (si, à ce niveau, vous sélectionnez un répertoire, vous obtiendrez les noms de fichiers correspondant au masque indiqué ; si vous sélectionnez ..\, vous remonterez au répertoire de niveau supérieur). En bas de la boîte de dialogue, s'affichent en permanence des informations (date, heure, taille) correspondant au nom (fichier ou répertoire) sélectionné dans la boîte "Fichiers".

Par défaut, la boîte "Name" contient le masque *.PAS ; la boîte "Fichiers" affiche ainsi tous les noms des fichiers source du répertoire courant. Pour charger l'un d'entre eux, il sufit alors de valider ce masque, ce qui sélectionne la boîte "Files", de sélectionner le programme voulu et de valider à nouveau.

Après exécution de la commande *File/Open*, la fenêtre ainsi créée prend le nom du programme source que vous venez de charger.

Remarque :

Si vous souhaitez charger un programme source en lui associant une fenêtre existante, il suffit de procéder ainsi :

- rendre active la fenêtre en question,

- lancer la commande *File/Open* en sélectionnant le programme voulu comme précédemment (mais sans valider),

- activer le bouton *Replace* (au lieu de *Open*).

Naturellement, ici encore, si la fenêtre active contient un programme source qui n'a pas été sauvegardé, Turbo Pascal vous demandera si vous souhaitez le faire.

3.3 La sauvegarde d'un programme source

Vous disposez de deux possibilités.

La commande *File/Save As* recopie le programme source de la fenête active dans un fichier dont vous lui fournirez le nom. Il sera situé dans le répertoire courant si vous ne fournissez pas de chemin particulier. Cette commande est utile lorsque vous êtes amené à créer un nouveau programme source ou, éventuellement, lorsque vous souhaitez créer un nouveau programme par modification d'un ancien (sans perdre ce dernier).

---

[11]. Ce qui signifie que, souvent, vous vous trouverez en présence de deux fenêtres d'édition, l'autre étant NONAME00.PAS. La remarque de fin de paragraphe vous dit éventuellement comment éviter cela.

La commande *File/Save* (raccourci F2) recopie le programme source de la fenêtre active dans le fichier correspondant. Cette commande est tout à fait appropriée à l'édition d'un programme existant. Si vous cherchez à l'utiliser sur une fenêtre de nom NONAMEXX.PAS, Turbo Pascal vous demandera de fournir le nom à attribuer au fichier (puisqu'il n'existe pas) avec une boîte de dialogue identique à celle de la commande *File/Save As*.

Dans tous les cas, Turbo Pascal ajoute l'extension .PAS au nom du fichier si vous n'en proposez aucune.

4 - LA COMPILATION D'UN PROGRAMME

La commande *Compile/Compile* (raccourci Alt/F9) demande la compilation du programme source associé à la fenêtre active.

Dès la première erreur qu'il détecte, le compilateur vous affiche un message en bas de la fenêtre d'édition, par exemple :

Error 3 Unknown identifier

Il place alors le curseur à l'endroit du programme source où il a trouvé l'erreur. Ce n'est pas toujours l'emplacement précis où vous devez effectuer une correction, mais vous disposez quand même là d'une information précieuse.

Notez qu'à ce niveau, vous êtes effectivement placé automatiquement sous éditeur. De plus, assez curieusement, dès que vous frapperez une touche quelconque, le message d'erreur disparaîtra.

Remarquez bien que vous n'avez connaissance que d'une seule erreur à la fois (la première détectée). Après avoir effectué vos corrections et sauvegardé votre programme source, si nécessaire, vous devez lancer une nouvelle compilation, à la quête de l'éventuelle erreur suivante.

5 - L'EXECUTION D'UN PROGRAMME

La commande *Run/Run* (raccourci Ctrl/F9) demande l'exécution du programme objet[12] (résultat de compilation) correspondant à la fenêtre active. Si ce programme objet n'existe pas (ce qui est le cas lorsque le programme source n'a pas encore été compilé), Turbo Pascal commencera par effectuer une compilation, exactement comme si vous aviez lancé la commande *Compile/Compile*.

---

[12]. Le résultat de compilation porte, en principe, le nom de module (ou programme) objet. En fait, ici, il pourrait également porter le nom de module (ou programme) exécutable puisqu'il peut être exécuté tel quel. Nous rencontrerons toutefois des circonstances où le module objet n'est pas directement exécutable.

Pendant l'exécution du programme, l'écran change d'aspect car Turbo Pascal vous place dans ce qu'il nomme la fenêtre d'exécution (ou écran d'exécution ou fenêtre de sortie). Vous y voyez s'afficher les résultats de votre programme (fournis par *write* ou *writeln*), ainsi que la trace des informations que vous frappez en réponse à une instruction de lecture (*read* ou *readln*). Assez curieusement, à la fin de l'exécution (du moins, si elle s'est déroulée convenablement), Turbo Pascal revient en fenêtre d'édition, de sorte que pour un programme assez bref, vous risquez de "rester sur votre faim". En fait, il est toujours possible, à tout moment, de revoir la fenêtre d'exécution en frappant Alt/F5 ; la frappe de n'importe quelle touche permet ensuite de passer de la fenêtre d'exécution à la fenêtre active.

En cas d'erreur d'exécution, un message s'affiche en fenêtre d'exécution mais Turbo Pascal vous place aussitôt en fenêtre d'édition en affichant également un message approprié. Dans les deux cas, le message comporte un numéro (le même) identifiant la cause de l'erreur. En outre, en fenêtre d'édition, on trouve une explication relative à la cause de cette erreur, tandis qu'en fenêtre d'exécution, on trouve "l'adresse" à laquelle elle a été détectée[13].

Par ailleurs, le pointeur se trouve placé à l'endroit du programme source correspondant à l'emplacement du module exécutable où a été détectée l'erreur d'exécution. Cette information, pour précieuse qu'elle soit, doit cependant être exploitée avec discernement dans la mesure où la cause profonde de l'erreur peut résider dans des instructions exécutées antérieurement.

Remarques :

1) Si vous lancez la commande *Run/Run* après avoir effectué une modification du programme source, il y aura à nouveau compilation de ce programme.

2) Lorsque vous exécutez successivement plusieurs programmes (ou plusieurs fois le même programme), les résultats de chaque exécution se placent les uns à la suite des autres dans la seule et unique fenêtre d'exécution. Le résultat peut parfois surprendre, notamment lorsque le précédent programme n'a pas fait de changement de ligne à la fin de son dernier affichage !

6 - LES AUTRES POSSIBILITES DE L'ENVIRONNEMENT INTEGRE

Comme vous pouvez vous en douter, nous n'avons pas étudié toutes les possibilités de l'Environnement Intégré. Celles qui n'ont pas été examinées peuvent se ranger en deux catégories :

---

[13]. Il s'agit d'une adresse au sein du programme exécutable. Elle est exprimée sous la forme de deux nombres hexadécimaux correspondant à ce que l'on nomme une "adresse de segment" et un "déplacement". En pratique, on exploite rarement cette information.

- celles qui nécessitent des connaissances supplémentaires de Turbo Pascal ; elles ne seront donc abordées qu'au fil des chapitres correspondants ; ce sera par exemple le cas des options de compilation ou des possibilités de "compilation séparée",

- celles qui, bien que ne nécessitant pas de connaissances supplémentaires, ne nous paraissent pas indispensables dans un premier temps ; elles concernent essentiellement la gestion des fenêtres, les possibilités de "couper, copier, coller" et les possibilités de mise au point d'un programme.

Ce sont ces dernières possibilités que nous allons exposer ici : vous pouvez bien sûr les ignorer dans un premier temps et y revenir lorsque vous le jugerez bon.

6.1 Compléments concernant la gestion des fenêtres

Chaque fenêtre dispose d'"ascenseurs" et de "tapis roulants", accessibles uniquement avec la souris. La taille et la position d'une fenêtre active peuvent éventuellement être modifiées de différentes façons :

- la commande *Window/Size Move* (Ctrl/F5) suivie de l'emploi des touches fléchées, déplace la fenêtre,

- la commande *Window/Size Move* (Ctrl/F5) et l'emploi des touches fléchées en gardant enfoncée la touche *Shift*, agrandit la fenêtre,

- la commande *Window/Zoom* (F5) permet de donner à la fenêtre active la taille de tout l'écran ; la même commande lui redonne sa taille antérieure,

- en "traînant[14]" avec la souris le coin inférieur droit de la fenêtre, vous en modifiez la taille,

- en cliquant sur le coin haut gauche marqué d'une flèche, vous obtenez le même effet qu'avec *Window/Zoom*.

La disposition des fenêtres sur l'écran peut être modifiée en utilisant : *Window/Tile* pour les disposer en "quadrillage", *Window/Cascade* pour les disposer "en cascade" (mode par défaut).

6.2 Les possibilités de "couper, copier, coller"

Depuis Turbo Pascal 6, vous disposez d'un "presse-papiers" (Clipboard en anglais) dans lequel vous pouvez transférer ou recopier du texte en provenance d'une fenêtre pour venir ensuite le "coller" dans une autre fenêtre. Ce presse-papiers peut éventuellement être visualisé ou même "édité", en particulier pour y sélectionner un texte en vue de son collage ultérieur.

---

[14]. c'est-à-dire en déplaçant la souris alors que vous gardez enfoncé le bouton de gauche.

Les commandes agissant sur le presse-papiers font toutes intervenir un "bloc de texte" que l'on sélectionne par l'une des trois méthodes suivantes :

a) Méthode employée par les anciennes versions de Turbo Pascal : frapper *Ctrl/KB* en début de bloc, puis *Ctrl/KK* en fin de bloc.

b) Nouvelle méthode utilisable depuis la version 6 : placer le curseur en début de bloc, puis appuyer sur *Shift* puis, tout en gardant cette touche enfoncée, déplacer le curseur jusqu'à la fin du bloc et, enfin, relâcher la touche *Shift*.

c) Avec la souris : faire "glisser" son curseur sur le bloc voulu.

La commande *Edit/Cut (Shift/Suppr)* efface le bloc sélectionné dans la fenêtre active[15] et le recopie à la fin du presse-papiers. *Edit/Copy (Ctrl/Ins)* recopie (sans l'effacer) le bloc sélectionné à la fin du presse-papiers.

Edit/Paste (Shift/Ins) insère dans la fenêtre active, à la position du curseur, le bloc sélectionné dans le presse-papiers (par défaut le dernier qu'on y a copié).

Edit/Show Clipboard permet de faire apparaître le presse-papiers dans une fenêtre pour y opérer d'éventuelles modifications ou y sélectionner un autre bloc (autre que le dernier qui y a été recopié, lequel est sélectionné par défaut).

6.3 Les possibilités de mise au point d'un programme

Comme dans les versions antérieures de Turbo Pascal, vous disposez d'un "débogueur intégré" offrant des possibilités très élaborées :

- exécution partielle ou en "pas à pas", c'est-à-dire ligne par ligne,

- pose de "points d'arrêt" permettant d'interrompre l'exécution d'un programme à un emplacement de votre choix et, éventuellement, de manière conditionnelle,

- évaluation d'une expression quelconque lors d'un arrêt et modification éventuelle de la valeur d'une ou de plusieurs variables avant reprise de l'exécution,

- suivi permanent de la valeur de variables ou d'expressions.

D'une manière générale, pour pouvoir utiliser ces possibilités de mise au point, il faut qu'un certain nombre d'options soient actives ; elles le sont par défaut, de sorte que si vous ne les avez pas explicitement modifiées, vous n'avez rien à faire de particulier. Si tel n'est pas le cas, sachez que ces options sont activées en cochant les cases *Debug/Information* et *Local Symbols* de la commande *Options/Compiler*.

---

[15]. Il peut s'agir aussi bien d'une fenêtre d'édition que de celle du presse-papiers lui-même, auquel cas le bloc en question réapparaîtra à la fin du presse-papiers.

a) Exécution partielle ou pas à pas

Cette exécution est basée sur la ligne de programme source[16]. On dispose de deux possibilités :

- Exécuter jusqu'à une ligne donnée (celle où se trouve le curseur en fenêtre d'édition) en utilisant *Run/Go to Cursor (F4)*. Cette comande joue le même rôle que *Run/Run* (elle peut, le cas échéant, provoquer des compilations), avec cette différence qu'elle peut ne pas exécuter le programme jusqu'à sa fin. Notez qu'un nouvel appel de cette commande entraîne la poursuite de l'exécution du programme (et non sa reprise depuis le début - pour éviter cela, il faut faire appel à *Run/Program Reset*).

- Exécuter une seule ligne à la fois avec *Run/Trace (F7)* ou *Run/Step Over (F8)*, la différence entre les deux étant que la première permet d'entrer (toujours en mode ligne par ligne) dans les fonctions ou procédures appelées, tandis que la seconde ne le permet pas.

b) Pose de points d'arrêt

En plus des possibilités précédentes, vous pouvez poser des "points d'arrêt" sur n'importe quelle ligne de votre programme source à l'aide de *Debug/Toggle Breakpoint (Ctrl/F8)*. Dans ce cas, l'exécution de votre programme (qu'elle soit lancée par *Run/Run* ou *Run/Go to Cursor*), est interrompue lors de la rencontre de ce point d'arrêt (notez que, par le jeu des instructions de contrôle, un point d'arrêt peut très bien ne jamais être atteint lors d'une exécution donnée).

Vous pouvez également rendre "conditionnel" un point d'arrêt existant. La commande *Debug/Breakpoints* vous propose une boîte de dialogue donnant la liste des points d'arrêt existants. Pour chacun d'entre eux, vous pouvez (après l'avoir désigné avec le curseur) incorporer ou modifier ces conditions en actionnant le bouton *Edit* (vous pouvez l'activer directement en frappant E). Une nouvelle boîte de dialogue, spécifique à ce point d'arrêt, vous permet alors :

- d'entrer une condition dans la boîte de saisie *Condition*,

- de spécifier une fréquence d'arrêt sous forme d'un nombre n dans la boîte de saisie *Pass Count* ; dans ce cas, l'arrêt du programme ne se fera que tous les n passages sur ce piont d'arrêt.

Pour supprimer un point d'arrêt, vous utiliserez *Toggle Breakpoint*, après y avoir placé le curseur ou encore le bouton *Delete* de la boîte de dialogue proposée par *Debug/Breakpoints*.

---

[16]. Ce qui signifie que, dans le module exécutable, figurent des informations permettant au "débogueur" de retrouver les emplacements correspondant à chaque début de ligne des différents programmes source.

c) Evaluation d'expressions et modification de variables

La commande *Debug/Evaluate-modify* ouvre une boîte de dialogue dans laquelle la boîte de saisie *Expression* vous permet de spécifier une expression de votre choix. L'action du bouton *Evaluate* (allumé par défaut), c'est-à-dire une simple validation, fait apparaître la valeur de l'expression dans la boîte *Result*. Lorsque cette expression se réduit à une variable, vous pouvez en modifier la valeur en utilisant la boîte de saisie *New Value* et, en actionnant le bouton *Modify* (allumé, ici encore, par défaut), c'est-à-dire en validant.

La commande *Debug/Evaluate-Modify* est ponctuelle, en ce sens qu'elle fournit une valeur à un instant donné, contrairement aux possibilités de suivi de valeurs étudiées ci-dessous.

Remarque :

L'expression mentionnée peut éventuellement être le nom d'un tableau, d'une structure (ou d'un objet), auquel cas vous en obtiendrez les différentes valeurs (entre accolades), mais vous ne pourrez pas les modifier.

d) Suivi permanent de la valeur d'expression

Vous pouvez obtenir l'affichage permanent des expressions de votre choix dans une fenêtre particulière d'observation, nommée *Watch*. Cette dernière est ouverte, par exemple, par *Window/Watch*. Lorsqu'elle est active, vous pouvez **introduire** de nouvelles "expressions à suivre" en frappant la touche *Ins*, ce qui fait apparaître une boîte de dialogue comportant une boîte de saisie nommée *Watch Expression*. Pour **supprimer** une expression donnée, il suffit d'y amener le curseur et de frapper *Del*.

Notez que vous pouvez également intervenir sur les expressions de cette fenêtre d'observation, sans la rendre active, par les options *Add Watch*, *Delete Watch* et *Edit Watch* de la commande *Debug/Watches*. La commande *Debug/Watches/Remove all watches* permet d'ailleurs de supprimer toutes les expressions de la fenêtre.

Remarque :

Comme pour la commande *Debug/Evaluate-modify*, les expressions spécifiées dans la fenêtre de suivi peuvent être le nom d'un tableau, d'une structure ou d'un objet.

III. REGLES GENERALES
D'ECRITURE D'UN PROGRAMME
EN TURBO-PASCAL

Ce chapitre vous expose un certain nombre de règles générales intervenant dans l'écriture d'un programme Turbo-Pascal, à la fois au niveau :

- des éléments qui le constituent, en particulier de ce que l'on appelle les **mots clés** et les **identificateurs**,

- de sa structure générale et du format "libre" dans lequel ses instructions sont écrites.

1 - LES ELEMENTS DU LANGAGE

1.1 Les identificateurs

Considérons à nouveau notre exemple de programme du chapitre I. Nous y trouvons un certain nombre de "mots" tels que *Nombre_Fois*, *i*, *nombre* ou *racine* qui sont choisis par l'auteur du programme. En Pascal, de tels mots s'appellent des **identificateurs**. Ils servent, comme dans notre exemple, à désigner des constantes ou des variables mais, également, comme nous le verrons plus tard, d'autres "entités"[1] : procédures, fonctions, types...

---

[1]. Auparavant, on pouvait employer le mot "objet". Toutefois, avec l'avènement de la "Programmation Orientée Objet", le terme d'objet possède une significatiion précise. Dans ces conditions, nous avons choisi ici d'employer le mot entité pour désigner les différentes choses que l'on peut manipuler dans un programme par l'intermédiaire d'un identificateur.

1.2 Les mots clés et les identificateurs prédéfinis

Par ailleurs, nous trouvons (toujours dans notre même exemple) d'autres mots qui semblent imposés par Turbo Pascal : *program, const, var, integer, real, begin, writeln, for, to, do, write, readln, if, then, else, sqrt, end*. En fait, ces mots se classent en deux catégories :

a) Les mots clés (ou mots réservés)

Ils sont effectivement imposés par Turbo Pascal ; leur signification et leur rôle sont, une fois pour toutes, parfaitement définis. Parmi les mots que nous venons de citer, les seuls à être des mots clés sont : *program, const, var, begin, for, to, do, if, then, else* et *end*.

Un mot clé ne sera jamais accepté comme un identificateur. Par exemple, Turbo-Pascal relèvera une erreur de syntaxe si vous cherchez à déclarer une variable de nom *begin* ou *do*. Voici la liste complète des mots clés du Turbo Pascal, classés par ordre alphabétique :

absolute	end	mod	shl[1]
and	external[1]	near[2][4]	shr[1]
asm[1]	far[2][4]	nil	string[1]
array	file	not	then
assembler[1][2]	for	object[3]	to
begin	forward[2]	of	type
case	function	or	unit[1]
const	goto	packed	until
constructor[3]	if	private[2][4]	uses[1]
destructor[3]	implementation[1]	procedure	var
div	in	program	virtual[2][3]
do	inline[1]	record	while
downto	interrupt[1][2]	repeat	with
else	label	set	xor[1]

Les mots clés (ou mots réservés) du Turbo Pascal

(1) Mot clé propre à Turbo-Pascal, n'existant pas en "Pascal standard".

(2) Traité en réalité depuis la version 6 comme un identificateur prédéfini ; il vaut toutefois mieux considérer qu'il s'agit d'un "vrai mot clé" non redéfinissable.

(3) Introduit par la version 5.5.

(4) Introduit par la version 6.0.

b) Les identificateurs prédéfinis

Ce sont des mots qui possèdent une signification "par défaut" proposée par Turbo-Pascal. Dans notre exemple, il s'agit de *integer*, *real*, *writeln*, *write*, *readln* et *sqrt*. Contrairement aux mots clés, les identificateurs prédéfinis peuvent très bien être utilisés comme identificateur quelconque. Ainsi vous pourriez décider d'appeler une variable : *integer*. Certes, cela n'est guère conseillé mais il vous faut quand même savoir que, dans ce cas, le compilateur ne vous fera aucun reproche.

Notez qu'avec la version 7, par défaut, les mots clés apparaissent en blanc, tandis que le reste du texte apparaît en jaune.

2 - REGLES D'ECRITURE DES IDENTIFICATEURS

Comme nous l'avons dit, vous serez amené, dans un programme, à attribuer un identificateur (nom) à beaucoup d'entités (variables, constantes, procédures, fonctions, types...). Tous ces identificateurs sont choisis librement, moyennant le respect des règles suivantes :

- Ils ne doivent comporter que des lettres ou des chiffres ; parmi les lettres, ne figurent que les 26 caractères de notre alphabet (majuscules ou minuscules) et le caractère dit "souligné" (_). Notez bien que nos caractères "nationaux" (lettres accentuées ou ç) ne sont pas admis.

- Leur premier caractère doit être une lettre (le caractère "souligné", bien qu'admis, reste déconseillé comme premier caractère),

- Seuls les 63 premiers caractères d'un identificateur sont "significatifs".

- Les majuscules ne sont pas distinguées des minuscules.

- Leur longueur ne peut dépasser une 'ligne de texte" et un identificateur ne doit pas être coupé en deux par une fin de ligne.

Exemples :

Voici des exemples d'identificateurs corrects :

A   A1   n   n_1   nombre_1   Racine_Carree   taxe_a_la_valeur_ajoutee

Ceux-ci, en revanche, sont incorrects :

1b (il commence par un chiffre),

nombre 1 (il comporte un espace),

Racine_carrée (il comporte un caractère accentué),

Turbo-Pascal (il comporte un signe - qui n'est ni une lettre, ni un chiffre).

Voici des couples d'identificateurs identiques :

Racine et *racine*

Racine_carree et *Racine_Carree*

Valeur et *ValEuR*

En Turbo Pascal, tout identificateur doit avoir été déclaré avant qu'il ne soit utilisé. Pour l'instant, cela signifie qu'il est impossible d'utiliser une variable qui ne se serait pas vu attribuer un type dans une déclaration de type.

3 - LES SEPARATEURS

Dans notre langue écrite, les différents mots sont séparés par un espace, un signe de ponctuation ou une fin de ligne. Il en va quasiment de même en Turbo-Pascal.

Dans un programme, deux identificateurs successifs, entre lesquels la syntaxe n'impose aucun signe particulier, doivent impérativement être séparés, soit par un espace, soit par une fin de ligne. En revanche, dès que la syntaxe impose un signe quelconque (: , = ;), il n'est pas nécessaire de prévoir d'espaces supplémentaires (bien qu'en pratique, cela améliore la lisibilité du programme).

Ainsi, vous devrez obligatoirement écrire :

```
var a:integer
```

et non :

```
vara:integer
```

En revanche, vous pourrez indifféremment écrire :

```
var a,b:integer
```

ou, plus lisiblement :

```
var a, b : integer
```

4 - LE FORMAT LIBRE

Contrairement à d'autres langages, Pascal n'impose aucune contrainte sur la manière dont les instructions sont "mises en page". Une instruction peut s'étendre sur plusieurs lignes ;

une même ligne peut comporter plusieurs instructions. Qui plus est, une fin de ligne ne joue pas de rôle particulier dans un programme, du moins pas plus qu'un simple espace[1].

On dit que Pascal est un langage au "format libre". Bien entendu, cela comporte des contre-parties. Ainsi, puisque la ligne n'a aucune signification, il faudra penser à séparer les instructions (en l'occurrence par ;) autrement qu'en se contentant de les placer sur des lignes différentes. De même, il faudra éviter d'abuser de cette liberté, sous peine d'aboutir à des programmes peu lisibles ; a titre d'exemple, voici comment pourrait être (mal) présenté notre programme de calcul de racines carrées :

```
program RacinesCarrees ; const NombreFois = 5 ; var i :
integer ; nombre : real ; racine : real ; begin writeln
('bonjour') ; writeln ('je vais vous calculer ',Nombrefois,
' racines carrees') ; for i := 1 to NombreFois do begin write
('donnez un nombre ') ; readln (nombre) ; if nombre < 0 then
writeln ('  ce nombre ne possède pas de racine carree')
else begin racine := sqrt(nombre) ; writeln ( nombre,
'a pour racine carree ', racine) end ; end ;
writeln ('au revoir') end.
```

Lorsqu'on abuse du format libre

Remarque :

Une chaîne ne peut pas être écrite sur plusieurs lignes. Par exemple, ceci serait incorrect :

```
writeln ('je vais vous
          calculer', Nombre_Fois, 'racines carrees') ;
```

5 - LES COMMENTAIRES

Comme tout langage évolué, Pascal autorise la présence de commentaires dans vos programmes source. Il s'agit de textes explicatifs destinés aux lecteurs du programme et qui n'ont aucune incidence sur sa compilation.

En Turbo Pascal, ces commentaires doivent être placés entre accolades :

```
{ ceci est un commentaire }
```

ou entre les symboles (* et *) :

---

[1]. Rappelons qu'un identificateur ou un mot clé ne peuvent pas être coupés par une fin de ligne.

(* ceci est aussi un commentaire *)

Un commentaire peut apparaître dans un programme à n'importe quel endroit où un espace ou une fin de ligne sont permis (un commentaire ne pourra donc pas apparaître dans un mot clé ou dans une chaîne !).

Voici des exemples de commentaires introduits (ici par { et }) dans notre programme de calcul de racines carrées présenté au chapitre 1 :

```
program Racines_Carrees ;

{ ********************************************************************
  *      Programme de calcul de racines carrées de nombres          *
  *                      fournis en donnees                         *
  * ******************************************************************* }

const Nombre_Fois = 5 ;             { nombre de racines à calculer }

var    i       : integer ;         { compteur de nombres traités }
       nombre  : real ;            { nombre dont on veut la racine }
       racine  : real ;            { racine du nombre }

begin
   writeln ('bonjour') ;
   writeln ('je vais vous calculer ', Nombre_Fois, ' racines carrees') ;
   for i :=1 to Nombre_Fois do
      begin
      write ('donnez un nombre ') ;
      readln (nombre) ;
      if nombre < 0
         then writeln ('   ce nombre ne possède pas de racine carree')
         else begin
              racine := sqrt (nombre) ;
              writeln ( nombre, ' a pour racine carree ', racine)
              end ;
      end ;
   writeln ('au revoir')
end..
```

Exemple de programme commenté

Remarques :

1) En Turbo Pascal, les symboles { et (* ne sont pas rigoureusement équivalents. Ainsi un commentaire "ouvert" par { doit impérativement être "fermé" par } et non par *). De même, un commentaire ouvert par (* doit être fermé par *) et non par }.

28

Cette contrainte présente l'avantage de permettre en quelque sorte "deux niveaux" de commentaires, qui peuvent éventuellement s'imbriquer. Cette particularité peut être exploitée pour masquer temporairement des instructions que l'on place "en commentaires" (en employant par exemple (* alors que les "vrais commentaires" utilisent {). Lorsque l'on souhaite "remettre en service" les dites instructions, il suffit alors de supprimer (par une commande appropriée de l'éditeur) tous les (* et les *). Les "vrais commentaires", quant à eux, ne sont pas affectés par cette opération.

2) Avec la version 7, par défaut, les mots clés appaissent en blanc, le reste du texte étant affiché en jaune. Vous pouvez éventuellement modifier ces couleurs à l'aide de la commande *Options/Environment/Colors*. Mieux, vous pouvez attribuer une couleur de votre choix à certaines catégories de "choses" (items), notamment : les identificateurs, les chaînes constantes, les constantes numériques... En fait, cette commande permet d'agir sur la couleur de tout ce qui apparaît à 'écran...

6 - STRUCTURE D'ENSEMBLE DE LA PARTIE DECLARATION

La partie déclaration peut contenir différentes sortes de déclarations. Nous avons déjà rencontré les déclarations de constantes introduites par le mot clé **const** et les déclarations de variables introduites par le mot clé **var**. Il en existe d'autres que nous rencontrerons plus tard : **label** (déclaration d'étiquettes), **type** (définition de nouveaux types), **procedure** et **function** (définition de procédures et de fonctions).

En Turbo Pascal, chacune de ces déclarations peut apparaître en un nombre quelconque et dans n'importe quel ordre[2], pour peu que l'on respecte la règle qui demande qu'un identificateur soit défini avant d'être utilisé.

Chaque déclaration est séparée de la suivante ou du début du programme (*begin*) par un point-virgule. Bien entendu, compte tenu du format libre, elle peut être disposée sur autant de lignes que vous le voulez. En voici un exemple :

```
const  Nombre_fois = 15 ;
       Coefficient = 0.27 ;
var    nombre, taille : integer ;
       valeur : real ;
       quantité : integer ;
```

---

[2]. En "Pascal standard", chacune des quatre premières déclarations ne pouvait apparaître au maximum qu'une seule fois et suivant un ordre précis (label, const, type, var) ; le tout devait être suivi des différentes déclarations de procédures et de fonctions.

Voici une autre formulation équivalente[3] :

```
var     nombre : integer ;
const   Nombre_fois = 15 ;
var     valeur : real ;
const   Coefficient = 0.27 ;
var     taille : integer ;
        quantité : integer ;
```

MANIPULATIONS

1) Essayez de mieux présenter ce programme :

```
program peu_clair ; var n
:
integer
    ; begin readln
    (n); writeln (n,
    'a pour double', 2*n) end.
```

2) Voyez comment réagit le compilateur, lorsque vous omettez de déclarer le type d'une variable ; pour cela, utilisez le programme précédent dans lequel vous supprimerez la déclaration du type de n (*var n : integer ;*).

3) Voyez ce qui se produit si vous cherchez à utiliser un mot clé comme nom de variable (utilisez par exemple le programme de la manipulation 1, en remplaçant l'identificateur *n* par *do*).

4) Vérifiez qu'il est possible d'employer un identificateur prédéfini, par exemple comme nom de variable : pour cela, remplacez dans le programme 1, l'identificateur *n* par *real*.

Voyez qu'alors, dans ces conditions, il n'est plus possible de déclarer une variable de type *real* ; pour cela, ajoutez simplement la déclaration :

```
var x : real ;
```

Essayez de prévoir ce qui se passerait si vous inversiez l'ordre des deux déclarations. Vérifiez vos hypothèses.

Vérifiez que les mots clés (marqués 2 dans le tableau de ce chapitre) sont bien considérés par Turbo Pascal 7 comme des identificateurs prédéfinis. *accepter par le compilateur en remplacement de la variable n*

---

[3]. Elle ne serait pas acceptée en Pascal standard.

IV - LES TYPES SCALAIRES PREDEFINIS :
INTEGER, REAL,
CHAR ET BOOLEAN

Dans nos précédents exemples, nous avons rencontré des variables de type entier (*integer*) ou réel (*real*). De tels types sont dits **scalaires** (ou simples) car (à un instant donné), une variable du type contient une seule valeur. Ils s'opposent aux types dits **structurés** (ou parfois "agrégés"), lesquels correspondent à des variables[1] qui (toujours à un instant donné) contiennent plusieurs valeurs ; l'exemple le plus simple de type structuré en Pascal est le "tableau" qui correspond à un ensemble ordonné de valeurs de même type. D'une manière générale, nous verrons que ces types structurés sont toujours construits à partir de types scalaires[2].

Dans ce chapitre, nous allons étudier en détail :

- les deux types déjà évoqués : entier (*integer*) et réel (*real*),

- le type caractère (*char*),

- le type booléen (*boolean*).

D'une manière générale, ces types sont dits prédéfinis dans la mesure où vous n'avez rien d'autre à faire que de citer leur nom (identificateur prédéfini) pour les utiliser. Nous verrons que Pascal vous permet de définir vous-mêmes des types simples (types énumérés ou types intervalles).

---

[1]. Notez qu'en Pascal, on utilise le même mot "variable", aussi bien pour des types simples que pour des types structurés. Certains autres langages réservent ce mot variable aux seuls types simples.

[2]. En toute rigueur, outre les types scalaires et les types structurés, il existe également des types "pointeur" et "fichier".

Turbo Pascal dispose d'autres types simples prédéfinis que ceux-ci[3], à savoir d'autres types entiers (*byte, shortint, word, longint*), ainsi que de nouveaux types réels adaptés aux "coprocesseurs arithmétiques" de la famille 80x87 ; ils seront étudiés dans le chapitre XXIII.

1 - JUSTIFICATION DE LA NOTION DE TYPE

Lorsque vous introduisez dans un programme une déclaration telle que :

```
var i : integer ;
```

vous indiquez en fait implicitement à la fois :

- l'ensemble des valeurs qui peuvent être assignées à la variable i ; par exemple, ici, 12 est une valeur acceptable, tandis que 1.375 n'en est pas une, pas plus que la chaîne 'bonjour' ou le caractère a,

- les opérations auxquelles la variable pourra éventuellement participer,

- la manière dont le compilateur devra coder la valeur de i.

En l'absence d'une telle déclaration, le compilateur ne serait même pas capable de traduire une instruction aussi simple que :

```
n = i + j
```

En effet, il lui faudrait pour cela savoir (entre autres) si l'addition à mettre en place entre i et j porte sur des entiers ou sur des réels, l'instruction machine correspondante n'étant pas la même dans les deux cas.

Pour chacun des types concernés par ce chapitre, nous étudierons :

- la façon d'écrire des constantes de ce type,

- les "opérateurs" correspondants, c'est-à-dire les opérations qu'il est possible d'effectuer entre deux éléments de ce type ; pour l'instant, ces éléments seront simplement des constantes ou des variables ; mais, en combinant de telles opérations, nous aboutirons à la notion d'expression (relativement intuitive) qui sera étudiée dans le prochain chapitre.

- les limitations propres au type,

- les "fonctions" qui peuvent agir sur des éléments de ce type ou fournir des résultats de ce type.

---

[3]. Mais que ne comporte pas le "Pascal standard".

2 - LE TYPE ENTIER (INTEGER)

Il correspond à des entiers relatifs et il se déclare à l'aide de l'identificateur **integer**.

2.1 Ecriture des constantes entières

Au sein d'un programme, les constantes entières s'écrivent sous forme d'un nombre entier (sans espace entre les chiffres) précédé éventuellement d'un signe + ou -. Voici des exemples corrects de telles constantes :

    12   +25   -324

2.2 Les opérateurs relatifs au type entier

Opérateur	Signification	Exemples
+	addition	3 + 5 vaut 8
-	soustraction	3 - 5 vaut -2
-	opposé (quand il ne porte que sur un seul terme)	Si z vaut -5, -z vaudra 5
*	multiplication	3 * 5 vaut 15
div	division (entière)	13 div 5 vaut 2 - 13 div 5 vaut - 2 13 div - 5 vaut - 2 - 13 div - 5 vaut 2
mod	reste (de division entière)	13 mod 5 vaut 3 - 13 mod 5 vaut - 3 13 mod - 5 vaut 3 - 13 mod - 5 vaut - 3

Les opérateurs portant sur des entiers et fournissant un résultat entier

Remarques :

1) Nous verrons, dans le paragraphe 3, qu'il existe un opérateur de division exacte de deux entiers fournissant un résultat réel.

2) Turbo-Pascal dispose d'autres opérateurs portant apparemment sur des entiers ; il s'agit en fait d'opérateurs manipulant leur contenu binaire (décalages : *shr, shl,* opérations bit à bit : *or, xor, not*) ; nous en parlerons dans le chapitre XXIII.

2.3 Les limitations liées au type entier

Les nombres que l'on peut représenter sont nécessairement limités par la taille de l'emplacement mémoire utilisé pour les coder, à savoir 2 octets (16 bits). Compte tenu du codage utilisé[4], cela permet de couvrir un "intervalle" s'étendant de :

$$-32768 \text{ à } 32767$$

L'identificateur prédéfini **maxint** fournit la valeur du plus grand entier représentable, c'est-à-dire 32767.

2.4 Certaines fonctions relatives au type entier

Deux fonctions mathématiques possèdent un argument de type entier et fournissent un résultat de ce type, à savoir :

Nom de la fonction	Rôle	Exemple
abs	valeur absolue	abs(-3) vaut 3
sqr	élévation au carré	sqr (7) vaut 49

Les fonctions mathématiques à argument entier et à résultat entier

2.5 Conséquences des limitations du type entier.

```
program Depas_Capac_Entier ;
var i, j : integer ;
begin
   i := 20000 ;
   j := 2 * i ;
   writeln ( ' deux foix ', i, ' egale ', j)
end.
```

```
deux foix 20000 egale -25536
```

Dépassement de capacité en entier

---

[4]. Les négatifs sont codés suivant la technique dite "du complément à deux".

34

Vous constatez que le programme précédent fournit des résultats faux, sans qu'aucun message d'erreur ne permette de le savoir. Ceci provient de ce que les "dépassements de capacité" (dans le cas du type *integer*) ne sont jamais détectés. Tout se passe, en fait, comme si le résultat de l'opération 2*i était évalué en ignorant les "bits" les plus significatifs sortant du cadre imparti des 16 bits[5].

En revanche, si vous cherchez à écrire une constante (par exemple 125413) qui ne peut pas être représentée dans le type entier, vous en serez bien prévenus par un message de compilation approprié (*constant out of range*).

Remarque :

Comme nous l'avons déjà évoqué, Turbo Pascal dispose du type *longint* (32 bits) correspondant à une plage de valeurs beaucoup plus large. En déclarant de ce type les variables de notre exemple, aucun problème ne se poserait alors.

3 - LE TYPE REEL (REAL)

Il correspond à une représentation approchée d'une partie des nombres réels (le terme "décimal" serait d'ailleurs tout aussi approprié). Il se déclare à l'aide de l'idenficateur prédéfini : **real**.

3.1 Ecriture des constantes réelles

Elles peuvent s'écrire indifféremment sous forme "décimale" ou sous forme "exponentielle".

La forme décimale doit comporter obligatoirement un point (qui correspond à notre virgule), et au moins un chiffre avant et après le point, le signe plus étant facultatif. Aucun espace ne doit apparaître. Ces notations sont correctes :

    12.43   -0.453   + 1.0

En revanche, celles-ci ne le sont pas :

    1   (pas de point décimal ; il s'agit donc d'une constante entière)
    .58   (pas de chiffre avant le point)
    1.   (pas de chiffre après le point)
    - 3.5 (espace entre le signe - et le nombre)

La forme exponentielle correspond à la notation scientifique des calculettes où le E (majuscule ou minuscule) signifie "dix exposant". La "mantisse" (partie qui précède le E)

---

[5]. A titre d'image, cela ressemble à ce que vous obtiendriez en additionnant deux nombres tels que 951 et 847, en ne gardant que les trois chiffres les moins significatifs : vous trouveriez 798.

peut être écrite sous forme entière ou sous forme décimale. L'exposant doit être un entier (avec ou sans signe). Ces exemples sont corrects :

4.25E+4   4.25E4   5.48E-3   0.548E-4   28e3   -45e-13

En revanche, ceux-ci sont incorrects :

5E0.2   (exposant non entier)
-.25E3   (il manque un zéro avant le point)
4.E10   (il manque un zéro après le point)
1.25 E 3   (espaces de part et d'autre du E)

3.2 Les opérateurs relatifs au type réel

Il s'agit des opérateurs "classiques" : +, -, * et /.

On notera que les trois premiers servent à la fois à représenter des opérations sur des entiers ou sur des réels. Néanmoins, les "instructions machine" à mettre en oeuvre ne sont pas les mêmes dans les deux cas. On voit alors clairement la nécessité pour le compilateur de connaître le type des valeurs en cause.

Remarque très importante :

L'opérateur / peut également porter sur des entiers. Dans ce cas, il représente le quotient dit exact et il **fournit un résultat de type réel.**

3.3 Les limitations liées au type réel

Les réels sont codés sur 6 octets. La technique de codage utilisée conduit à représenter avec une précision de l'ordre de **11 chiffres significatifs**[6] des nombres dont la valeur absolue est comprise dans l'intervalle :

$$2{,}9.10^{-39} \qquad 1{,}7.10^{38}$$

3.4 Les fonctions relatives au type réel

Il s'agit essentiellement de fonctions mathématiques.

---

[6]. En toute rigueur, compte tenu du codage employé, il faudrait exprimer la précision, non pas en chiffres (décimaux) significatifs mais en bits significatifs (en l'occurence, ici, 40, les 8 autres étant réservés à l'exposant)

Fonction	Rôle	Exemple
abs sqr sqrt	valeur absolue élévation au carré racine carrée	abs(-3.4) vaut 3.4 sqr (1.1) vaut 1.21
sin cos arctan	sinus (argument en radians) cosinus (argument en radians) arctg (résultat en radians)	
ln exp	logarithme népérien exponentielle	
frac int	partie fractionnaire partie entière	frac (1.35) vaut 0.35 int(4.75) vaut 4. int (-4.75) vaut -4

Les fonctions à argument réel et à résultat réel

Notez bien que les fonctions *abs* et *sqr* fournissent en fait un résultat du type de leur argument (entier ou réel). Les autres acceptent éventuellement un argument entier mais fournissent toujours un résultat réel.

D'autre part, il existe deux fonctions permettant de "convertir" un réel en entier :

Fonction	Rôle	Exemples
round	arrondi à l'entier le plus proche	round (2.85) vaut 3 round (2.32) vaut 2 round (-2.25) vaut -2 round (-2.85) vaut -3
trunc	partie entière	trunc (2.85) vaut 2 trunc (-2.85) vaut -2

Les fonctions de conversion réel -- > entier

3.5 Conséquences des limitations du type réel

Contrairement à ce qui se passait avec le type entier, les dépassements de capacité[7] sont effectivement détectés. On obtient alors (lors de l'exécution bien sûr!) un message d'erreur approprié, accompagné d'un arrêt du programme. En voici un exemple :

```
var x, y : real ;
    .....
x := 1e37 ;
y := x * 100 ;     { provoque un arret de l'exécution }
                   { avec un message d'erreur (overflow) }
```

En revanche, il n'en va plus de même pour les "sous-dépassements de capacité"[8], c'est-à-dire les cas où le résultat d'une opération est (en valeur absolue) inférieur à la plus petite valeur réelle représentable (1E-38). Dans ce cas, aucun diagnostic n'est effectué et le résultat de l'opération est simplement **zéro**.

Par ailleurs, la précision limitée de la représentation des réels peut avoir des conséquences relativement inattendues. Voyez ce programme :

```
program Catastrophe ;
const x = 1.0e20 ;
      y = 1.0 ;
var valeur1 : real ;
    valeur2 : real ;
begin
    valeur1 := ( x + y - x ) / y ;
    valeur2 := ( x - x + y ) / y ;
    writeln ( valeur1, valeur2 )
end.

    0.0000000000E+00  1.0000000000E+00
```

Quand l'ordre des calculs influe (considérablement) sur le résultat

Bien que ce programme fasse intervenir la notion, non encore étudiée, de priorité relative des différents opérateurs, il est assez facile de voir dans quel ordre les calculs sont effectués pour *valeur1* et pour *valeur2*. Dès que la valeur de y est suffisamment petite devant celle de x, le résultat de l'addition de x et de y coïncide **exactement** avec la valeur de x. Dans ces conditions, $x+y-x$ s'évalue en $x-x$ soit 0 ; en revanche, $x-x+y$ s'évalue en $0+y$ c'est-à-dire y.

---

[7]. "Overflow" en anglais.
[8]. "Underflow" en anglais.

38

4 - LE TYPE CARACTERE

De même qu'une valeur du type *integer* était un nombre entier, une valeur du type *char* sera un "caractère quelconque". Avant de préciser exactement ce que nous entendons par caractère quelconque, voici un premier exemple relativement naturel d'emploi du type *char*.

```
program Exemple_type_char ;
const mon_choix = 'e' ;
var votre_choix : char ;
begin
    write ('choisissez un caractere : ') ;
    readln (votre_choix) ;
    writeln ('merci pour ', votre_choix) ;
    writeln ('mon choix etait ', mon_choix)
end.

choisissez un caractere : a
merci pour a
mon choix etait e
```

Le type char

La notation 'e' représente une "constante de type caractère" ; *votre_choix* est un identificateur de variable de ce type, tandis que *mon_choix* est un identificateur de constante de ce même type.

Notez bien qu'une valeur de type *char* est constituée d'un seul caractère. Cette notion ne doit pas être confondue avec celle de "chaîne de caractères" que nous aborderons ultérieurement.

4.1 Qu'est-ce qu'un caractère en Turbo Pascal

De même que nous avons défini l'ensemble des valeurs possibles pour les types entiers et réels, on peut se demander quelles sont les valeurs permises pour le type *char*.

La norme du Pascal standard n'est pas très explicite sur ce point puisqu'elle se contente de dire qu'il doit y avoir au moins un jeu de caractères alphabétiques (majuscule ou minuscule), les chiffres et quelques caractères spéciaux (c'est-à-dire au moins ce qui constitue l'"alphabet" du langage).

Le Turbo Pascal, fort heureusement, va bien au-delà de ce minimum. Mais, en même temps, la notion même de caractère s'y trouve élargie, à l'image même de ce qui se passe

39

en Basic. En effet, Turbo Pascal utilise le type ASCII[9] pour représenter les caractères. Ce code définit d'une façon presque standard 128 caractères qui se classent en **deux catégories** :

- Les caractères dits "**imprimables**". Ils correspondent à la notion usuelle de caractère (lettre, chiffre, ponctuation...).

  - Les caractères dits "**de contrôle**" (codes 0 à 31 et code 127). Ils ne sont pas imprimables, en ce sens qu'ils ne permettent pas d'afficher ou d'imprimer un certain graphisme. Ils servent à faire réaliser une fonction bien précise au périphérique auquel ils sont transmis, par exemple : déplacement du curseur d'écran, bip sonore, saut de page sur imprimante...

De plus, les ordinateurs IBM-PC (ou compatibles) utilisent un code ASCII dit "étendu", comportant 128 possibilités supplémentaires, correspondant aux codes 128 à 255[10].

En Turbo Pascal, le type caractère comporte effectivement les 256 d'un code ASCII étendu. Néanmoins, il ne faut pas perdre de vue que seuls les codes 32 à 126 correspondent à des caractères que l'on pourrait qualifier de "naturels", c'est-à-dire qui peuvent à la fois :

- être affichés "en clair" à l'écran,

- être entrés au clavier,

- être écrits simplement par leur graphisme dans le texte d'un programme.

Quant aux autres, vous pourrez certes les manipuler en Turbo Pascal, mais la maîtrise de leur rôle demandera une certaine technicité[11]. Nous aurons d'ailleurs l'occasion d'y revenir au fil des prochains chapitres.

4.2 Ecriture des constantes de type caractère

Les caractères possédant un graphisme (codes 32 à 126) peuvent s'écrire simplement en plaçant ce graphisme entre apostrophes comme dans :

```
'a'     'C'     '1'     '+'     ';'
```

---

[9]. ASCII est l'abréviation de "American Standard Code for Information Interchange" (code américain standard pour l'échange d'information). Chaque caractère est codé sur un octet dont on n'utilise en fait que 7 bits (les 7 derniers), ce qui conduit à 128 caractères difféférents possibles. Chaque possibilité est repérée par un nombre décimal compris entre 0 et 127 qu'on appelle (par abus de langage) le code du caractère correspondant.

[10]. Ce code étendu utilise effectivement les 8 bits d'un octet. Notez qu'en toute rigueur, il existe deux de ces codes étendus, suivant que l'on travaille avec le système DOS ou avec WINDOWS.

[11]. Par exmple, il faut être en mesure de prévoir l'effet produit par un caractère lorsqu'on l'affiche à l'écran. Ainsi, le code ASCII 7 ne provoque aucun affichage, mais il active une sonnerie (bip) ! De même, il peut être nécessaire de savoir comment entrer au clavier un tel caractère. Par exemple, le caractère "return" (code 13) a un rôle de "validation" d'une lecture qui paraît difficilement conciliable avec sa propre lecture !

L'espace s'obtient de la même façon : ' ' (n'oubliez pas que c'est un caractère comme un autre). L'apostrophe elle-même s'obtient conventionnellement en la doublant (ce qui fait 4 apostrophes en tout) : ''''.

Les "caractères de contrôle" de code 0 à 31 peuvent être écrits sous la forme **CTRL-** ou ^ suivi d'une lettre (on n'utilise donc plus d'apostrophe) comme dans cette instruction qui place le caractère de code ASCII 7 dans la variable caractère nommée *cloche* :

```
cloche := ^G    { ou    cloche := CTRL-G  }
```

Enfin, il est toujours possible de noter un caractère quelconque (même imprimable) par son code ASCII (en décimal), précédé de #, par exemple #7 pour le caractère de code 7.

4.3 Certaines fonctions relatives aux caractères

Deux fonctions permettent des "conversions" entre le type numérique et le type caractère, par l'intermédiaire du code ASCII

Fonction	Type argument	Type résultat	Rôle	Exemples
ord	char	integer	valeur numérique du code du caractère	ord ('A') vaut 65 ord (^G) vaut 7
chr	integer (compris entre 0 et 255)	char	caractère ayant le code indiqué	chr (65) vaut 'A'

Les fonctions de conversion numérique -- > caractère

Voici un exemple de programme utilisant la fonction *chr* pour afficher tous les caractères dont le code ASCII est compris entre deux limites fournies en données :

```
program liste_caracteres ;
var c : char ;
    i : integer ;
    min, max : integer ;
begin
    write ('donnez le code inferieur ') ;
    readln (min) ;
    write ('donnez le code superieur ') ;
    readln (max) ;
    for i := min to max do
        writeln ('au code ASCII ', i, ' correspond le caractere ', chr(i) ) ;
end
```

```
donnez le code inferieur 32
donnez le code superieur 40
au code ASCII 32 correspond le caractere
au code ASCII 33 correspond le caractere !
au code ASCII 34 correspond le caractere "
au code ASCII 35 correspond le caractere #
au code ASCII 36 correspond le caractere $
au code ASCII 37 correspond le caractere %
au code ASCII 38 correspond le caractere &
au code ASCII 39 correspond le caractere '
au code ASCII 40 correspond le caractere (
```

Pour connaître les caractères de code ASCII donné

5 - LE TYPE BOOLEEN (BOOLEAN)

Ce type, nommé aussi type "logique" dans d'autres langages (lorsqu'il existe) n'apparaît pas d'emblée comme aussi nécessaire et naturel que les trois autres types simples que nous venons d'étudier. C'est pourquoi nous allons commencer par l'introduire sur plusieurs exemples.

5.1 Exemples introductifs

Considérons d'abord ce programme :

```
program Expression_booleenne ;
var n, p : integer ;
begin
    writeln ('donnez 2 entiers : ') ;
    readln (n, p) ;
    if n < p then writeln ('croissant')
             else writeln ('non croissant')
end.

donnez 2 entiers :
25 10
non croissant
```

Expression booléenne

Après avoir lu deux nombres entiers en donnée, il les compare et nous affiche un message précisant si oui ou non le premier est supérieur au second. Le choix entre les deux possibilités est fait en examinant la condition $n < p$; celle-ci ne peut prendre que l'une des valeurs vrai ou faux. En Pascal, une telle condition apparaît en fait comme une *expression*

42

de type booléen, type qui ne comporte que deux valeurs possibles : vrai (noté *true*) et faux (noté *false*).

Notez que, jusqu'ici, nous n'avons pas encore introduit de déclaration correspondant à ce nouveau type puisque nous n'avons pas eu besoin de variables du type. Mais voyez maintenant cet exemple :

```
program Exemple_variable_booleenne ;
   var n, p  : integer ;
       range : boolean ;
   begin
       writeln ('donnez 2 entiers ') ;
       readln (n, p) ;
       range := n < p ;
       if range then writeln ('croissant')
                else writeln ('non croissant')
   end.

donnez 2 entiers
25 10
non croissant
```

Emploi d'une variable booléenne : range

Cette fois, la valeur de l'expression *n < p* est affectée à la variable nommée *range*, déclarée de type booléen. Cette variable est ensuite utilisée pour effectuer le choix entre les deux possibilités d'affichage.

Voici un troisième exemple qui vous montre que l'on peut écrire la valeur d'une variable booléenne[12] :

```
program Ecriture_de_booleens ;
   var n, p  : integer ;
       range : boolean ;
   begin
       writeln ('donnez 2 entiers') ;
       readln (n, p) ;
       range := n < p ;
       writeln (range)
   end.
```

[12]. Toutefois, nous verrons qu'il n'est pas possible de la lire directement.

43

```
donnez 2 entiers
25 10
FALSE
```

Notez que les valeurs booléennes sont affichées sous la forme *true* et *false*. Voici enfin un dernier exemple, un peu artificiel, faisant intervenir les constantes booléennes (qui se notent également *true* et *false*) :

```
program Booleens ;
var n, p  : integer ;
    range : boolean ;
begin
    range := true ;
    writeln ('donnez 2 entiers') ;
    readln (n, p) ;
    if n > p then range := false ;
    writeln (range)
end.

donnez 2 entiers
25 10
FALSE
```

Utilisation de constantes booléennes

Ce programme fournit en fait les mêmes résultats que le précédent. La démarche en est quelque peu différente puisqu'elle consiste à supposer, par défaut, que les valeurs (de n et p) sont ordonnées, en attribuant la valeur vrai (*true*) à la variable booléenne *range* puis, dans le seul cas où la condition $a < b$ n'est pas vraie, on modifie comme il se doit la valeur de *range*.

5.2 Les opérateurs de comparaison

Nos exemples introductifs ont fait intervenir une comparaison ($n < p$) entre deux valeurs numériques en utilisant l'opérateur <. En fait, comme vous l'imaginez, il existe d'autres opérateurs de comparaison (six en tout). De plus, ceux-ci permettent de comparer entre elles, non seulement des valeurs numériques, mais des valeurs d'un *type scalaire* quelconque. La seule contrainte résidera dans le fait que les valeurs comparées devront être du même type.

Cela signifie donc, qu'en Pascal, les types scalaires sont totalement ordonnés[13]. Autrement dit, étant donné deux valeurs d'un type scalaire, on est toujours en mesure de dire que, si elles sont différentes, l'une des deux arrive "avant l'autre". Ou encore, pour être un peu plus formel, si a et b sont deux valeurs d'un type scalaire quelconque, une et une seule des trois conditions suivantes est vraie :

    a > b
    a = b
    a < b

Comme Pascal utilise les mêmes symboles de comparaison quel que soit le type concerné, cela implique que les mêmes opérateurs auront une "signification" différente suivant le type auquel ils s'appliquent. Ainsi, si < signifie "plus petit" pour des nombres, il n'en ira plus de même pour des caractères. On peut penser, dans ce dernier cas, qu'il doit plutôt signifier "avant" ; encore faut-il préciser sur quel ordre on se base ! L'ordre alphabétique ? Comment alors comparer 'A' et 'a'. En fait, **les caractères sont simplement ordonnés suivant la valeur de leur code ASCII.**

Et les autres types scalaires, direz-vous ? Pour l'instant, il ne reste plus que le cas du type booléen pour lequel il a été convenu que :

    false < true

Lorsque nous étudierons d'autres types scalaires, nous vous préciserons comment ils sont ordonnés.

Voici la liste des opérateurs de comparaison avec leur signification lorsqu'ils sont appliqués à un type numérique (entier ou réel) ou à un type caractère :

Opérateur	Signification numérique	Signification caractère
=	égal	égal
<	inférieur	de code inférieur
< =	inférieur ou égal	de code inférieur ou égal
>	supérieur	de code supérieur
> =	supérieur ou égal	de code supérieur ou égal
< >	différent	différent

Les opérateurs de comparaison

---

[13]. Nous verrons également que les types pointeurs et chaînes sont totalement ordonnés.

5.3 Les opérateurs booléens

De même qu'il existait des opérateurs entiers, des opérateurs réels, il existe des opérateurs booléens qui portent donc sur des valeurs booléennes. Toutefois, l'intérêt de ces opérateurs apparaît surtout lorsque les dites valeurs sont elles-mêmes le résultat d'expressions booléennes (notamment des comparaisons). Bien que nous n'ayons pas encore étudié les expressions en général et les règles de priorité qui s'y attachent, nous les utiliserons dans les exemples qui suivent.

a) L'opérateur and

Si les variables a, b, c et d sont par exemple, réelles, l'expression booléenne[14] :

   (a < b) and (c < d)

prendra la valeur vrai, si à la fois les deux expressions $a < b$ et $c < d$ sont vraies. Dans le cas contraire, elle prendra la valeur faux.

D'une manière générale, si x et y désignent deux valeurs booléennes, on a :

x	y	x and y
true	true	true
true	false	false
false	true	false
false	false	false

L'opérateur and

b) L'opérateur or

L'expression booléenne :

   (a < b) or (c < d)

prendra la valeur vrai si **l'une au moins** des deux expressions $a < b$ ou $c < d$ est vraie (les deux pouvant être vraies).

D'une manière générale, on a :

---

[14]. Nous verrons, dans le chapitre IV, pourquoi les parenthèses sont nécessaires.

x	y	x or y
true	true	true
true	false	true
false	true	true
false	false	false

L'opérateur or

c) L'opérateur xor[15]   CORRES pond à ⟷ si et seulement si

L'expression booléenne :

(a < b) xor (c < d)

prendra la valeur vrai si **une et une seule** des deux expressions $a < b$ et $c < d$ est vraie. Dans le cas contraire, elle prendra la valeur faux.

D'une manière générale, on a :

x	y	x xor y
true	true	false
true	false	true
false	true	true
false	false	false

L'opérateur xor

d) L'opérateur not

L'expression booléenne :

not (a > b)

prendra la valeur vrai si l'expression $a > b$ est fausse ; dans le cas contraire, elle prendra la valeur faux.

---

[15]. Il n'existe pas en Pascal standard.

D'une manière générale, on a :

x	not x
true	false
false	true

L'opérateur not

Remarque :

Comme nous l'avons déjà évoqué, les opérateurs *and, or, not* et *xor* peuvent également porter sur des entiers. Ils servent alors à effectuer des "manipulations de bits". Nous en reparlerons dans le chapitre XXIII.

6 - NOTION DE TYPE ORDINAL - LES FONCTIONS ORD, PRED ET SUCC

Nous avons déjà dit que tous les types scalaires étaient totalement ordonnés. En Pascal, outre la notion d'ordre, existe une notion voisine mais cependant distincte, celle de **type ordinal**. On nomme ainsi un type dans lequel il est possible d'attribuer à chaque valeur un prédécesseur et un successeur (exception faite, bien sûr, pour la première et la dernière valeur du type). Dans un type qualifié d'ordinal, les valeurs sont en quelque sorte "énumérables". On pourrait en dresser la liste et même repérer chaque valeur dans la liste par un numéro d'ordre.

Trois fonctions Pascal travaillent avec des valeurs d'un type ordinal :

succ en fournit le successeur s'il existe,
pred en fournit le prédécesseur s'il existe,
ord en fournit le "numéro d'ordre".

Notez que *succ* et *pred* fournissent un résultat de même type que leur argument ; *ord* fournit toujours un résultat de type *integer*.

Parmi les quatre types scalaires que nous avons rencontrés, seul le type réel n'est pas ordinal. En ce qui concerne le type entier, on devine ce que représentent *succ* et *pred*. Par exemple, *succ(543)* vaut 544 et *pred(-4)* vaut -5. Quant à *ord*, il vaut simplement... la valeur de l'entier considéré ! Ainsi, *ord(15)* vaut 15, *ord(-4)* vaut -4.

En ce qui concerne le type caractère, en Turbo Pascal, *ord* en fournit la valeur décimale du code ; par exemple, *ord ('A')* vaut 65. Le rôle de *succ* et de *pred* en découle.

Pour les booléens, enfin, *ord (false)* vaut 0 tandis que *ord (true)* vaut 1.

On comprend assez facilement que le type réel ne puisse être ordinal. Que pourrait bien être, en effet, *succ (1.287)* ? Même si l'on parvenait à trouver une signification de *succ*, celle-ci ne pourrait, de toutes façons, qu'être dépendante du mode de représentation des réels en mémoire et, donc, de la machine utilisée et de la version de Pascal employée.

Voici un exemple d'utilisation des fonctions *succ*, *pred* et *ord*

```
program Type_ordinal ;
var c : char ;
begin
    write ('donnez un caractere : ') ;
    readln (c) ;
    writeln ('son ordre est        : ', ord(c) ) ;
    writeln ('son prédécesseur est : ', pred(c) ) ;
    writeln ('son successeur est   : ', succ(c) )
end.

donnez un caractères : Z
son ordre est        : 90
son prédécesseur est : Y
son successeur est   : [
```

Les fonctions ord, pred et succ

7 - LA DECLARATION DU TYPE DES VARIABLES : VAR

Nous avons déjà indiqué que le Pascal standard n'admettait qu'une seule déclaration *var*, tandis que le Turbo Pascal en autorisait plusieurs. Dans les deux cas, chaque déclaration introduite par *var* est réalisée suivant les mêmes règles que nous allons d'abord introduire sur cet exemple :

```
var x, y, z : real ;
    n       : integer ;
    t, u    : real ;
    c       : char ;
```

Cette déclaration comporte en fait quatre groupes de déclarations, séparés par des points-virgules. Nous avons écrit chacun d'entre eux sur une ligne mais, bien entendu, compte tenu du "format libre", cela n'a rien d'obligatoire. Le premier groupe déclare trois variables (x, y et z) du type *real*. Notez sa syntaxe : une liste de variables séparées par des virgules, le signe deux-points et l'identificateur de type.

Notez qu'il n'est pas nécessaire de regrouper toutes les variables de même type. Dans notre exemple, nous avons deux groupes de déclarations relatifs au type *real*.

D'une manière générale, la syntaxe d'une déclaration *var* (nous l'appellerons "instruction *var*") est la suivante :

```
var liste_d_identificateurs_1 : description_de_type_1 ;
    liste_d_identificateurs_2 : description_de_type_2 ;
    .....
    liste_d_identificateurs_n : description_de_type_n ;
```

L'instruction var

Avec :

liste_d_identificateurs : un identificateur ou plusieurs séparés par des virgules
description_de_type : pour l'instant, limité à l'un des identificateurs prédéfinis : *integer*, *real*, *char* ou *boolean*. Mais nous verrons d'autres possibilités.

8 - LA DECLARATION DE CONSTANTES : CONST

Comme nous l'avons vu, elle permet d'attribuer des valeurs constantes à des identificateurs. Là encore, le Pascal standard n'accepte qu'une seule déclaration de ce genre, tandis que le Turbo Pascal en autorise plusieurs. Dans les deux cas, chaque déclaration introduite par *const* est réalisée suivant les mêmes règles que nous allons introduire sur un exemple :

```
const Nombre = 5 ;
      Limite = 12.5 ;
      Lettre = 'i' ;
```

Ici, cette déclaration comporte trois définitions de constantes, séparées par des points-virgules. Notez bien l'usage du signe égal (et non deux-points).

Un identificateur de constante ne doit pas faire l'objet d'une déclaration de type dans une instruction *var*. Autrement dit, au seul vu d'une telle déclaration, Turbo Pascal est capable d'attribuer le type entier à *nombre*, le type réel à *Limite* et le type caractère à *Lettre*.

D'une manière générale, nous verrons que la valeur qui est attribuée à un identificateur de constante peut être, non seulement une constante du type, mais également ce que Turbo Pascal nomme une "expression constante". La syntaxe d'une déclaration *const* est la suivante :

```
const identificateur_1 = constante_1 ;
      identificateur_2 = constante_2 ;
      .....
      identificateur_n = constante_n ;
```

L'instruction const

où *constante* peut prendre l'une des formes :

- nombre entier (avec ou sans signe),
- nombre réel (avec ou sans signe),
- identificateur (de constante),
- chaîne,
- expression constante[16]

EXERCICES

1) Quelles erreurs relevez-vous dans les déclarations suivantes :

a) var x = integer
b) var c : real, d : integer ;
c) var   nombre : char ;
               lettre : real ;
d) var   x, y, z,
               t, u,
               v : integer ; z : real ;
e) var z = 3 ;
f) const n : 8 ;
g) const i = 'a', z = 2 ;
h) const un_demi = .5 ;

2) Quel est le type des constantes définies par les déclarations suivantes :

```
const valeur = '+' ;
      x = 3 ; z = 1e5 ;
      total = true ;
      minimum = -maxint ;
```

3) Ecrire les déclarations pour :

a) une variable entière nommée *nombre* et deux variables réelles nommées *rayon* et *surface*.

b)   x, y, z : réelles,
        n : entière,
        car, lettre : caractères,
        valable, ok : booléens.

---

[16]. En toute rigueur, le terme expression constante englobe tous les autres cas.

4) Choisir des identificateurs appropriés et écrire la partie déclaration d'un programme de facturation qui aurait :

- en donnée : un prix hors taxes et une quantité,

- en résultat : un prix TTC.

On utilisera un identificateur de constante pour le taux de TVA égal à 18,8.

5) Ecrire un programme affichant la valeur ordinale d'un entier lu en donnée.

6) Ecrire un programme auquel on fournit en donnée un caractère et qui en affiche le précédent et le suivant (on suppose qu'ils existent).

V. L'INSTRUCTION D'AFFECTATION

Jusqu'ici, nous avons rencontré des instructions telles que :

```
j := 2 * i
y := x/10.
ecart := 10.0 * a - 1.0
racine := sqrt (nombre)
```

Ces instructions, et en particulier les **expressions** mentionnées à droite du symbole :=, étaient suffisamment simples pour qu'on en saisisse intuitivement la signification. Mais les expressions peuvent devenir beaucoup plus complexes, en faisant intervenir plusieurs opérateurs et donc des problèmes de "priorité".

Ce chapitre se propose d'étudier en détail cette notion d'expression avant de présenter l'instruction d'affectation dans toute sa généralité (on notera bien que les expressions pourront intervenir ailleurs que dans des affectations, notamment dans des instructions d'affichage).

Actuellement, nous ne connaissons que quelques-uns des "types" de données du Pascal ; notre étude des expressions et de l'affectation s'en trouvera, pour l'instant, nécessairement limitée à ceux-ci. Elle sera complétée, au fil des chapitres suivants, à chaque découverte d'un nouveau type.

1 - EXEMPLES INTRODUCTIFS D'EXPRESSIONS

Une expression représente une succession de calculs ; elle peut faire intervenir des *constantes*, des *variables*[1], des *fonctions* et des *opérateurs*. Avant d'en examiner toutes les règles qui permettent d'une part, de décider que leur écriture est valide pour Pascal, d'autre part, d'en déterminer la valeur, analysons d'abord quelques exemples dans lesquels nous faisons les hypothèses suivantes : n, p et q désignent des variables entières tandis que x, y et z désignent des variables réelles.

x + y + z

Les trois variables x, y et z sont du même type (réel). Il s'agit donc d'une succession de deux additions de valeurs réelles. Le seul problème qui se pose vraiment est celui de l'ordre dans lequel vont se dérouler les opérations. Il y aura d'abord calcul de la somme $x+y$ puis le résultat obtenu sera ajouté à la valeur de z[2].

x + y * z

Ici encore, les valeurs en cause sont du même type. Comme en algèbre, la multiplication est prioritaire sur l'addition, ce qui signifie qu'il y aura d'abord calcul du produit $y*z$ et le résultat obtenu sera ajouté à la valeur de x.

x + n/p

Cette fois, x est réelle tandis que n et p sont entières. Cependant la division (comme la multiplication) étant prioritaire sur l'addition, il y aura d'abord évaluation du terme n/p. Le résultat est réel[3] ; il est ensuite ajouté à la valeur de x.

x + n

A première vue, il s'agit d'une banale somme. Mais les deux termes en sont de type différent. A priori, l'opérateur + n'a pas de signification dans ce cas[4]. Or, d'une manière générale, Pascal n'est pas très favorable au mélange des types. Cependant, dans ce cas précis, le compilateur incorporera automatiquement des instructions de conversion[5] de la valeur entière de n en une valeur réelle.

---

[1]. Pour l'instant, cette notion de variable coïncide avec celle d'identificateur, mais elle s'élargira ultérieurement à la "référence" à une composante d'un tableau, à un champ d'un enregistrement, à un objet pointé.

[2]. En algèbre, on ne se préoccupe guère de cet ordre des calculs puisque, grâce à l'associativité de l'addition des réels, le résultat n'en dépend pas. En revanche, ici, compte tenu des problèmes de précision liés au codage des nombres réels, le résultat final peut dépendre de l'ordre des calculs.

[3]. N'oubliez pas que l'opérateur /, appliqué à deux valeurs entières, fournit toujours un résultat réel.

[4]. N'oubliez pas que l'opérateur +, comme * ou -, n'est défini que soit pour deux entiers, soit pour deux réels.

[5]. Lorsque nous décrivons la manière dont une expression est évaluée, nous décrivons en fait les instructions machine qui seront mises en place par le compilateur à la rencontre de l'expression. Son évaluation proprement dite n'aura lieu que lors de l'exécution du programme. Le compilateur lui-même aurait bien du mal à évaluer une expression dans laquelle apparaissent des variables dont, par définition, il ne connaît pas encore la valeur et qui, de surcroît, peuvent voir leur valeur évoluer au fil de l'exécution.

54

(x + y) * z

Cet exemple montre simplement l'emploi de parenthèses. Comme en algèbre, il y aura d'abord évaluation de la somme $x+y$; son résultat sera ensuite multiplié par la valeur de z. Ici encore, on dira que cette expression est le produit de facteurs $x+y$ et z, le premier étant lui-même une somme de deux termes x et y. Notez qu'en l'absence de parenthèses, nous retrouverions l'expression du second exemple.

n + p / q

A priori, on pourrait penser que cette expression qui ne comporte que des valeurs entières, va conduire à un résultat entier. En fait, il n'en est rien car l'évaluation du terme p/q conduit à un résultat de type réel. Là encore, malgré le mixage de types, un mécanisme de conversion sera mis en place : la valeur de n sera convertie en réel, avant d'être ajoutée au résultat précédent (p/q). Au bout du compte, l'expression fournira un résultat de type réel.

sqr (n + p)

Comme on le devine, les parenthèses permettent de déterminer l'expression à laquelle doit être appliquée la fonction *sqr*. Ici, donc, il y aura d'abord évaluation de la somme $n+p$, ce qui conduit à une valeur entière, à laquelle on appliquera la fonction *sqr*, ce qui fournira un résultat de type entier.

sqr (x + y) * 3

Les parenthèses font que la fonction *sqr* porte sur l'expression $x+y$. Ici, il s'agit d'une expression réelle et donc, en fait, le compilateur fera appel à l'élévation au carré d'une valeur réelle[6]. Le résultat sera alors multiplié par la valeur réelle 3 (là encore, il y aura conversion de la valeur entière 3 en une valeur réelle).

(x + y) > z

La présence de parenthèses impose qu'il y ait d'abord évaluation de la somme de x et de y. Cette dernière est ensuite comparée à la valeur de z pour fournir, en définitive, un résultat de type booléen. Cet exemple montre clairement que le type du résultat de l'évaluation d'une expression peut être différent du type (ou des types) des variables ou constantes qui y interviennent.

---

[6]. Un même symbole (+, -, *) peut désigner des opérations différentes (suivant le type de leurs opérandes). De la même manière, un même identificateur de fonction (comme sqr) peut désigner des fonctions différentes (puisqu'ayant des arguments de types différents et des résultats de types différents).

2 - REGLES D'EVALUATION DES EXPRESSIONS

2.1 Priorité des opérateurs

D'une manière générale, l'évaluation d'une expression se ramène toujours à une succession d'opérations unaires (un seul opérande) ou binaires (deux opérandes) ou d'évaluation de fonctions. Leur ordre est défini par les règles de priorité suivantes :

1)	- unaire (il représente l'opposé)
2)	**not**
3)	Opérateurs "multiplicatifs" : ***** / **div mod and** *shl shr*
4)	Opérateurs "additifs" : **+ - or** *xor*
5)	Opérateurs relationnels : **= < <= > >= <>** in[7]

Priorité des opérateurs (par ordre de priorité décroissante)[8]

De plus, les expressions entre parenthèses sont entièrement évaluées avant d'intervenir, éventuellement, dans la suite des calculs. Il en va de même pour les fonctions. Enfin, en cas de "conflit" entre plusieurs opérateurs de même priorité, on les évalue de "gauche à droite". On retrouve des règles semblables à celles de l'algèbre habituel.

2.2 Concordance de type

Un opérateur "binaire" ne peut porter que sur deux **valeurs de même type**. Une exception a lieu, comme nous l'avons vu, lorsqu'une valeur est réelle et l'autre entière[9]. Dans ce cas (et uniquement dans ce cas), le compilateur met en place des instructions de **conversion** de la valeur entière en une valeur réelle, afin que l'opérateur porte finalement sur deux valeurs réelles.

Cette règle s'applique quel que soit l'opérateur concerné, c'est-à-dire non seulement pour +, - ou *, mais aussi pour tous les opérateurs de comparaison. Ainsi, si x est réelle, l'expression $x > 3$ est correcte et est évaluée par conversion de 3 en réel.

---

[7]. Cet opérateur sera étudié à propos du type ensemble (chapitre XIII).

[8]. Les opérateurs écrits en italiques n'existent pas en "Pascal standard". Les opérateurs shl, shr et or, présentés ici comme portant sur des expressions booléennes, peuvent également porter sur des expressions entières. Leurs priorités restent les mêmes dans ces cas.

[9]. En toute rigueur, l'opérateur in, de par sa nature même, ne peut porter que sur des opérandes de types différents.

56

2.3 Exemples

Nous supposons que x, y et z sont réelles, tandis que n, p et q sont entières.

- x * y	On calcule d'abord l'opposé de x, puis on multiplie le résultat par y (car l'opérateur - unaire est prioritaire sur *).
n div p + q	On évalue d'abord le quotient de n par q ; on ajoute ensuite q au résultat.
x = y > z	Malgré l'absence de parenthèses, cette expression est correcte car + est prioritaire sur >. Cette expression est équivalente à $(x+y)>z$.
x > y and x > z	Cette expression est incorrecte car, par le jeu des priorités, elle correspond à $x > (y \text{ and } x) > z$.En revanche, l'expression $(x>y)$ and $(x>z)$ serait correcte.
x > y and z	Cette expression est également incorrecte puisqu'elle correspond à $x > (y \text{ and } z)$.
n > p and q	D'une manière assez inattendue, cette expression est correcte en Turbo Pascal. En effet, elle est évaluée comme $n > (p \text{ and } q)$. Or, en Turbo Pascal, l'opérateur *and* peut porter sur deux entiers (en fournissant un résultat entier). Il s'agit alors d'un opérateur de "manipulation de bits" dont nous parlerons dans le chapitre XXIII.

3 - L'INSTRUCTION D'AFFECTATION

Nous savons que si x, y et z sont trois variable réelles, l'instruction :

```
x := y + z
```

signifie : évaluer l'expression $y+z$ et affecter le résultat à la variable x. Ici, l'expression à évaluer et la variable réceptrice sont de même type.

En revanche, que se passerait-il si x était entière ou si, x étant réel, y et z étaient entières ? Dans ce cas, en effet, le type de l'expression $x+y$ serait différent de celui de la variable x. En fait, Pascal n'autorise guère le mélange de types ; en effet, il vous autorise uniquement à affecter la valeur d'une expression entière à une variable réelle, l'inverse étant interdit.

D'une manière générale, une instruction d'affectation est de la forme :

```
variable := expression
```

Avec :

variable :
- identificateur,
- référence à une composante d'un tableau[10],
- référence à un champ d'un enregistrement[10],
- objet pointé[10]

expression doit être :
- soit du même type que la variable,
- soit d'un type "compatible" avec celui de la variable.

Comme nous l'avons déjà précisé, la notion de variable se confond pour l'instant avec celle d'identificateur. Mais, ultérieurement, elle s'élargira à celle de référence à un objet, référence qui pourra prendre l'une des trois formes indiquées ici.

De même, la notion de compatibilité des types s'élargira au fur et à mesure que nous étudierons de nouveaux types. Pour l'instant, sachez que parmi les quatre types que nous connaissons, seul le type entier est compatible avec le type réel (dans ce cas, comme nous l'avons vu, il y a conversion du résultat entier de l'expression en réel avant de l'affecter à la variable). Enfin, remarquez bien que **la notion de compatibilité n'est pas "réversible"**. Ainsi, le type réel n'est pas compatible avec le type entier.

Exemples d'instructions d'affectation

Nous supposons que n est entière, tandis que x est réelle.

x := n   convertit la valeur de n en réel et l'affecte à x.

n := x   est incorrecte et produira une erreur de syntaxe à la compilation

n := n + 1   signifie : évaluer la valeur de l'expression *n + 1*, puis affecter le résultat à n. Elle revient donc à augmenter (on dit aussi incrémenter) de un la valeur de n

n := succ (n)   produit le même effet que l'instruction précédente

---

[10]. Cette notion sera étudiée ultérieurement.

4 - LES VARIABLES NON DEFINIES

```
program Variable_non_definie ;
var n : integer ;
begin
    writeln ('valeur de n avant : ', n) ;
    n := 25 ;
    writeln ('valeur de n apres : ', n)
end.
```

```
valeur de n avant : 25
valeur de n apres : 25
```

En cas de variables non définies

Dans ce programme, on demande décrire la valeur de n alors qu'aucune valeur ne lui a été affectée. On dit que **n n'est pas définie**. Notez bien que cette notion est "temporelle" : si n n'est pas définie lors de l'exécution de l'instruction *write*, elle l'est effectivement plus tard, après exécution de l'instruction d'affectation.

En Turbo Pascal, aucune précaution n'est prise par le compilateur à propos de ce type de problème, de sorte que la valeur fournie par notre programme est imprévisible.

5 - LES EXPRESSIONS CONSTANTES

On appelle (en Turbo Pascal) **expression constante**, une expression qui est évaluée dès la compilation. Par exemple, avec ces déclarations :

```
const nb = 15 ;
      lim = 100 ;
var i, n : integer ;
```

ces expressions sont constantes :

```
nb + 1
lim - nb
2 * n - 3
```

En revanche, celles-ci ne le sont pas :

```
i + 1
n - i
n + lim
```

L'intérêt des expressions constantes est de pouvoir apparaître là où la syntaxe autorise une constante ; c'est notamment le cas (comme nous l'avons mentionné dans le précédent chapitre) de l'instruction *const*. En voici un exemple :

```
const nmax = 100 ;
      limite = 2 * nmax - 1 ;
      entmax = maxint - 1000 ;
```

(notez que, compte tenu de la règle disant qu'un identificateur ne peut pas être utilisé avant d'avoir été déclaré, il n'est pas possible d'inverser les définitions des constantes *nmax* et *limite*)

D'une manière générale, Turbo Pascal est capable d'évaluer à la compilation, non seulement **tous les opérateurs connus**, mais également un certain nombre de fonctions (bien entendu, il faut qu'elles portent elles-mêmes sur des expressions constantes). En voici la liste complète (certaines ne seront étudiées qu'ultérieurement) :

| Abs | Chr | Hi | Length | Lo | Odd | Ord | Pred | Ptr |
| Round | Sizeof | Succ | Swap | Trunc | | | | |

Voici un autre exemple de déclarations de constantes faisant usage de cette possibilité :

```
const echap = chr (27) ;
      premcar = 'F' ;
      secondcar = succ (premcar) ;
      derncar = 'Y' ;
      nbcar = ord (derncar) - ord (premcar) + 1 ;
```

Remarque :

Par la suite, nous emploierons souvent le mot constante pour désigner en fait, une expression constante.

6 - INITIALISATION DE VARIABLES

Il arrive fréquemment que l'on ait besoin "d'initialiser" des variables à des valeurs précises (connues lors de l'écriture du programme). Cela peut alors conduire à un programme commençant par plusieurs instructions d'affectation destinées à cette initialisation, comme dans cet exemple :

```
var x, y : real ;
    n    : integer ;
begin
    x := 0 ;
    y := 1 ;
    n := 0 ;
```

(notez bien que cette façon de procéder n'est nullement équivalente à une déclaration de constante telle que *const x = 0 ; y = 1. ; n = 0 ;*) avec laquelle les valeurs de x, y et n ne pourraient plus évoluer dans la suite du programme).

En fait, Turbo Pascal vous permet de **déclarer des variables en précisant leur valeur initiale**. Il utilise pour cela (assez curieusement) le mot réservé **const** en précisant à sa suite à la fois le **type** et la **valeur initiale** des variables concernées. Ainsi, notre précédent exemple pourrait "se simplifier" de cette façon :

```
const x : real    = 0.0 ;
      y : real    = 1.0 ;
      n : integer = 0 ;
```

D'une manière générale, ces déclarations se font comme des déclarations de constantes, en adjoignant devant le nom de la variable l'indication de son type[11], suivie de " = " et de la valeur initiale de la variable (expression constante quelconque).

EXERCICES

1) Les expressions suivantes sont-elles correctes ? Si oui, donnez leur type et leur valeur :

```
a)      sqr (4)
b)      sqr (4.0)
c)      sqrt (4)
d)      sqrt (4.0)
```

2) La variable x est réelle et contient la valeur 10,6. Les expressions suivantes sont-elles correctes ? Si oui, donnez leur type et leur valeur :

```
a)      trunc (x) + 1
b)      trunc (x) + 1.0
c)      succ (trunc (x))
d)      trunc (succ (x))
```

3) Les variables n, p et q sont entières et contiennent respectivement les valeurs 12, 5 et 3. Les expressions suivantes sont-elles correctes ? Si oui, donnez leur type et leur valeur :

---

[11]. On parle parfois de "constantes typées" ; ce terme est abusif dans la mesure où d'une part une constante a toujours un type et, d'autre part, il ne s'agit plus de constantes mais de variables.

a)   n mod p + q
b)   n mod p div q
c)   n = p or n = q
d)   succ (n=p)

4) La variable c est de type caractère et contient la valeur e. Les expressions suivantes sont-elles correctes ? Si oui, donnez leur type et leur valeur :

a)   succ (c+1)
b)   ord (c) + 2.5
c)   chr (ord (c))
d)   chr (succ (ord (c)))

5) Si n est une variable entière et x une variable réelle, quelles sont les instructions incorrectes :

a)   x := n
b)   n := x + 1
c)   n := trunc (x) + 1
d)   n := round (x) + 1.5
e)   n := round (x + 1.5)

6) Soient x et y deux variables réelles. Ecrire les instructions permettant d'en échanger les valeurs.

7) Ecrire un programme permettant de calculer la surface d'un cercle dont on fournit le rayon (notez qu'en Turbo Pascal, il existe une constante prédéfinie **pi**).

VI. LES ENTREES-SORTIES CONVERSATIONNELLES

Jusqu'ici, nous avons utilisé, sans trop les approfondir, les instructions[1] *read*, *readln*, *write* et *writeln*. Ce chapitre va vous apporter les éléments permettant de répondre à des questions telles que :

- Quelles sont les écritures autorisées pour des nombres fournis en données ?

- Comment faut-il présenter ses données, en particulier lorsque l'on souhaite mélanger différents types ?

- Que se passe-t-il lorsque, en donnée, l'on fournit trop ou trop peu d'informations ?

- Comment agir sur la présentation des informations en sortie ?

Ici, nous nous limiterons à ce que nous nommerons les "entrées-sorties conversationnelles standards". Plus tard, nous verrons que ces mêmes instructions peuvent être utilisées pour d'autres périphériques que le clavier ou l'écran ou pour des fichiers.

1 - EXEMPLES INTRODUCTIFS D'INSTRUCTIONS DE LECTURE

Avant d'étudier les règles générales qui président à la lecture des données, voyons comment se déroulent quelques exemples simples. Nous y supposerons les variables n et p entières, x réelle, c1 et c2 de type caractère. Pour chaque exemple d'instruction de lecture, nous fournirons un ou plusieurs exemples de "réponses" possibles au clavier : nous y représenterons l'espace par le symbole ^, tandis que le symbole @ correspondra à la "validation" par la touche "retour". Dans chaque cas, nous présenterons les valeurs prises par les variables concernées.

---

[1]. En toute rigueur, il ne s'agit pas véritablement d'instructions Pascal mais de "procédures prédéfinies".

∧ = Espace
@ = Retour

read (n)

Attend une valeur de type entier, validée par "retour". Voici des réponses correctes :

```
                              n
-12@                        -12
^^25^^^@                     25
```

Notez que les "espaces superflus" du second exemple ne gênent pas. En revanche, les réponses suivantes provoquent une erreur d'exécution :

```
12.@
45bonjour@
```

read (n, p)

Attend deux valeurs entières, séparées par un ou plusieurs espaces. Voici des réponses correctes :

```
                     n      p
^13^^48@            13     48
15^-7@              15     -7
```

read (x)

Attend une valeur qui puisse être attribuée à x. Toutes les formes de "constantes réelles" sont autorisées, mais également des constantes entières et même certaines formes non valides de constantes réelles.

```
                            x
12.25                    12,25
1e3                       1000
48                          48     (valeur réelle)
.5                         0,5
3.                           3     (valeur réelle)
```

read (c1)

Attend un caractère validé par "retour". Avec la réponse :

```
a@
```

c1 contiendra le caractère a ; en revanche, avec :

```
^a@
```

c1 contiendra le caractère espace (et non un a !).

64

read (c1, c2)

Attend deux caractères, **sans aucun séparateur.**

	c1	c2
ab@	a	b
a^ b@	a	^ (espace)

Ces exemples permettent de "deviner" le comportement des instructions de lecture dans le cas où les variables concernées sont, soit toutes de type numérique, soit toutes de type caractère. En revanche, les choses sont moins simples lorsque l'on mélange ces différents types. Pour bien maîtriser ce qui se passe dans tous les cas, il est nécessaire d'étudier plus en détail le mécanisme de l'instruction de lecture.

Remarque :

> *readln* se comporte comme *read*, du moins tant que l'on fournit le bon nombre d'informations. Nous verrons dans le paragraphe 3 ce qui se produit lorsque cette condition n'est plus vérifiée.

2 - REGLES GENERALES DE DEROULEMENT D'UNE INSTRUCTION DE LECTURE

En fait, les instructions *read* et *readln* ne lisent pas directement l'information, au fur et à mesure que vous la frappez au clavier. Elles utilisent une zone mémoire intermédiaire que nous qualifierons de "tampon". Celui-ci est alimenté à chaque fois que vous frappez "retour". Il est exploré, **caractère par caractère**, en vue d'affecter des valeurs aux variables concernées. Un "pointeur" sert à désigner, pendant cette phase, un caractère courant dans le tampon ; au début, ce pointeur désigne le premier caractère du tampon. Le type des variables concernées conditionne le déroulement des opérations de la manière suivante :

* Pour une variable numérique (entière ou réelle) : si le caractère pointé est un espace, le pointeur est déplacé jusqu'à ce qu'il désigne un caractère différent d'un espace. Ce caractère est alors pris en compte, ainsi que tous ceux qui le suivent jusqu'à rencontre d'un nouvel espace (ou de la fin du tampon). *Le pointeur désigne alors ce dernier espace.* Si les caractères pris ainsi en compte forment une valeur "acceptable" pour la variable, la valeur ainsi obtenue[2] lui est affectée. Notez que pour les réels, les valeurs acceptables sont, outre celles qui constituent une constante réelle correcte, n'importe quelle constante entière.

* Pour une variable de type caractère : on se contente de lui affecter le caractère désigné par le pointeur et d'avancer le pointeur sur le caractère suivant du tampon.

Voici deux exemples montrant l'application de ces règles (c est de type caractère, n de type entier) :

read (c, n)

	c	n
a25@	a	25
a^^25@	a	25

read (n, c)

	n	c	
25^a@	25	^	(espace)

Les réponses :

    25a^@
    25a@

provoqueront une erreur d'exécution car, dans les deux cas, on cherchera à fabriquer une valeur entière avec la suite de caractères "25a".

Vous voyez que si l'on souhaite absolument pouvoir lire un caractère après un nombre, il est nécessaire de "sauter" l'espace qui suit le nombre. On peut, par exemple, lire cet espace dans une variable caractère fictive ou encore lire deux fois la variable concernée :

    read (n, cficitif, c)

ou :

    read (n, c, c)

Remarque :

Lorsque la valeur lue par *read* ou *readln* n'est pas "acceptable"' (syntaxe incorrecte ou valeur n'appartenant pas au domaine voulu), vous obtenez une erreur d'exécution. Toutefois, une anomalie existe depuis la version 4.0 : les valeurs entières hors domaine

---

2. Notez bien qu'il y a en fait conversion d'une suite de caractères en une valeur binaire (entière 16 bits ou réelle 48 bits).

ne sont pas toutes détectées et conduisent à une valeur (apparemment) aberrante. Voyez à ce sujet la dernière manipulation proposée en fin de chapitre.

3 - LORSQUE L'ON NE FOURNIT PAS LE BON NOMBRE D'INFORMATIONS EN DONNEES

Dans nos précédents exemples, nous avions supposé que l'utilisateur fournissait exactement la quantité d'informations attendue par l'instruction *read*, ni plus, ni moins. Voyons maintenant ce qui se produit lorsque ce n'est plus le cas.

3.1 Lorsque l'on fournit trop d'informations

Avec **read**, le pointeur reste à sa place et l'information superflue pourra être exploitée par des instructions de lecture ultérieures. Avec **readln** (qui signifie : lecture avec changement de ligne), le reste du tampon est ignoré. Il y aura obligatoirement lecture d'un nouveau tampon lors d'une éventuelle prochaine lecture.

Ainsi, avec :

read (n) ; read (p) ;

vous obtiendrez 12 pour n et 25 pour p, aussi bien avec ces données :

```
12@
25@
```

qu'avec celles-ci :

```
12^25@
```

De même, avec :

readln (n) ; read (p) ;

vous obtiendrez 12 pour n et 25 pour p, aussi bien avec ces données :

```
12@
25@
```

qu'avec celles-ci :

```
12^99^bonjour@
25@
```

En revanche, avec les deux exemples précédents, la réponse :

```
12bonjour@
```

provoquera toujours une erreur, puisqu'alors on cherchera à fabriquer une valeur entière avec la suite de caractères "12bonjour".

3.2 Lorsque l'on fournit trop peu d'informations

Dans ce cas, Pascal attend des informations supplémentaires. Cela signifie qu'il vous laisse l'opportunité de frapper une ou plusieurs lignes supplémentaires (validées chacune par "retour"). Bien entendu, rien n'interdit que la dernière ligne frappée contienne plus d'informations que nécessaire : on se trouve alors ramené au cas précédent.

Voici un petit exemple illustrant ce mécanisme. Nous y avons exécuté trois fois le même programme avec des données introduites de manière différente (la frappe de la touche "retour" ne se reconnaît ici qu'au changement de ligne qu'elle entraîne).

```
program Info_insuffisante ;
var n, p : integer ;
begin
    n := 10 ;
    p := 20 ;
    write ('donnez 2 entiers ') ;
    readln (n , p) ;
    writeln(' n : ', n, ' p : ', p) ;
end.
```

```
donnez 2 entiers 1 2
 n : 1 p : 2
_____
donnez 2 entiers 1
2
 n : 1 p : 2
_____
donnez 2 entiers
1

2
 n : 1 p : 2
```

Lorsque l'on fournit trop peu d'informations

Toutefois, quelques difficultés peuvent apparaître lorsque les données manquantes sont de type caractère. En effet, il faut savoir que la frappe de la touche "retour" (en plus de son rôle de validation) introduit deux caractères dans le tampon : un de code 13 (noté souvent **CR**, abréviation de "Carriage Return"), un de code 10 (noté souvent **LF**, abréviation de "Line Feed").

Dans ces conditions, vous voyez que si l'on cherche à lire un caractère alors qu'on est arrivé en fin de tampon, on obtient le caractère CR (Turbo Pascal ne cherche pas encore à lire une nouvelle ligne). Si l'instruction concernée était **read**, le mal n'est pas bien grave car, à la prochaine lecture, Turbo Pascal alimentera un nouveau tampon. Si, en revanche, l'instruction concernée était **readln**, Turbo Pascal ne reconnaîtra pas dans le LF restant une véritable fin de ligne et attendra de nouvelles informations (dont seule la fin de ligne l'intéressera). Ce phénomène curieux peut obliger l'utilisateur à "valider" deux fois de suite, comme le montre cet exemple (nous avons exécuté trois fois le même programme) :

```
                                              nombre et caractere ?
program fin_de_ligne ;                        12 a
var n : integer ;                             merci pour 12 32
   c : char ;
begin                                         _____
    writeln ('nombre et caractere ? ') ;      nombre et caractere ?
    readln (n, c) ;                           12
    writeln ('merci pour  ', n, ' ', ord(c) ) merci pour 12 13
end.
                                              _____
                                              nombre et caractere ?
                                              12
                                              bof
                                              merci pour 12 13
```

Lorsque l'on est gêné par les caractères de fin de ligne

4 - SYNTAXE DES INSTRUCTIONS DE LECTURE AU CLAVIER

Comme nous l'avons mentionné, la même instruction *read* peut être utilisée pour lire sur différents périphériques ou dans un fichier. La syntaxe que nous indiquons ici est donc partielle, en ce sens qu'elle ne concerne que la lecture au clavier. En revanche, nous y mentionnons dès maintenant les différents types d'informations qu'il est possible de lire, y compris ceux que nous ne rencontrerons que plus tard.

```
read    (liste_de_variables)

readln (liste_de_variables)

readln
```

L'instruction de lecture (au clavier)

Avec :

liste_de_variables : une variable ou plusieurs variables séparées par des virgules,

variable[3] : variable ayant l'un des types : *integer, longint, real, char, string, array [...] of char*[4]

Remarque : *readln* employé seul, provoque simplement le passage à la ligne suivante.

_____

[3]. N'oubliez pas que le terme de variable désigne aussi bien un identificateur qu'une "référence" à un objet (composante d'un tableau, champ d'un enregistrement, objet pointé).

[4]. Les types autres que integer, real et char seront étudiés ultérieurement.

5 - L'INSTRUCTION D'ECRITURE ET L'AFFICHAGE PAR DEFAUT

Pour chaque information mentionnée dans une instruction d'écriture, vous pouvez choisir entre :

- laisser Pascal imposer sa présentation ; on parle alors de "format d'affichage par défaut",

- imposer votre propre format d'affichage.

Dans un premier temps, voyons sur quelques exemples simples ce que propose Turbo Pascal par défaut.

5.1 Exemples d'affichage par défaut

Voyez ce programme :

```
program Affichage_standard ;
var n, p   : integer ;
    x, y   : real ;
    c1, c2 : char ;
    ok     : boolean ;

begin
      n := 3 ; p := 125 ;
      x := 3.45e6 ; y := 2.0 ;
      c1 := 'e' ; c2 := 'i' ;
      ok := false ;
{1}   writeln ('nombre', n) ;               nombre3
{2}   writeln ('nombre ', n) ;              nombre 3
{3}   writeln (n, p) ;                      3125
{4}   writeln (n, ' ', p) ;                 3 125
{5}   writeln (c1, c2) ;                    ei
{6}   writeln (x, y) ;                      3.4500000000E+06   2.0000000000E+00
{7}   writeln ('cela est', ok) ;            cela estFALSE
end.
```

L'affichage par défaut du Turbo Pascal

Chaque instruction d'écriture a été ici "numérotée" par un commentaire et le résultat qu'elle affiche figure sur la ligne correspondante de l'exemple d'exécution.

En {1}, aucun espace ne sépare la chaîne "nombre" de la valeur de n. Il est facile d'en obtenir un en le prévoyant dans la chaîne elle-même comme en {2}. En {3}, là encore, aucun espace n'apparaît entre les valeurs de n et de p. Le résultat est illisible. Les choses peuvent être améliorées comme nous l'avons fait en {4}. En {5}, aucun espace n'apparaît entre les caractères. En {6}, en revanche, les choses sont plus satisfaisantes.

Les nombres réels sont écrits avec 11 chiffres "significatifs" dans un emplacement total de 17 caractères, ce qui ménage au début, un emplacement pour un espace (quand le nombre est positif) ou pour le signe moins (quand le nombre est négatif). Enfin, en {7}, aucun espace n'apparaît entre la chaîne "cela est" et la valeur de *ok*.

5.2 Règles générales de l'affichage par défaut

D'une façon générale, voici quel est, pour chaque type de donnée, le "gabarit" utilisé pour leur affichage, c'est-à-dire la taille de l'emplacement employé :

Nature de l'expression	Gabarit utilisé pour son affichage
Constante chaîne ('...')	Sa propre longueur
Entière (integer)	Le minimum nécessaire à son affichage , compte tenu de sa valeur effective
Réelle (real)	17^5
Caractère (character)	1
Booléenne (boolean)	4 (pour true) ou 5 (pour false)

L'affichage par défaut

Notez que, exception faite pour les expressions réelles, Turbo Pascal cherche à utiliser le moins de place possible pour l'affichage. Cette façon de procéder risque de s'avérer gênante pour au moins deux raisons :

- il est souvent nécessaire de prévoir des séparations entre différentes informations,

- en cas d'affichages successifs de lignes semblables, l'alignement des valeurs n'est pas garanti.

Fort heureusement, comme nous allons le voir maintenant, Pascal vous permet d'agir sur le format d'affichage.

---

[5]. 18 dans les versions antérieures à la 4.0.

6 - POUR IMPOSER UN FORMAT D'AFFICHAGE

6.1 Quelques exemples

```
program Affichage_formate  ;
var n, p   : integer ;
    x, y   : real ;
    c1, c2 : char ;
    ok     : boolean ;
begin
        n := 3 ; p := 125 ;
        x :=1.23456e2 ; y := 2.0 ;
        c1 := 'e' ; c2 := 'i' ;
        ok := false ;
  {1}   writeln ('nombre', n:4) ;              nombre   3
  {2}   writeln (n:3, p:5) ;                      3   125
  {3}   writeln (c1:3, c2:6, ok:7) ;              e     i  FALSE
  {4}   writeln (p:2) ;                         125
  {5}   writeln ('bonjour':3, ok:2) ;           bonjourFALSE
  {6}   writeln (x:20) ;                              1.2345600000E+02
  {7}   writeln (x:10) ;                         1.2346E+02
  {8}   writeln (x:2) ;                          1.2E+02
  {9}   writeln (x:12:4) ;                            123.4560
  {10}  writeln (x:10:1) ;                            123.5
  {11}  writeln (x:8:5) ;                        123.45600
end.
```

Pour imposer un format d'affichage

En {1}, le fait d'avoir ajouté :4 à la suite de n, demande d'en afficher la valeur sur 4 caractères. De même en {2}, nous affichons la valeur de n sur 3 caractères et celle de p sur 5 caractères. En {3}, nous imposons un gabarit d'affichage pour chacune des variables $c1$, $c2$ et ok.

En revanche, en {4}, bien que nous ayons demandé d'afficher la valeur de p sur 2 caractères, Pascal n'en tient pas compte car ce gabarit est insuffisant, compte tenu de la valeur effective de p (123). L'affichage se fait alors suivant le format par défaut, donc ici sur trois caractères. Nous retrouvons un phénomène comparable en {5}.

En {6}, nous demandons d'afficher la valeur de x sur 20 caractères. Vous constatez que c'est bien ce qui se passe et que Pascal a conservé un affichage avec 11 chiffres significatifs. De même, en {7}, nous obtenons, comme demandé, la valeur de x sur 10 caractères. Cette fois, compte tenu des emplacements occupés par le point et l'exposant, il ne nous reste plus que 4^6 chiffres significatifs. En revanche, en {8}, l'emplacement souhaité étant franchement insuffisant, Pascal refuse de descendre au-dessous de ce qu'il considère comme un minimum, c'est-à-dire 8^7 caractères.

En {9}, vous avez un exemple de formatage qui ne peut s'appliquer qu'aux nombres réels. Il spécifie le nombre total de caractères (12) et le nombre de chiffres après le point (4). Le nombre est alors affiché, non plus en notation *exponentielle*, mais en notation *point fixe*. En {10}, nous avons un exemple comparable avec un gabarit différent.

En {11}, cette fois, nous demandons un affichage en *point fixe* sur un emplacement total de 8 caractères, avec 5 chiffres après le point. Compte tenu de la valeur de x, cela n'est pas possible. Dans ce cas, Pascal respecte la demande d'affichage en *point fixe*, mais il augmente d'office le gabarit de manière à afficher les décimales souhaitées.

6.2 Règles générales

D'une manière générale, tous les types d'expressions figurant dans une instruction *write*, peuvent se voir imposer un gabarit par une indication de la forme :g où g représente une **expression entière quelconque** (dans nos précédents exemples, g se limitait à une simple constante entière). Lorsque la valeur de g s'avère insuffisante pour afficher l'information correspondante sans la dénaturer, Pascal outrepasse cette indication et utilise l'espace nécessaire. Ce "minimum vital" s'établit ainsi :

Nature de l'expression	Gabarit minimum
Constante chaîne ('...')	Sa propre longueur
Entière (integer)	Son nombre de chiffres, augmenté de un pour les valeurs négatives
Réelle (real)	8^8 (soit 2 chiffres significatifs)
Caractère (character)	1
Booléenne (boolean)	4 (true) ou 5 (false)

Le gabarit minimum que l'on peut imposer à Turbo Pascal

Si, en revanche, le gabarit est plus grand que nécessaire, l'information est simplement "justifiée" à droite.

---

[6]. 5 dans les versions antérieures à la 4.0.

[7]. Dans les versions antérieures à la 4.0 : 7 caractètres pour les nombres positifs, 8 pour les nombres négafifs.

[8]. Dans les versions antérieures à la 4.0 : 7 pour un réel > 0, 8 pour un réel < 0.

De plus, pour les expressions de type réel, on peut imposer un gabarit de la forme :g:d qui correspond à la forme *point fixe* avec d décimales. Si le gabarit est insuffisant pour la valeur à afficher, Turbo Pascal l'affichera sur un emplacement (juste) suffisant pour y placer les décimales demandées.

La première manipulation de la fin de ce chapitre vous propose un exemple exploitant ces possibilités.

7 - SYNTAXE DES INSTRUCTIONS D'AFFICHAGE

La remarque faite à propos des instructions de lecture s'applique également aux instructions d'affichage : la même instruction *write* ou *writeln* pourra être utilisée pour écrire sur différents périphériques ou dans un fichier. La **syntaxe** indiquée ici est donc **partielle**, en ce sens qu'elle **ne concerne que l'affichage à l'écran**.

```
write    (liste_d_éléments)

writeln (liste_d_éléments)

writeln
```

L'instruction d'écriture (à l'écran)

Avec :

> *liste_d_éléments* : un *élément* ou plusieurs séparés par des virgules,
>
> *élément* : l'une des trois formes (g et d étant des expressions entières) :
> > *expression*
> > *expression:g*
> > *expression_réelle:g:d*

Les expressions étant de l'un des types *integer*, *longint*, *real*, *char*, *boolean*, *constante chaîne*, *string*, *array [...] of char*[9].

EXERCICES

1) Que fournira l'exécution de ce programme :

```
var n : integer ;
    c : character ;
    x : real ;
```

---

[9]. Les types autres que integer, real et char seront étudiés ultérieurement.

```
begin
    n := 10 ; c := 'a' ; x := 1.5 ;
    read (n, c, x) ;
    writeln (n) ; writeln (ord(c)) ; writeln (x)
end.
```

suivant qu'on lui fournit comme données

a) ⁻ 45^28.15@
b) 45c28.15@
c) 45^3@
d) 45^@
e) 45^28.15^bonjour@
f) 45^28.15bonjour@
g) 45@
h) @

2) Que fournira l'exécution de ce programme :

```
program Exercice_VI2 ;
const n = 1234 ;
      p = -n ;
      x = -1.25 ;
      y = 1.23456789e5 ;
      c = 'a' ;
begin
    writeln (c, n, p, x, y) ;
    writeln (c:2, n:5, x:10, y:12) ;
    writeln ('bonjour':8, p:4, x:2) ;
    writeln ('bonjour' ,c:3, x:12:2, y:12:1) ;
    writeln (x:12:0, y:8:0) ;
    writeln (x:12:0, y:8:2) ;
    write (c:2) ;
    write (p) ;
    write (n)
end.
```


3) Ecrire un programme qui, à partir d'un prix unitaire et d'un nombre d'articles fournis en données, calcule le prix hors taxe, la TVA et le prix TTC correspondant. Le taux de TVA sera supposé toujours égal à 18,6% et l'affichage devra se présenter ainsi :

```
prix unitaire    : 45.65
nombre d'articles : 17
prix hors taxe :      776.05
tva            :      144.35
-------------------------------
prix TTC       :      920.40
```

MANIPULATIONS

* Essayez le programme suivant qui vous permettra de mettre en évidence la manière dont Turbo Pascal utilise les gabarits de la forme :**g:d** pour les nombres réels :

```
program Test_format_affichage  ;
var x    : real ;
    n, p : integer ;
begin
    x := 1.23456e3 ;
    for n := 1 to 20 do
        for p := 1 to 10 do
            writeln ( 'avec ',n:2,':',p:2,'   ',x:n:p)
end.
```

Notez que vous pouvez interrompre le défilement de l'affichage à l'écran par CTRL-S. La frappe de n'importe quelle touche permet de reprendre le déroulement du programme.

* Voyez comment se comporte Turbo Pascal lorsque vous cherchez à lire des valeurs réelles sortant du domaine autorisé.

* Voyez comment se comporte Turbo Pascal lorsque vous cherchez à lire des valeurs entières sortant du domaine autorisé Vous découvrirez que certains entiers restent acceptés en fournissant une valeur fantaisiste, tandis que d'autres provoquent une erreur d'exécution. Le chapitre XXIII vous montrera que cette anomalie s'explique (mais ne se justifie pas) par l'existence d'un type *longint*. Sachez que, faute de mieux, la directive **R +** (que nous étudierons dans le chapitre VIII) vous permettra de pallier convenablement cette lacune du Turbo Pascal.

VII. LES STRUCTURES DE CHOIX :
IF ET CASE

A priori, dans un programme, les instructions sont exécutées *séquentiellement*, c'est-à-dire dans l'ordre où elles apparaissent. Or, la puissance, pour ne pas dire l'intelligence d'un programme, provient essentiellement :

> - de la possibilité d'effectuer des choix, autrement dit d'avoir un comportement qui puisse dépendre de résultats intermédiaires. Par exemple, notre programme du chapitre 1 choisissait, suivant la valeur qu'on lui fournissait en donnée, entre calculer sa racine ou afficher un message.

> - de la possibilité de répéter l'exécution d'une série d'instructions. Par exemple, ce même programme du chapitre 1 répétait cinq fois les instructions de calcul de la racine d'un nombre.

Les instructions qui permettent ainsi d'agir sur l'ordre dans lequel s'exécutent les instructions d'un programme, s'appellent des **instructions structurées** ou plus brièvement **structures**. Nous parlerons donc de **structures de choix** ou de **structures de répétition** (ou encore *boucles*). Ce chapitre étudie les deux structures de choix proposées par Pascal, à savoir les instructions **IF** et **CASE**. Le chapitre suivant sera consacré aux structures de répétition.

1 - PREMIERS EXEMPLES D'INSTRUCTION IF

Voyez d'abord ce programme accompagné de deux exemples d'exécution :

```
program Exemple_d_instruction_if_1 ;
var n, p : integer ;
begin
    writeln ('donnez 2 nombres entiers') ;
    readln (n, p) ;
    if n < p then writeln ('croissant')
            else writeln ('décroissant') ;
    write ('au revoir')
end.
```

```
donnez 2 nombres entiers
12 28
croissant
au revoir
```

```
donnez 2 nombres entiers
25 9
décroissant
au revoir
```

L'instruction if (1)

Les deux lignes :

```
if n < p then writeln ('croissant')
        else writeln ('décroissant')
```

forment une instruction **if**. Ici, cette dernière vient à la suite de l'instruction *readln (n, p)* et avant l'instruction *write ('au revoir')* dont elle est séparée naturellement par des points-virgules.

Cette instruction réalise en fait un choix basé sur l'expression booléenne (condition) $n < p$. Si cette condition est vraie, on exécute l'instruction :

```
writeln ('croisant')
```

Dans le cas contraire, on exécute l'instruction :

```
writeln ('décroissant')
```

Puis, dans tous les cas, on passe à l'instruction suivante, ici :

```
write ('au revoir')
```

Dans ce premier exemple, chacune des deux parties du choix se limite à une seule instruction Pascal. Il est possible d'en placer plusieurs, à condition de les regrouper en ce que l'on nomme un *bloc* ou encore une *instruction composée*. En voici un exemple :

```
program Exemple_d_instruction_if_2 ;

var n, p, max : integer ;

begin
    writeln ('donnez 2 nombres entiers') ;
    readln (n, p) ;
    if n < p then
        begin
        max := p ;
        writeln ('croissant')
        end
      else
        begin
        max := n ;
        writeln ('décroissant')
        end ;
    writeln ('le maximum est ', max)
end.
```

```
donnez 2 nombres entiers
12 28
croissant
le maximum est 28
```

```
donnez 2 nombres entiers
25 11
décroissant
le maximum est 25
```

L'instruction if (2)

L'instruction composée joue un rôle très important en Pascal et peut être employée ailleurs qu'au sein d'une instruction *if*. Avant d'étudier plus avant l'instruction *if*, voyons en détail ce qu'est une instruction composée.

2 - L'INSTRUCTION COMPOSEE (OU BLOC)

Il s'agit d'une suite d'instructions séparées les unes des autres par des points-virgules, précédées du mot réservé **begin** et suivies du mot réservé **end**. Sa syntaxe est donc :

```
begin
        instruction_1 ;
        instruction_2;
          .....
        instruction_n;
end
```

Voici deux exemples d'instructions composées :

```
begin  i := 0 ; max := 0  end
begin  i := 0 ; max := 0 ; min := 0  end
```

Notez qu'un bloc peut théoriquement ne comporter qu'une seule instruction comme dans :

```
begin  i := 0  end
```

En pratique, cela ne présente guère d'intérêt puisqu'on peut se contenter d'une instruction simple :

```
i := 0
```

Remarques :

1) Les instructions figurant dans une instruction composée sont **absolument quelconques**. Il peut s'agir aussi bien d'instructions qualifiées de "simples" (comme l'affectation, *read* ou *write*[1]) que d'instructions structurées (comme *if*) qui peuvent, à leur tour, faire intervenir d'autres instructions composées. On voit là qu'il y a, en Pascal, une sorte de "récursivité" de la notion d'instruction. D'une manière générale, dans la description de la syntaxe des différentes instructions, nous serons souvent amené à mentionner le mot **instruction**. Celui-ci désignera toujours n'importe quelle instruction Pascal : simple, structurée ou composée.

2) En Pascal, il existe une instruction vide formée de... rien. A quoi cela sert-il ? Par exemple à placer, par mégarde, un point-virgule superflu à la fin d'une instruction composée. Ainsi :

```
begin
  instruction1 ;
  instruction2 ;
end
```

est équivalent à :

---

[1]. Qui sont, en toute rigueur, des "appels de procédures".

```
begin
  instruction1 ;
  instruction2
end
```

même si, formellement, la première construction contient *trois* instructions, la *dernière étant vide*. Nous verrons toutefois qu'il n'est pas toujours possible de prendre autant de liberté avec le maniement du point-virgule.

3 - SYNTAXE GENERALE DE L'INSTRUCTION IF

Elle peut prendre l'une de ces deux formes :

```
if expression_booléenne then  instruction

if expression_booléenne then  instruction_1
                    else instruction_2
```

L'instruction if (2 formes)

Remarque : attention au point-virgule intempestif

Il faut absolument éviter d'introduire un point-virgule avant *else* comme dans cet exemple :

```
if n<p then write ('croissant') ;
      else write ('décroissant')
```

En effet, il amène le compilateur à considérer qu'il est en présence de **deux instructions**. Si la première :

```
if n<p then write ('croissant') ;
```

lui convient (syntaxiquement parlant), il n'en va pas de même de la seconde :

```
else write ('décroissant')
```

Le même phénomène peut se produire lorsque les instructions du choix sont elles-mêmes des instructions composées, comme dans :

```
if n<p then begin
        write ('croissant') ;
        max := p
        end ;
      else .....
```

4 - CAS PARTICULIER DES INSTRUCTIONS IF IMBRIQUEES

Nous avons déjà mentionné que les instructions figurant dans chaque partie du choix d'une instruction *if*, peuvent être absolument quelconques. Elles peuvent, en particulier, renfermer, à leur tour, d'autres instructions *if*. A priori, on peut penser que le seul problème que cela pose est de trouver une présentation mettant bien en évidence la structure en cause (en général par "indentations" (décalages) successives). En fait, il existe une circonstance où une ambiguïté se présente. Voyez cet exemple :

```
if a<b then if b<c then write ('ordonné')
        else write ('désordonné') ;²
```

Est-il interprété comme le suggère cette présentation :

```
if a<b then if b<c then write ('ordonné')
        else write ('désordonné') ;
```

ou bien comme le suggère celle-ci :

```
if a<b then if b<c then write ('ordonné')
                else write ('désordonné') ;
```

La première interprétation conduirait à afficher "désordonné" lorsque a est supérieur ou égal à b, tandis que la seconde n'afficherait rien dans ce cas. La règle adoptée par Pascal pour lever l'ambiguïté est la suivante :

Un else se rapporte toujours au dernier then rencontré auquel un else n'a pas encore été attribué.

Ainsi, dans notre exemple, c'est la seconde présentation qui suggère le mieux ce qui se passe. Bien entendu, quelle que soit notre façon de présenter les choses, l'interprétation qu'en fera le compilateur restera, quant à elle, toujours la même.

Voici un exemple d'utilisation de *if* imbriquées. Il s'agit d'un programme de facturation avec remise. Il lit, en donnée, un simple prix hors taxe et calcule le prix TTC correspondant ; il établit ensuite une remise dont le taux dépend de la valeur ainsi obtenue.

```
program Facturation_avec_remise ;
const taux_tva = 0.186 ;
var prix_ht      : real ;
    prix_ttc     : real ;
    net          : real ;
```

---

2. Nous avons placé un point-virgule ici pour bien montrer que notre instruction if se terminait là. Dans la pratique, il pourrait ne pas y en avoir, par exemple si notre instruction if était la dernière d'un bloc.

```
    taux_remise : real ;
    remise      : real ;
begin
    write ('prix hors taxe ') ;
    readln (prix_ht) ;
    prix_ttc := prix_ht * ( 1.0 + taux_tva ) ;
    if prix_ttc < 1000 then  taux_remise := 0
        else if prix_ttc < 2000 then taux_remise := 1
            else if prix_ttc < 5000 then taux_remise := 3
                else taux_remise := 5 ;
    remise := prix_ttc * taux_remise / 100 ;
    net := prix_ttc - remise ;
    writeln ('prix_ttc    : ', prix_ttc:10:2) ;
    writeln ('remise      : ', remise:10:2) ;
    writeln ('net a payer : ', net:10:2 )
end.
```

```
prix hors taxe 2500
prix_ttc    :    2965.00
remise      :      88.95
net a payer :    2876.05
```

Exemple d'instructions if imbriquées

5 - PREMIERS EXEMPLES D'INSTRUCTION CASE

Comme nous l'avons annoncé en introduction, Pascal dispose de deux instructions structurées permettant de réaliser des choix. Nous venons d'en étudier la première (*if*). Voyons maintenant la seconde, à savoir *case*.

```
program Exemple_d_instruction_case_1 ;
var n : integer ;
begin
    write ('donnez un entier ') ;
    readln (n) ;
    case n of
        1, 2   : writeln ('petit') ;
        3..10  : writeln ('moyen') ;
        11..50 : writeln ('grand')
      else
        writeln ('très grand')
    end ;
    write ('au revoir')
end.
```

```
donnez un entier 5
moyen
au revoir
```

```
donnez un entier
grand
au revoir
```

L'instruction case

L'essentiel du programme est formé d'une instruction *case* : elle commence par la ligne *case n of* et elle se termine par *end*. Elle signifie : suivant la valeur de n, exécuter :

- l'instruction *writeln ('petit')* si n vaut 1 ou 2,

- l'instruction *writeln ('moyen')* si n est compris entre 3 et 10,

- l'instruction *writeln ('grand')* si n est compris entre 11 et 50,

- l'instruction (suivant *else*) *writeln ('très grand')* si aucune des conditions précédentes n'est satisfaite.

Vous voyez qu'une instruction *case* diffère de *if* sur au moins deux points :

- le choix peut se faire, non plus seulement entre une ou deux possibilités mais entre un nombre quelconque de possibilités,

- la "sélection" d'une des possibilités se fait, non plus suivant la valeur d'une expression booléenne, mais suivant la manière dont la valeur d'une expression (ici simplement n) se situe par rapport à des valeurs (1, 2) ou des intervalles de valeurs (3..10) donnés.

Voici un autre exemple d'instruction *case*, accompagné de trois exemples d'exécution :

```
program Majuscules_minuscules ;
var c : char ;
begin
    write ('tapez un caractère : ') ;
    readln (c) ;
    case c of
        'a'..'z'   : writeln ('minuscule') ;
        'A'..'Z'   : writeln ('majuscule') ;
      else
        writeln ('caractère non répertorié') ;
        writeln ('son code ASCII est ', ord(c) )
    end ;
    writeln ('au revoir et merci')
end.
```

```
tapez un caractère : b
minuscule
au revoir et merci


tapez un caractère : X
majuscule
au revoir et merci


tapez un caractère : 3
caractère non répertorié
son code ASCII est 51
au revoir et merci
```

Majuscule, minuscule ?

Cette fois, il utilise une sélection basée sur la valeur d'une expression (c) de type caractère.
Notez, au passage que nous avons pu décider que tout caractère compris entre 'a' et 'z'
était une minuscule car, dans le code ASCII, toutes ces lettres ont des *codes consécutifs*.

6 - SYNTAXE GENERALE DE L'INSTRUCTION CASE

La "partie *else*" est facultative, ce qui nous conduit à deux formes d'instruction *case* :

```
case expression of                  case expression of
      domaine_1 : instruction_1 ;         domaine_1 : instruction_1 ;
      domaine_2 : instruction_2 ;         domaine_2 : instruction_2 ;

      domaine_n : instruction_n           domaine_n : instruction_n
end                                 else
                                        instruction_1 ;
                                        .....
                                        instruction_p
                                    end
```

L'instruction case (2 formes)

Avec :

domaine : liste de constantes[3] ou d'intervalles (de la forme *constante ... constante*) du
même type que l'expression mentionnée, lequel doit être ordinal.

---

[3]. N'oubliez pas que nous employons ce terme de constante dans le sens d'expression constante.

Commentaires :

1) Le nombre de cas, c'est-à-dire le nombre de choix possibles d'une instruction *case* peut très bien se réduire à un. D'autre part, chaque cas comporte une seule instruction (au sens large) mais il peut s'agir d'un bloc...

2) Le type de l'expression doit être ordinal, ce qui exclut donc le type réel. Cette restriction est en fait bien compréhensible dans la mesure où des valeurs réelles sont généralement représentées d'une manière approchée ; leur emploi risquerait de conduire à des domaines quelque peu ambigus.

3) Notez bien que cette instruction *case* (avec ou sans *else*) commence par le mot réservé **case** et se termine par le mot réservé **end**. Nous rencontrerons d'autres cas où un *end* est associé à autre chose qu'un *begin*.

4) Lorsque la partie *else* est présente, elle est formée d'une suite d'instructions et non d'un bloc. Bien sûr, il est toujours possible d'en utiliser un, sans que cela ne soit une erreur (puisqu'un bloc peut toujours apparaître là où n'importe quelle instruction est autorisée). Simplement, dans ce cas, il faudra prendre garde à ne pas confondre le *end* de ce bloc avec le end de l'instruction *case*. Par exemple, dans ce schéma :

```
case .....
     .....
     else begin
          .....
          end
     .....        { instructions 1 }
end
```

Les instructions portant le commentaire {instruction 1} font partie des instructions gouvernées par *else*.

5) Bien que ce soit une erreur, Turbo Pascal accepte que vous placiez un point virgule avant *else* ou avant le *end* (lorsqu'il n'y a pas de *else*). C'est en effet une erreur car, à cet endroit, on attend non seulement une instruction, mais aussi un domaine. Or un point-virgule superflu revient ici à introduire une seule instruction, d'ailleurs vide.

7 - ORDRE DES TESTS DANS L'INSTRUCTION CASE

Dans les exemples d'instructions *case* que nous avons présentés jusqu'ici, les différents domaines régissant les choix étaient parfaitement *disjoints*. Il s'agit là de la situation la plus naturelle mais elle n'est pas du tout imposée par Turbo Pascal. Ainsi, cette instruction est tout à fait correcte (pour n entière) :

```
case n of
     1..5  : ..... {1}
     3..10 : ..... {2}]
end
```

Les deux domaines 1..5 et 3..10 possèdent les valeurs 3, 4 et 5 en commun. Que se passe-t-il lorsque n vaut, par exemple 4 ? En fait, il y a exécution de l'instruction {1} puis passage à l'instruction suivant le *case*. Ce qui signifie qu'ici l'instruction {2} ne pourra jamais être exécutée lorsque n vaut 3, 4 ou 5.

D'une manière générale, l'instruction *case* explore les différents domaines dans l'ordre où ils sont mentionnés. Dès qu'elle en a trouvé un qui convient, elle exécute l'instruction correspondante et ne cherche pas à poursuivre son exploration.

EXERCICES

1) Quelles erreurs ont été commises dans chacune des instructions suivantes :

a)
```
if a<b then x := x+1 ;
       else x := x-1
```

b)
```
if a<b then x := x+1 ; y := b end
       else x := x-1 ; y := a end
```

c)
```
if n := 0 then p := 1
```

2) Que fait cette partie de programme :

```
if a<b then writeln ('merci') ; writeln ('croissant')
```

3) Soient trois variables réelles a, b et c et une variable booléenne nommée *ordre*. Placer dans *ordre* la valeur *true* si les valeurs de a, b et c prises dans cet ordre sont rangées par valeurs croissantes (a< =b< =c) et la valeur *false* dans le cas contraire. On cherchera deux solutions :

a) l'une employant une instruction *if,*
b) l'autre n'employant pas d'instruction *if.*

4) Ecrire un programme réalisant la facturation d'un article livré en un ou plusieurs exemplaires. On fournira en données le nombre d'articles et leur prix unitaire hors-taxe. Le taux de TVA sera toujours de 18,6%. Si le montant TTC dépasse 1 000F, on établira une remise de 5%. On cherchera à ce que le dialogue se présente ainsi :

```
nombre d'articles  : 27
prix unitaire ht   : 248.65
montant TTC :       7962.27
remise      :        398.11
net à payer :       7564.16
```

5) Dire si chacune des instructions *case* schématisées ci-dessous est correcte ou non et, le cas échéant, identifier l'erreur commise. Nous supposerons pour chaque cas ces déclarations :

```
const nb = 100 ;
var n, p : integer ;
```

a)
```
case n of
    1..3  : .....
    4..nb : .....
end
```

b)
```
case n of
    1..5 : .....
    p    : .....
end
```

c)
```
case n of
    1..nb         : .....
    nb+1..maxint : .....
end
```

d)
```
case n of
    -nb..0  : .....
    nb,nb+1 : .....
end
```

6) Que fait cette instruction *case* lorsque la variable entière n contient l'une de ces valeurs :

a) 2   **b)** 5   **c)** 12   **d)** 20   **c)** 30

```
case n of
    1..3, 11..19, 21 : write ('premier lot') ;
    4..20            : write ('deuxième lot')
    else write ('autre')
end
```

7) Ecrire un programme de calcul d'un prix TTC à partir des données suivantes :

- prix hors taxe,

- code TVA : lettre (majuscule) : A pour 7%, B pour 12,32%, C pour 18,6% et D pour 33,33%.

Le programme affichera la valeur du taux de TVA et le prix TTC correspondant. Dans le cas où l'utilisateur fournit un code incorrect, le programme proposera C comme réponse par défaut et il affichera un message précisant cette décision.

VIII. LES STRUCTURES DE REPETITION :
FOR, REPEAT ET WHILE

Le précédent chapitre a été consacré aux structures de choix. Celui-ci aborde les structures de répétition. D'une manière générale, il existe deux façons de répéter des instructions :

- d'une manière **inconditionnelle** (on dit aussi *définie*) : les instructions sont répétées un nombre de fois bien déterminé lorsque l'on aborde la répétition ; ce type de répétition est réalisé en Pascal par l'instruction **for** dont nous avons déjà vu quelques exemples ;

- d'une manière **conditionnelle** (on dit aussi *indéfinie*) : la poursuite ou l'abandon de la répétition sont conditionnés par ce qui se passe au sein de la boucle. Nous verrons plus précisément que cela s'exprime à travers une expression booléenne (condition). En Pascal, deux instructions permettent de réaliser ce genre de répétition :

   * **repeat... until** qui répète des instructions **jusqu'à** ce qu'une condition soit réalisée,

   * **do while** qui répète des instructions **tant qu'une** certaine condition est vraie.

1 - EXEMPLES INTRODUCTIFS D'INSTRUCTIONS FOR

Dans notre exemple du chapitre 1, nous avions rencontré :

```
for i := 1 to Nombre_Fois do
   begin
   .....
   end
```

Cette instruction demandait de répéter l'instruction (ici un bloc) suivant le mot *do*. Nous avions déjà mentionné qu'on y fournissait, non pas directement le nombre de tours à effectuer (qui serait en fait la valeur de la constante *Nombre_Fois*) mais :

- le nom d'une variable destinée à compter les tours de boucle (ici i) ; on la nomme *variable de contrôle* ;

- sa valeur initiale (ici 1) et sa valeur finale (ici *Nombre_Fois*).

Dans notre exemple, la valeur de i nous importait peu, de sorte que nous aurions obtenu le même résultat en remplaçant la première ligne par :

```
for i := 2 to Nombre_Fois + 1
```

La formulation serait cependant moins naturelle et le programme certainement moins lisible !

Voici un autre petit exemple dans lequel, cette fois, la valeur de la variable de contrôle a effectivement une importance :

```
program Utilisation_du_compteur ;
var n : integer ;
begin
    for n := 1 to 8 do
        writeln (n, ' a pour triple ', 3*n )
end.

1 a pour triple 3
2 a pour triple 6
3 a pour triple 9
4 a pour triple 12
5 a pour triple 15
6 a pour triple 18
7 a pour triple 21
8 a pour triple 24
```

Lorsqu'on utilise la variable de contrôle

Ici, la boucle ne contient qu'une seule instruction ; il n'a pas été nécessaire de l'inclure dans un bloc.

Dans nos précédents exemples, la progression de la variable se faisait "en croissant". Il est possible de demander qu'elle ait lieu en décroissant, comme dans cet exemple :

```
program Decomptage ;
var n : integer ;
begin
    for n := 8 downto 1 do
        writeln (n, ' a pour triple ', 3*n )
end.

8 a pour triple 24
7 a pour triple 21
6 a pour triple 18
```

90

```
5 a pour triple 15
4 a pour triple 12
3 a pour triple 9
2 a pour triple 6
1 a pour triple 3
```

Lorsque la variable de contrôle "décompte"

2 - SYNTAXE DE L'INSTRUCTION FOR

```
for variable_contrôle := valeur_initiale to valeur_finale do instruction

for variable_contrôle := valeur_initiale downto valeur_finale do instruction
```

L'instruction for (2 formes)

Avec :

variable_contrôle : identificateur[1] de variable de type *ordinal*

valeur_initiale, valeur finale : expressions d'un type compatible[2] avec celui de la variable de contrôle.

Commentaires

1) Dans beaucoup de langages, la variable de contrôle de telles boucles doit être de type entier. En Pascal, il suffit qu'on puisse *énumérer* des valeurs depuis une valeur initiale jusqu'à une valeur finale, autrement dit que l'on soit en présence d'un type ordinal. Voici un exemple d'une variable de contrôle de type caractère :

```
program Alphabet ;
var c : char ;
begin
    for c := 'a' to 'z' do
        write (c)
end.
```

```
abcdefghijklmnopqrstuvwxyz
```

Pour écrire l'alphabet

---

[1]. Notez bien que la variable de contrôle ne peut être qu'un identificateur ; en particulier, il ne peut pas s'agir d'une référence à une partie d'une entité structurée (par exemple élément d'un tableau, champ d'un enregistrement), ni même d'une entité pointée.

[2]. Actuellement, avec les types ordinaux que nous avons rencontrés, la notion de compatibilité se confond avec celle d'identité.

2) En revanche, nous ne pouvons pas imposer ce qui s'appelle un "pas" dans d'autres langages. Autrement dit, nous ne pouvons pas demander, par exemple, qu'une variable de contrôle entière progresse de 5 en 5. Il est nécessaire d'utiliser une variable supplémentaire dont on fait dépendre la valeur de celle de la variable de contrôle. Voici, par exemple, un programme affichant des entiers de 5 en 5, depuis 1 jusqu'à 41 :

```
program de_cinq_en_cinq ;          1
var i, n : integer ;               6
begin                              11
    for i := 1 to 9 do             16
        begin                      21
        n := 1 + 5 * (i-1) ;       26
        writeln (n)                31
        end                        36
end.                               41
```

Pour "simuler" un pas

Notez que nous aurions pu également écrire :

```
n := 1 ;
for i := 1 to 9 do
    begin
    writeln (n) ;
    n := n + 5
    end
```

3 - REGLES D'UTILISATION DE L'INSTRUCTION FOR

3.1 Les valeurs initiales et finales

Elles sont **évaluées une seule fois** lorsque l'on aborde la boucle. Ainsi, si par mégarde, vous les modifiez à l'intérieur de la boucle, vous n'en compromettrez pas le bon déroulement. Voici un exemple illustrant cela :

```
program tentative_modif_bornes ;
var i, limite : integer ;
```

```
begin
    limite := 5 ;                              compteur : 1
    for i := 1 to limite do                    compteur : 2
        begin                                  compteur : 3
        writeln ('compteur : ', i) ;           compteur : 4
        limite := limite + 1 ;                 compteur : 5
        end ;                                  limite en fin : 10
    writeln ('limite en fin : ', limite)
end.
```

Lorsqu'on modifie les bornes

Lorsqu'on utilise la forme *to* et que la valeur initiale est supérieure à la valeur finale, les instructions de la boucle ne sont pas exécutées. Il en va de même avec la forme *downto* lorsque la valeur initiale est inférieure à la valeur finale[3]. Bien entendu, lorsque ces deux valeurs sont égales, on exécute une seule fois les instructions de la boucle (quelle qu'en soit la forme).

3.2 La valeur de la variable de contrôle

En principe, il est **interdit** de la modifier à l'intérieur de la boucle, ce qui se comprend dans la mesure où cela risque d'en perturber quelque peu le déroulement. Le seul ennui, c'est que, comme beaucoup d'autres langages d'ailleurs, le compilateur Turbo Pascal ne décèle pas ce genre de "manquement à la règle". Il en découle un comportement, non seulement anormal, mais de surcroît différent d'une version à une autre du Turbo Pascal.

4 - EXEMPLE D'UTILISATION DE L'INSTRUCTION FOR

Voici un programme qui détermine la somme de valeurs entières fournies au clavier ; le nombre de valeurs à additionner est fourni préalablement en donnée.

```
program somme ;
var i      : integer ;
    somme  : real ;
    n_val  : integer ;
    valeur : real ;
begin
    write ('combien de valeurs : ') ;
    readln (n_val) ;
    somme := 0
```

---

[3]. Ce phénomène risque plutôt de se produire lorsque les bornes sont mentionnées sous forme d'expressions.

```
      for i := 1 to n_val do
          begin
          write (' valeur numero ', i, ' : ') ;
          readln (valeur) ;
          somme := somme + valeur
          end ;
      writeln ('SOMME = ', somme)
end.
```

```
combien de valeurs : 4
valeur numero 1 : 2.47
valeur numero 2 : 1.25
valeur numero 3 : 10.45
valeur numero 4 : 4.37
valeur numero 4 : SOMME =   1.8540000000E+01
```

Calcul de somme de valeurs

5 - EXEMPLE INTRODUCTIF D'INSTRUCTION REPEAT... UNTIL

Comme nous l'avons indiqué en introduction, l'instruction **repeat... until** constitue l'une des deux manières de réaliser une répétition conditionnelle. Voyez cet exemple :

```
program Exemple_boucle_jusqu_a ;
var n : integer ;
begin
    repeat
        write ('donnez un entier positif : ') ;
        readln (n) ;
    until n > 0 ;
    writeln (' merci pour ', n)
end.
```

```
donnez un entier positif : -1
donnez un entier positif : 0
donnez un entier positif : 5
 merci pour 5
```

L'instruction repeat... until (1)

La structure :

```
repeat
     .....
until n > 0
```

répète les deux instructions qu'elle contient jusqu'à ce que la condition *n > 0* soit vraie. Autrement dit, elle demande un nombre à l'utilisateur jusqu'à ce qu'il fournisse une valeur positive.

On ne sait pas a priori combien de fois la boucle sera ainsi répétée. Néanmoins, de par sa nature même, une telle boucle est parcourue au moins une fois. L'expression booléenne (ici *n > 0*) est alors évaluée. Si elle est vraie, on passe à l'instruction suivant la boucle (on dit aussi qu'on sort de la boucle). Si la condition est fausse, on parcourt à nouveau toutes les instructions de la boucle avant d'évaluer une nouvelle fois la condition ; et ainsi de suite.

Il est important de bien noter que la "sortie de boucle" ne peut se faire qu'après un parcours complet de ses instructions et non pas dès que la condition mentionnée devient vraie. A titre d'exemple, voyez comment se comporte le programme précédent dans lequel nous avons introduit une instruction supplémentaire : *writeln ('merci')* :

```
program Exemple_boucle_jusqu_a ;
var n : integer ;
begin
    repeat
        write ('donnez un entier positif : ') ;
        readln (n) ;
        writeln ('merci')
    until n > 0 ;
    writeln (' merci pour ', n)
end.
```

```
donnez un entier positif : -1
merci
donnez un entier positif : 0
merci
donnez un entier positif : 5
merci
merci pour 5
```

L'instruction repeat... until (2)

6 - SYNTAXE DE L'INSTRUCTION REPEAT... UNTIL

```
repeat
        instruction_1 ;
        instruction_2 ;
        .....
        instruction_n
until expression_booléenne
```

L'instruction repeat... until

Commentaires :

1) Notez bien que le contenu de la boucle est formé d'une ou plusieurs instructions séparées par des points-virgules et **non d'un bloc.** Néanmoins, comme à l'accoutumée, rien ne vous interdit d'en placer un[4] (puisqu'un bloc est considéré comme une instruction). Ainsi, la boucle de notre précédent exemple pourrait s'écrire :

```
repeat
    begin
    write ('donnez un entier positif : ') ;
    readln (n) ;
    writeln ('merci')
    end
until n > 0 ;
```

2) Si la condition mentionnée est fausse lors de l'entrée dans la boucle, il est nécessaire que les instructions puissent en modifier la valeur (en la faisant passer de vrai à faux). Dans le cas contraire, la boucle devient infinie, c'est-à-dire que ses instructions sont répétées indéfiniment. Voici deux exemples de boucles infinies :

```
n := 10                     repeat
repeat                          .....
    n := n + 1                  .....
until n < 0                 until false
```

Vous verrez, au paragraphe 9, comment interrompre un programme qui boucle ainsi indéfiniment.

---

[4]. Ou même, ici, plusieurs.

7 - EXEMPLE INTRODUCTIF D'INSTRUCTION WHILE... DO

Abordons maintenant la deuxième manière de réaliser une répétition conditionnelle en Pascal, à savoir l'instruction **while... do**. Voyez cet exemple :

```
program Exemple_boucle_tant_que ;
var somme  : integer ;
    nombre : integer ;
begin
   somme := 0 ;
   while somme < 100 do
      begin
      write ('donnez un nombre ') ;
      readln (nombre) ;
      somme := somme + nombre
      end ;
   writeln ('somme obtenue = ', somme)
end.
```

```
donnez un nombre : 15
donnez un nombre : 50
donnez un nombre : 25
donnez un nombre : 43
somme obtenue : 133
```

Exemple de boucle tant que

Cette fois, l'instruction :

```
while som < 100 do
```

répète l'instruction qui suit (ici un bloc de deux instructions) *tant que* la condition mentionnée (*som < 100*) est vraie. Autrement dit, ici, tant que la somme des nombres fournis en donnée est inférieure à 100, on demande à l'utilisateur d'en fournir un nouveau.

Là non plus, on ne sait pas a priori combien de fois cette boucle sera répétée. En revanche, cette fois, la condition (ici *som < 100*) est examinée *avant* chaque parcours de boucle et non plus après comme dans *repeat... until*. Une des conséquences est qu'une telle boucle peut très bien n'être parcourue aucune fois si la condition mentionnée est vraie lorsqu'on l'aborde.

Notez que la condition mentionnée après *while* apparaît comme une condition de *poursuite* de la boucle ; celle mentionnée après *until* apparaissait comme une condition d'*arrêt*.

8 - SYNTAXE DE L'INSTRUCTION WHILE... DO

```
while expression_booléenne do instruction
```

L'instruction while... do

Commentaires :

1) Cette fois, le contenu de cette boucle est formé d'une seule instruction, ce qui nécessite, la plupart du temps, l'usage d'un bloc.

2) Si la condition mentionnée est vraie lors de l'entrée dans la boucle, il est nécessaire que les instructions de la boucle puissent en modifier la valeur. Dans le cas contraire, la boucle devient infinie.

3) L'expression booléenne est évaluée dès l'entrée dans la boucle. Ce qui signifie que sa valeur doit être déjà définie. Le problème était différent avec *repeat... until* car la condition pouvait très bien être définie au cours du premier tour de boucle. Par exemple, supposez que nous ayons remplacé (un peu hâtivement) la boucle *repeat... until* du premier exemple du paragraphe 5 par :

```
while n <= 0 do begin
   write ('donnez un entier positif') ;
   readln (n)
   end ;
```

La variable n ne serait alors pas définie lors de l'entrée dans la boucle et donc l'expression $n <= 0$ ne le serait pas non plus. N'oubliez pas cependant que pour Turbo Pascal, il n'y a pas de détection des variables indéfinies et que celles-ci possèdent simplement une valeur imprévisible, de sorte que notre boucle pourrait se trouver exécutée... aucune fois !

Dans ce cas précis, nous pourrions contourner la difficulté en affectant préalablement une valeur fictive négative à n. Toutefois, il ne s'agirait là que d'un artifice. D'une manière générale, il est toujours possible de transformer une boucle *repeat... until* en une boucle *while... do* et vice-versa, mais parfois au prix de l'introduction de certaines lourdeurs ; c'est d'ailleurs ce qui justifie l'existence de ces deux structures en Pascal.

98

9 - POUR INTERROMPRE UN PROGRAMME

Avec les structures de boucle, le risque existe d'écrire, par mégarde, un programme qui ne s'arrête pas ou qui ne fonctionne pas comme prévu et que l'on aimerait pouvoir interrompre.

La combinaison de touches Ctrl/Break[5] permet cette interruption (dans certains cas, il faudra la presser deux fois). Elle vous propose une boîte de dialogue vous informant de l'arrêt du programme ; une simple validation vous ramène alors en fenêtre d'édition. Notez bien toutefois que si vous cherchez à relancer votre programme, son exécution se poursuivra à partir de l'endroit où il avait été interrompu ; elle ne reprendra pas depuis le début. Pour éviter cela, il vous suffit de faire appel à la commande *Run/Program Reset* avant de relancer votre programme.

La combinaison de touches Ctrl/C permet, dans certains cas seulement, d'interrompre définitivement votre programme. Cependant, elle ne peut être prise en compte que lors d'entrées-sorties, ce qui signifie que si votre programme "boucle" sur des calculs, sans rien afficher, votre frappe de Ctrl/C ne sera jamais prise en compte.

N'oubliez pas que, de toute façon, certains "plantages" de votre programme ne vous laisseront pas d'autres ressources que d'effectuer un "redémarrage à chaud" de votre machine (touches Ctrl/Alt/del). Ceci confirme l'intérêt qu'il y a d'effectuer systématiquement une sauvegarde d'un programme (modifié) avant de l'exécuter.

EXERCICES

1) Calculer la moyenne de notes fournies au clavier avec un "dialogue" se présentant ainsi :

```
combien de notes : 4
note 1 : 12
note 2 : 15.25
note 3 : 13.5
note 4 : 8.75
moyenne de ces 4 notes :  12.37
```

2) Calculer la moyenne de notes fournies au clavier avec un dialogue de ce type :

```
note 1 : 12
note 2 : 15.25
note 3 : 13.5
note 4 : 8.75
note 5 : -1

moyenne de ces 4 notes :  12.37
```

---

[5]. La touche Break est souvent gravée Pause ou Attn.

Le nombre de notes n'est pas connu à l'avance et l'utilisateur peut en fournir autant qu'il le désire. Pour signaler qu'il a terminé, on convient qu'il fournira une note fictive négative. Celle-ci ne devra naturellement pas être prise en compte dans le calcul de la moyenne.

3) Déterminer une valeur approchée de ce que l'on nomme "l'epsilon machine", c'est-à-dire le plus petit nombre réel E tel que, pour l'ordinateur, $1+E$ apparaisse comme égal à 1. Pour ce faire, vous pouvez, par exemple, initialiser une variable à une valeur de votre choix et diviser celle-ci par deux autant de fois que nécessaire pour que la condition évoquée devienne vraie. Vous obtenez ainsi la valeur de E à un facteur deux près.

4) Afficher un triangle rempli d'étoiles, s'étendant sur un nombre de lignes fourni en donnée et se présentant comme dans cet exemple :

```
*
**
***
****
*****
```

5) Déterminer si un nombre entier fourni en donnée est premier ou non.

IX. LES TYPES SCALAIRES
DEFINIS PAR L'UTILISATEUR

Dans le chapitre 4, nous avons introduit la notion de type scalaire (ou simple) et nous vous avons présenté quatre types scalaires prédéfinis (*integer, real, char* et *boolean*). Nous avions alors mentionné qu'il vous serait également possible de définir vos propres types. C'est ce que nous vous proposons d'étudier ici, en ce qui concerne les types scalaires.

Pourquoi, direz-vous, définir vos propres types scalaires ? En fait, les types prédéfinis permettent de manipuler aisément des nombres ou des caractères. Mais, vous pouvez être amené à traiter d'autres sortes d'informations, par exemple : des mois de l'année (janvier, février...), les jours de la semaine (lundi, mardi...), des notes de musique, des noms de cartes à jouer (as, roi, dame...), des marques de voiture, etc. Bien entendu, vous pouvez toujours dans ce cas "coder" l'information correspondante, par exemple 1 pour janvier, 2 pour février... ou encore 'A' pour as, 'R' pour roi... Mais Pascal vous permet de manipuler ces informations d'une manière plus naturelle en leur attribuant un nom de votre choix tel que *janvier* ou *février*. Pour ce faire, il vous suffira de fabriquer ce que l'on appelle un **type défini par énumération** (ou plus brièvement *type énuméré*), c'est-à-dire un type dans lequel vous "énumérez" chacune des valeurs possibles.

Par ailleurs, il arrive fréquemment que l'on ait à manipuler des informations dont les valeurs ne peuvent couvrir qu'un intervalle restreint de valeurs. Par exemple, un âge pourrait être un entier compris entre 0 et, disons... 150. Une note d'élève pourra être un entier compris entre 0 et 20. Une lettre minuscule sera un caractère compris entre 'a' et 'z'. Lorsque l'ensemble des valeurs possibles est ainsi restreint, il peut être intéressant de pouvoir en tenir compte dans le programme. Pascal vous autorise ainsi à définir de nouveaux types comme intervalles d'un autre type scalaire, ce qui vous permet de bénéficier :

- d'une meilleure lisibilité du programme,

d'un contrôle des valeurs qui seront affectées aux variables de ce type[1],

- d'un gain de place mémoire lié au fait que, la plupart du temps, les variables d'un type intervalle occuperont moins de place que les variables du type initial (dit type "hôte" ou type "de base").

---

[1]. Nous verrons, toutefois, qu'en Turbo Pascal, un tel contrôle ne sera effectué que sur demande.

1 - EXEMPLES DE TYPES ENUMERES

Considérons le cas où nous souhaitons manipuler des jours de la semaine en les désignant simplement par leur nom. Nous commencerons par définir le nouveau type correspondant, par exemple comme ceci :

```
type jour = (lundi, mardi, mercredi, jeudi, vendredi, samedi, dimanche) ;
```

Cette instruction définit un nouveau type qui sera désigné par l'identificateur *jour*. Elle "énumère" les différentes valeurs permises pour le type ; chacune de ces valeurs est un identificateur de votre choix.

Pour l'instant, nous ne disposons encore d'aucune variable du type *jour*. Pour ce faire, il nous suffit d'en déclarer comme à l'accoutumée. Ainsi :

```
var debut, fin, date : jour
```

crée trois variables nommées *debut*, *fin* et *date* qui seront du type *jour*.

Que pourrons-nous faire avec des variables d'un tel type ? Tout d'abord, nous pourrons leur **assigner des valeurs**, par des affectations telles que :

```
debut := mardi ;
date := debut ;
```

La première affecte à la variable *debut* la valeur mardi. Notez, au passage, que *mardi* apparaît comme une constante de type *jour*. La seconde affectation, quant à elle, affecte à la variable *date* la valeur de la variable *debut*.

Nous pouvons également **comparer** des valeurs du type *jour* et écrire des instructions telles que :

```
if date = dimanche then .....
if date > mercredi then .....
```

La première est basée sur une expression booléenne (*date* = *dimanche*) qui sera vraie, si la valeur de la variable *date* est *dimanche*. La seconde utilise l'expression booléenne *date* > *mercredi* qui sera vraie si la valeur de *date* est "postérieure" à *mercredi*. Comment interpréter "postérieure" ? Simplement en utilisant l'ordre dans lequel les valeurs ont été déclarées dans la définition du type. Ainsi, notre expression *date* > *mercredi* sera fausse si *date* contient l'une des valeurs *lundi*, *mardi*, *mercredi* et vraie dans le cas contraire. En particulier, **compte tenu de notre déclaration**, nous avons bien *dimanche* > *mercredi*.

Voici un exemple, au demeurant quelque peu fantaisiste, d'utilisation du type *jour* tel que nous venons de le définir :

```
program Exemple_de_type_enumere ;
type jour = (lundi, mardi, mercredi, jeudi,
             vendredi, samedi, dimanche) ;
var date : jour ;

begin
    for date := lundi to dimanche do
        begin
        writeln ('Voici un nouveau jour') ;
        if date = mercredi
            then writeln ('--- les enfants sont en congé') ;
        if date = vendredi
            then writeln ('--- dernier jour de travail') ;
        if (date=samedi) or (date=dimanche)
            then writeln ('--- on se repose')
        end
end.
```

```
Voici un nouveau jour
Voici un nouveau jour
Voici un nouveau jour
--- les enfants sont en congé
Voici un nouveau jour
Voici un nouveau jour
--- dernier jour de travail
Voici un nouveau jour
--- on se repose
Voici un nouveau jour
--- on se repose
```

Utilisation d'un type énuméré

Vous constatez que nous avons utilisé la variable *date* (du type *jour*) comme variable de contrôle d'une instruction *for*. Cette dernière répète le bloc qu'elle renferme en donnant successivement à *date* les valeurs *lundi, mardi... dimanche* ; l'ordre de parcours de ces valeurs étant celui fourni par la déclaration du type *jour*. En fait, nous verrons que le type *jour*, comme tout type énuméré, est **ordinal** et qu'il jouit donc de toutes les propriétés afférentes aux type ordinaux.

Voici d'autres exemples de déclaration de types définis par énumération :

```
type carte = (as, roi, dame, valet, dix, neuf, huit, sept) ;
     etat_civil = (celibataire, marie, veuf, separe) ;
     marque = (renault, citroen, peugeot, ford, honda) ;
     corps = (C, O, H, CO, CO2, H2O) ;
```

Remarque :

Il est théoriquement possible de déclarer des variables d'un type énuméré sans définir le type correspondant par une instruction *type*. Il suffit de procéder comme ceci :

```
var debut, fin, date : (lundi, mardi, mercredi, jeudi, vendredi, samedi, dimanche) ;
```

Cependant, nous verrons que cette possibilité (nommée parfois "type anonyme") apporte quelques inconvénients sans présenter d'avantage décisif. Plus généralement, lorsque nous étudierons d'autres types définis par l'utilisateur (tableaux, enregistrements...), nous verrons que l'emploi de "types anonymes" peut conduire à des problèmes d'**incompatibilité**.

2 - REGLES CONCERNANT LA DECLARATION D'UN TYPE ENUMERE

Comme nous l'avons vu, une instruction *type* peut comporter une ou plusieurs définitions de types (séparées alors par des points-virgules). Nous verrons plus tard d'autres sortes de types que les types définis par énumération. Au sein d'une instruction *type* , un type énumération se définit ainsi :

```
        identificateur_du_type = (identificateur_1, identificateur_2, .....
identificateur_n)
```

Type défini par énumération

Bien entendu, vous avez toute latitude dans le choix des identificateurs, aussi bien pour le type que pour les différentes valeurs de ce type. Néanmoins, ne perdez pas de vue les remarques suivantes :

1) Un identificateur ne peut être un mot réservé ; ainsi, pour déclarer un type "note de musique", vous ne pouvez pas écrire :

```
type note = (do, re, mi, fa, sol, la, si)
```

car *do* est un mot réservé (vous pourrez utiliser, par exemple, *doo*).

2) Un même identificateur ne peut pas désigner plusieurs choses différentes. Supposez que vous souhaitiez définir en plus du type *jour* déjà rencontré, un type *jour_travail* correspondant aux jours de la semaine. Vous songez (peut-être) à procéder ainsi :

```
type jour = (lundi, mardi, mercredi, jeudi, vendredi, samedi, dimanche) ;
     jour_travail = (lundi, mardi, mercredi, jeudi, vendredi) ;
```

Cela serait rejeté par Pascal puisqu'un identificateur tel que *mardi* représenterait deux entités de types différents. Bien entendu, dans votre esprit, le type *jour_travail* n'est pas totalement différent du type *jour* ; il est plutôt "inclus" dedans (mais Pascal ne peut pas le deviner !). Vous verrez que le type intervalle vous permettra de venir à bout de ce problème.

3) Une constante n'est pas un identificateur. Autrement dit, il n'est pas question de déclarer un type par une énumération de nombres comme :

```
type impair = (1, 3, 5, 7, 9, 11)
```

ou même un type voyelle par :

```
type voyelle = ('a', 'e', 'i', 'o', 'u', 'y')
```

4) En Pascal, tout identificateur doit avoir été déclaré avant[2] d'être utilisé. Autrement dit, la déclaration de type doit être effectuée avant la déclaration des variables de ce type.

3 - PROPRIETES DES TYPES ENUMERES

Comme nous l'avons déjà mentionné, les types énumérés sont des types ordinaux à part entière. Les principales conséquences en sont les suivantes.

Ils sont ordonnés

L'ordre est défini comme étant celui dans lequel vous avez énuméré les différentes valeurs du type. Bien entendu, et contrairement à ce qui se passait pour les types scalaires prédéfinis, cet ordre peut revêtir un caractère plus ou moins artificiel. Ainsi, dans le type *jour* tel que nous l'avons défini au paragraphe 2, s'il paraît naturel de faire figurer *lundi* avant *mardi*, il peut paraître moins évident que *dimanche* soit postérieur à *lundi*. Quoiqu'il en soit, la nature même d'un type énuméré, interdit que *dimanche* puisse être à la fois avant et après *lundi* !

Les opérateurs relationnels (=, <, >, <=, >=, <>) **sont utilisables** avec des éléments de même type.

Les fonctions ord, pred et succ sont utilisables

Ainsi, avec notre déclaration du type *jour*, *succ(mardi)* vaut *mercredi*, *pred(samedi)* vaut *vendredi*. En revanche, en principe *pred (lundi)* et *succ (dimanche)* ne sont pas définis. Nous verrons précisément au paragraphe 6 comment se comporte Turbo Pascal dans ces situations particulières.

Quant à la fonction *ord*, il faut noter que la première valeur du type possède le rang 0 (et non 1). Ainsi, dans notre type *jour*, *ord (lundi)* vaut 0 et *ord (dimanche)* vaut 6.

---

[2]. Ici, le terme "avant" concerne l'ordre dans lequel le compilateur rencontre les instructions et non l'ordre dans lesquel les instructions du programme seront effectivement exécutées.

Les valeurs du type sont "énumérables"

Autrement dit, une variable d'un type énuméré peut apparaître comme variable de contrôle d'une instruction *for* (nous en avons vu un exemple dans le paragraphe 2) ou d'une instruction *case*.

Enfin, il faut ajouter que, pour tout type énuméré, il existe la fonction réciproque de *ord*, c'est-à-dire une fonction qui, à un nombre entier, fait correspondre l'élément du type de rang correspondant. Elle porte simplement le **nom du type lui-même**. Ainsi, avec notre type *jour* :

jour(3) a la valeur *mercredi*,

jour(5) a la valeur *vendredi*.

Nous verrons un exemple d'utilisation de cette fonction dans le paragraphe 5.

Remarques :

1) La fonction réciproque de *ord* existe pour les types ordinaux prédéfinis. En particulier, *char* (nom du type) joue exactement le même rôle que *chr*.

2) Si, comme l'autorise Pascal, vous utilisez des types "anonymes" (description de type fournie directement dans l'instruction *var*), comme dans :

```
var debut, date : (lundi, mardi, mercredi, jeudi, vendredi, samedi, dimanche) ;
```

il n'est plus possible d'utiliser la fonction réciproque de *ord* (elle n'a plus de nom !).

4- LES TYPES ENUMERES N'ONT PAS DE "REPRESENTATION EXTERNE"

4.1 Les faits

Il vous paraît certainement naturel de disposer d'instructions comme *read* ou *write* pour échanger de l'information avec votre programme. Néanmoins, celles-ci ne fonctionnent qu'avec certains types prédéfinis et, en tout cas, elles ne peuvent absolument pas être utilisées pour les types définis par énumération.

Si vous cherchez à faire afficher une variable d'un tel type, par exemple en écrivant :

```
write (date) ;
```

où *date* a été déclarée du type *jour*, vous obtiendrez, un message d'erreur (*I/O are not allowed*).

4.2 L'explication des faits

A priori, vous pouvez vous interroger sur la raison d'une telle impossibilité. L'explication réside dans la manière dont les informations manipulées par un programme sont codées en binaire.

Tout d'abord, si l'on considère des nombres entiers, ceux-ci sont codés suivant une méthode bien définie (toujours la même) ; ainsi, il est toujours possible d'établir une correspondance entre une représentation "interne" (binaire) et une représentation "externe" (en clair). C'est ce que font précisément les instructions *read* et *write*.

En revanche, dans le cas de valeurs d'un type par énumération, celles-ci sont "codées" par le compilateur suivant l'ordre de la déclaration du type. Ainsi, pour notre type *jour*, une constante telle que *mardi* sera en fait codée 1 en binaire, *lundi* sera codée 0... Ce sont de telles valeurs qui "transiteront" dans les variables du type lors de l'exécution. Pour que des entrées-sorties soient possibles avec de telles variables, il faudrait pouvoir, par exemple, faire correspondre le texte "mardi" à la valeur 1. Autrement dit, il aurait fallu que, dans le programme objet, le compilateur conserve "en clair" (en fait, sous forme de "chaînes de caractères") les identificateurs des constantes du type. Ce n'est pas le cas (un identificateur n'a de signification qu'au sein d'un programme source ; il est toujours traduit par le compilateur en une valeur binaire ou une adresse...).

4.3 Remèdes possibles

Il reste bien sûr possible d'échanger des informations d'un tel type en prévoyant des instructions assurant en quelque sorte leur codage. Voici par exemple une instruction *case* permettant "d'afficher en clair" le contenu d'une variable nommée *date*, de type *jour* :

```
case date of
    lundi    : write ('lundi') ;
    mardi    : write ('mardi') ;
    mercredi : write ('mercredi') ;
    jeudi    : write ('jeudi') ;
    vendredi : write ('vendredi') ;
    samedi   : write ('samedi') ;
    dimanche : write ('dimanche')
end
```

La "lecture en clair", quant à elle, nécessiterait l'emploi de variables de type chaîne (que nous n'étudierons qu'au chapitre suivant). Il serait également possible d'utiliser un "code", sous forme d'un caractère (par exemple A pour lundi, B pour mardi...) ou d'un nombre entier. Dans ce dernier cas, les choses seraient facilitées par l'existence de la fonction réciproque de *ord*.

Voici, par exemple, les instructions plaçant dans la variable *date* (de type *jour*) la valeur correspondant à un entier compris entre 0 et 6[3] fourni en donnée :

```
readln (n) ;
date := jour (n) ;
```

5 - VERIFICATION DES AFFECTATIONS

5.1 Ce qui se passe "par défaut"

A priori, une variable de type énumération ne doit pouvoir se voir affecter que des valeurs spécifiées dans la définition du type. Il est vrai que toute tentative d'affectation de la valeur d'une expression d'un type différent sera rejetée à la compilation. De sorte qu'a priori, on pourrait penser qu'aucun risque d'erreur n'existe.

Cependant, commencez par examiner les résultats fournis par ce programme :

```
program Essai_debordement ;
type jour = (lundi, mardi, mercredi, jeudi,
             vendredi, samedi, dimanche) ;
var date, demain : jour ;

begin
    date := dimanche ;
    demain := succ(date) ;
    writeln (' ordre de demain : ', ord(demain) ) ;
end.

ordre de demain : 7
```

Lorsque l'on "sort" du type sans s'en apercevoir

Pour le compilateur, une expression telle que *succ (date)* est du type de la variable *date*, donc du type *jour* ; il ne décèle donc aucune erreur. Que se passe-t-il lors de l'exécution ? Pour le comprendre, il est nécessaire de se souvenir que des valeurs du type énumération sont représentées en mémoire par la valeur binaire correspondant à leur *ordre*. Ainsi *dim* est représenté par 6 codé en binaire. Quant à la fonction *succ*, elle se contente de passer d'un élément au suivant en ajoutant simplement 1 à ce nombre ; autrement dit, l'expression *succ(date)*, de type *jour*, possède comme représentation interne la valeur 7 (codée en binaire).

---

[3]. Bien entendu, d'autres conventions seraient utilisables, par exemple, un nombre entre 1 et 7. Il faudrait alors modifier les instructions correspondantes en conséquence.

108

Mais, direz-vous, aucune constante de type *date* ne correspond à cette représentation ! Certes, mais au niveau de l'exécution du programme, il s'agit finalement d'un faux problème : les constantes du type *date* n'ont eu de signification que pendant la compilation.

On peut donc admettre que l'évaluation de l'expression *succ (date)* conduise à cette valeur erronée. En revanche, il est plus troublant de constater que l'affectation :

```
demain := succ (date)
```

s'exécute sans détection d'erreur.

En fait, il existe une "directive de compilation" (**R+**) qui permet de demander au compilateur d'introduire, **à chaque affectation**, des instructions vérifiant que la valeur de l'expression est compatible avec le type de la variable réceptrice. Les "directives" s'expriment comme des commentaires mais leur particularité (elles commencent toujours par le caractère $) les fait reconnaître du compilateur.

5.2 La directive de compilation R+

Ajoutons cette directive, c'est-à-dire {*$R+* } à notre programme précédent :

```
{$R+}
program Essai_debordement ;
type jour = (lundi, mardi, mercredi, jeudi,
             vendredi, samedi, dimanche) ;
var date, demain : jour ;

begin
    date := dimanche ;
    demain := succ(date) ;
    writeln (' ordre de demain : ', ord(demain) ) ;
end..

Runtime error 201 at 0000.003F
```

La directive de compilation R+

Cette fois, une erreur est bien détectée lors d'une tentative d'affectation de *succ(date)* à *demain* (on obtient le message *Error 201 : range check error* en fenêtre d'édition). Notez bien, cependant, que cette erreur est effectivement décelée lors de la tentative d'affectation et non lors du calcul de l'expression *succ (date)*. Voici un autre exemple le prouvant :

```
{$R+}
program Essai_debordement ;
type jour = (lundi, mardi, mercredi, jeudi,
             vendredi, samedi, dimanche) ;
var date, demain : jour ;

begin
    date := dimanche ;
    writeln (' ordre de succ(date) : ', ord(succ(date)) ) ;
    date := pred(succ(date)) ;
    writeln (' ordre de pred(succ(date)) : ', ord(date) ) ;
end.
```

```
ordre du succ(date) : 7
ordre de pred(succ(date)) : 6
```

Lorsque la directive R + reste inopérante

Remarque :

Nous verrons, au paragraphe 11, d'autres risques d'erreurs encourus, en l'absence de la directive R +, et même en sa présence.

6 - EXEMPLES DE TYPES INTERVALLE

Abordons maintenant la deuxième sorte de type défini par l'utilisateur, à savoir le type intervalle. Voici, par exemple, comment déclarer un type nommé *age* dont les valeurs seraient des entiers compris entre 0 et 150 :

```
type age = 1 .. 150 ;
```

ou encore, en utilisant une constante définie avant la déclaration de type :

```
const age_max = 150 ;
  ...
type age = 1 .. age_max ;
```

Il est alors ensuite possible de déclarer des variables du type *age* , par exemple :

```
var age_pere, age_mere, courant : age ;
```

Notez bien que le type *age* n'est plus, à proprement parler, un nouveau type ; ses valeurs appartiennent simplement à un intervalle d'un type déjà défini (et même ici prédéfini), à savoir le type entier. Ainsi, des variables du type *age* pourront être manipulées de la même manière que des variables entières, c'est-à-dire être lues ou écrites ou intervenir dans des calculs. Voici des exemples corrects (n étant supposée entière) :

```
read (age_pere, age_mere) ;
n := age_pere + age_mere ;
courant := age_pere + 10 ;
```

Notez bien que *age_pere + age_mere* est une expression de type entier. Sa valeur peut dépasser 150, sans que cela ne pose de problème.

Une seule restriction est imposée aux variables du type âge : elles ne pourront se voir affecter de valeurs sortant de l'intervalle prévu. Ainsi, en principe[4], l'affectation *courant :=* *age_pere + 10* entraînera une erreur si la valeur de *age_pere + 10* est supérieure à 150. Il en irait de même si, en réponse à l'instruction read précédente, l'utilisateur fournissait une valeur en dehors des limites 0 .. 150.

L'exemple précédent définissait un type intervalle à partir d'un type entier. On dit que le type **hôte** (ou type de base) est le type entier. Mais le type hôte peut être n'importe quel type ordinal. Voici deux exemples de types intervalle définis à partir d'un type énumération, à savoir le type *jour* du paragraphe 2 :

```
type jour = (lundi, mardi, mercredi, jeudi, vendredi, samedi, dimanche) ;
type jour_travail = lundi .. vendredi ;
type week_end     = samedi .. dimanche ;
```

Ainsi, les valeurs du type *jour_travail* sont les 5 constantes : *lundi, mardi, mercredi, jeudi* et *vendredi*. Celles du type *week_end* sont les deux constantes *samedi* et *dimanche*. Notez comment l'emploi des types intervalle nous a permis de résoudre le problème évoqué dans la remarque 2 du paragraphe 3, à savoir, disposer de types différents pouvant comporter des valeurs communes.

Là encore, les variables déclarées de type *jour_travail* ou *week_end* pourront être manipulées comme n'importe quelle valeur du type *jour*. Ainsi, en déclarant :

```
var aujourd_hui : jour_travail ;
    courant : jour ;
```

ces affectations seront correctes :

```
aujourd_hui := vendredi ;
courant := succ (aujourd_hui) ;
```

Notez bien que *courant* prendra la valeur *samedi*. En effet, bien que *aujourd_hui* soit de type *jour_travail*, le résultat de *succ(aujourd_hui)* est du type hôte du type *jour_travail*, à

---

[4]. Là encore, comme nous le verrons au paragraphe 9, celà dépendra de l'option de compilation R + .

savoir, du type *jour* et donc, *samedi* est une valeur acceptable pour cette expression ainsi que pour la variable *courant*.

7 - REGLES CONCERNANT LA DECLARATION D'UN TYPE INTERVALLE

La syntaxe de la déclaration d'un type intervalle est :

```
identificateur_de_type = constante_1 .. constante_2
```

Le type intervalle

Avec :

constante_1 et constante_2 : constantes[5] d'un même type ordinal et telles que constante_1 < = constante_2.

Notez que le type hôte d'un type intervalle peut être n'importe quel type ordinal : prédéfini ou énumération (il est inutile de dire qu'il peut être de type intervalle car alors les dites constantes seront nécessairement, au bout du compte, des constantes d'un type prédéfini ou énumération).

8 - PROPRIETES DES TYPES INTERVALLE

Les variables d'un type intervalle jouissent exactement des mêmes propriétés que le type hôte. Elles peuvent intervenir dans les mêmes expressions ; d'ailleurs, comme nous l'avons déjà évoqué, toute expression où intervient une telle variable est du type hôte.

Les variables d'un type intervalle ne diffèrent des variables du type hôte que sur un seul point : elles ne peuvent pas se voir affecter de valeurs situées en dehors de l'intervalle imposé. C'est d'ailleurs ce point qui justifie l'existence et l'intérêt d'un type intervalle.

En fait, ce contrôle n'est pas réalisé d'une manière systématique ; il doit être demandé explicitement à l'aide de l'"option de compilation" **R +** . Voici un exemple de ce qui peut se produire en l'absence d'un tel contrôle :

```
program Debordement_d_intervalle ;
type age = 1..150 ;
var age_fils, age_pere : age ;
```

---

[5]. N'oubliez pas qu'il peut s'agir d'expressions constantes.

```
begin
    age_fils := 80 ;
    age_pere := age_fils + 100 ;
    writeln ('age père : ', age_pere) ;
end.
```

age père : 180

En cas de débordement d'intervalle (sans contrôle)

Voici l'effet de l'introduction, au sein du programme précédent, de la directive R + :

```
Error 201 : Range check error

{$R+}
program Debordement_d_intervalle ;
type age = 1..150 ;
var age_fils, age_pere : age ;

begin
    age_fils := 80 ;
    age_pere := age_fils + 100 ;
    writeln ('age père : ', age_pere) ;
end.
```

Runtime error 201 at 0EF0:0039

L'option R + en cas de débordement d'intervalle

Remarques :

1) Là encore, nous verrons au paragraphe 11 d'autres risques d'erreurs encourus en l'absence de la directive R +.

2) Une tentative d'affectation d'une valeur constante n'appartenant pas à l'intervalle prévu est détectée **dès la compilation** (depuis la version 4.0).

9 - EXEMPLE D'UTILISATION D'INTERVALLES D'UN TYPE ENUMERE

Voici un "exemple d'école" montrant l'emploi de deux types intervalle d'un type énuméré :

```
program Exemple_de_types_intervalle ;
type jour    = (lundi, mardi, mercredi, jeudi,
                vendredi, samedi, dimanche) ;
     travail  = lundi .. vendredi ;
     week_end = samedi .. dimanche ;
var j : jour ;
    n : integer ;                        on travaille 1 fois
                                         on travaille 2 fois
begin                                    on travaille 3 fois
    n := 1 ;                             on travaille 4 fois
    for j := lundi to vendredi do        on travaille 5 fois
        begin                            on se repose 1 fois
        writeln ('on travaille ', n, ' fois' ) ;   on se repose 2 fois
        n := n + 1 ;
        end ;
    n := 1 ;
    for j := samedi to dimanche do
        begin
        writeln ('on se repose ', n , ' fois' ) ;
        n := n + 1 ;
        end
end.
```

Utilisation d'intervalles d'un type énuméré

10 - LES TYPES BYTE ET SHORTINT

Turbo Pascal dispose (depuis la version 4.0) de plusieurs types entiers prédéfinis dont nous parlerons dans le chapitre XXIII. Deux d'entre eux se trouvent être un type intervalle du type *integer*, à savoir :

byte qui correspond au type 0 .. 255

shortint qui correspond au type -128 .. 127

Les variables de ces deux types occupent un octet en mémoire.

11 - LA TAILLE DES EMPLACEMENTS ALLOUES AUX VARIABLES DE TYPE ENUMERE OU INTERVALLE

Nous avons déjà vu comment il était possible de fabriquer par erreur des valeurs non prévues dans la déclaration du type. Par exemple, pour une variable *date* de type *jour*,

114

succ(date) possédait une valeur, même quand *date* contenait *dimanche* ! On peut, de façon analogue, se demander ce que vaut *pred (lundi)*.

De même, en l'absence de l'option R +, nous pouvions affecter des valeurs telles que 180 ou 200 à des variables du type *age* (1..150). Mais que se passerait-il si nous cherchions à leur affecter des valeurs telles que 500 ?

En fait, le comportement de Turbo Pascal dans de telles circonstances, ne peut s'expliquer que par la connaissance de la manière dont il représente les valeurs de type énuméré ou intervalle. Nous vous avons déjà indiqué que les valeurs d'un type énuméré étaient codées par leur valeur ordinale. Par ailleurs, Turbo Pascal leur attribue **le plus petit nombre d'octets possible**, compte tenu des valeurs à représenter. Ainsi, dans nos précédents exemples, les variable de type *jour* ou *age* seraient représentées sur un seul octet.

Mais cette taille minimum permet de représenter des "valeurs superflues" qu'il devient quand même possible d'atteindre. Nous en avons vu des exemples à propos du type énuméré. Nous avons vu qu'alors l'option R + nous protégeait de tentatives d'affectation de telles valeurs superflues (mais elle ne nous protège que des affectations, pas des calculs intermédiaires).

En revanche, avec ou sans l'option R +, nous ne pourrons jamais obtenir de valeurs en dehors de celles qui peuvent être représentées dans le nombre d'octets impartis. Ainsi, les emplacements alloués aux variables de type *jour* ne permettent de représenter que 256 valeurs s'étendant de -128 à 127[6]. De façon comparable, les emplacements alloués aux variables de type *age* ne peuvent permettre de représenter que 256 valeurs s'étendant de 0 à 255[7]. Si nous cherchons à tout prix à "aller au-delà", nous retrouverons un phénomène de "modulo" déjà rencontré dans le cas des nombres entiers. Par exemple, avec notre type *jour*, si n est une variable entière valant 255, l'expression *succ (jour (n))* vaudra *lundi*. Notez bien que l'option R + sera inopérante à ce niveau.

D'une manière semblable, l'affectation de la valeur d'une variable entière contenant 300 à une variable de type *age*, conduira à ne conserver de l'entier 300 (codé sur 2 octets) que l'octet le moins significatif, soit la valeur 44 (300 modulo 256). En revanche, ici, l'option R + nous protégerait d'une telle tentative d'affectation.

Remarques :

1) L'emplacement alloué à un type intervalle dépend, non de son amplitude, mais des valeurs ordinales de ses bornes. Ainsi, un type intervalle 300..400 qui correspond théoriquement à 101 valeurs possibles, occupera néanmoins 2 octets.

2) Les expressions constantes sont évaluées par le compilateur. Ainsi une expression telle que *succ (jour (255))* conduira à un message d'erreur (*Constant out of range*).

---

[6]. Car, ici, Turbo Pascal utilise le type shortint.

[7]. Car, ici, Turbo Pascal utilise le type byte.

12 - UNE AUTRE FACON D'EXPRIMER DES DIRECTIVES DE COMPILATION

Dans ce chapitre, nous avons beaucoup parlé de la directive de compilation R +. Nous aurons l'occasion d'étudier d'autres directives dans la suite de ce livre. Dès maintenant, nous attirons votre attention sur le fait que (depuis la version 4.0), de telles directives peuvent également être spécifiées à l'aide de la commande *Options/Compiler*. Par exemple, au lieu d'introduire le "pseudo-commentaire" {*$R +* } dans votre programme, vous pouvez, avant d'en effectuer la compilation, cocher la case *Range Checking* de l'ensemble *Run-time Errors* de la commande *Options/Compiler*.

Il est toutefois très important de signaler que ces deux procédés (pseudo-commentaire ou commande *Options/Compiler*) **ne sont pas rigoureusement équivalents**. En voici deux raisons :

1) D'une part, certaines directives peuvent être à volonté activées et désactivées à plusieurs reprises au sein d'un même programme source : elles sont dites "locales", par opposition aux autres dites "globales" dont l'effet porte alors sur l'ensemble de la compilation. La directive $R + est locale : on peut demander de n'incorporer les instructions de vérification que dans certaines portions du programme, par exemple :

```
. . . . .
{$R+}
. . . . .
{$R-}
. . . . .
{$R+}
. . . . .
```

Ceci n'est pas possible l'orsqu'on utilise la commande *Options/Compiler* puisqu'alors, le choix effectué porte obligatoirement sur l'ensemble du programme source compilé.

2) D'autre part, les options choisies par la commande *Options/Compiler* ne sont pas associées à un fichier source particulier, mais liées à l'"état" de votre environnement intégré à un instant donné ; elles peuvent très bien changer à votre insu, notamment si plusieurs personnes travaillent sur la même machine ; elles sont donc moins sûres. D'ailleurs, les **directives introduites dans le programme source** (par des pseudo-commentaires) **ont toujours priorité sur les options choisies par l'environnement intégré** (ici, par *Options/Compiler*).

Si vous le souhaitez, sachez que toutes les options de l'environnement intégré (donc, en particulier, celles choisies par *Options/Compiler*) peuvent être conservées dans un fichier de votre choix par la commande *Options/Save Options* ; la commande *Options/Retrieve Options* vous permet de "retrouver" des options ainsi sauvegardées. De plus, vous pouvez demander à Turbo Pascal qu'il effectue automatiquement cette sauvegarde, à chaque fois que vous le quittez : il vous suffit de cocher la case *Options/Environment/Preferences*(la sauvegarde a toujours lieu dans un fichier de nom TURBO.TP).

EXERCICE

Déterminez les éventuelles erreurs commises dans les déclarations suivantes :

```
a)      type positif = 0..maxint ;
b)      type prefixe = (sur, sous, super, in, im) ;
c)      type bon_nombre = (3, 5, 7, 11, 13) ;
d)      type lettre = 'i'..'n' ;
e)      type debut_alpha = 'a'..'p' ;
        fin_alpha = 'm'..'z' ;
f)      type voyelle = (a, e, i, o, u, y) ;
```

MANIPULATIONS

1) Constatez que, dans certains cas, il est possible de trouver, dans le type *jour*, un prédécesseur à *lundi*. Pour ce faire, expérimentez les trois situations suivantes (j étant de type *jour*) :

a)
```
j := lundi ;
j := pred (j) ;
write (ord(j)) ;
```

b) Même chose que ci-dessus, avec la directive $R +

c)
```
j := pred (lundi) ;
write (ord(j)) ;
```

2) Créez ce petit programme :

```
program essai ;
type age = 1 .. 150 ;
var n : age ;
    p : integer ;
begin
  repeat
    write ('entier ?') ; read (p) ;
    n := P ;
    writeln (n)
```

```
    until n = 0
end.
```

Expérimentez-le avec des valeurs telles que 200, 300, 500, 1 000, 10 000... Constatez qu'avec la directive $R +, vous aboutissez à une erreur d'exécution.

3) Modifiez le programme précédent en remplaçant, dans le type *age*, 1..150 par 200..300. Constatez qu'alors, avec des valeurs ne dépassant la capacité d'un *integer*, vous obtenez la valeur fournie en donnée : **ceci prouve que Turbo Pascal a employé deux octets pour représenter les valeurs de type age.** Constatez l'effet de $R +.

X. LE TYPE CHAINE (STRING)

Nous avons vu comment le type *char* permettait de manipuler des caractères. Mais il arrive fréquemment que l'on ait besoin de manipuler, non plus un simple caractère, mais toute une suite de caractères que l'on nomme une "chaîne". En Pascal standard, cela ne pouvait se faire que par l'emploi de tableaux (que nous étudierons au chapitre suivant), ce qui en limite quelque peu l'intérêt.

Turbo Pascal, en revanche, dispose de possibilités comparables à celles du Basic, à savoir :

- des variables qui pourront contenir des chaînes de longueur variable,

- des possibilités de lecture et d'écriture de chaînes,

- des opérateurs de concaténation et de comparaison,

- un jeu très complet de fonctions et de procédures permettant de manipuler ces chaînes.

1 - EXEMPLE INTRODUCTIF

```
program Exemple_de_manipulations_de_chaines ;
var mot_1, mot_2, mot : string[20] ;
begin
    write ('donnez un premier mot : ') ;
    readln (mot_1) ;
    write ('donnez un second mot  : ') ;
    readln (mot_2) ;
    if mot_1 > mot_2 then
        begin
        mot := mot_1 ;
        mot_1 := mot_2 ;
        mot_2 := mot ;
        end ;
    writeln ('voici vos deux mots ranges') ;
    writeln ( mot_1, ' ', mot_2 ) ;
end.
```

```
donnez un premier mot : monsieur
donnez un second mot  : madame
voici vos deux mots ranges
madame  monsieur
```

Exemple de type chaîne

Ce programme lit deux mots[1] et les réaffiche suivant l'ordre alphabétique. Notez tout d'abord les déclarations : *string[20]* signifie chaîne comportant au maximum 20 caractères. Autrement dit, les variables *mot_1, mot_2* et *mot* pourront contenir n'importe quelle chaîne comportant entre 0 et 20 caractères.

La procédure *readln* nous permet de lire au clavier une valeur de type chaîne, d'abord pour *mot_1*, ensuite pour *mot_2*. L'instruction *if* permet d'échanger le contenu des deux variables *mot_1* et *mot_2*, lorsque ceux-ci ne sont pas dans le bon ordre. Notez l'expression booléenne *mot_1 > mot_2* qui permet de comparer des chaînes. Pour procéder à l'échange de valeurs, il nous faut utiliser une variable supplémentaire (*mot*) et réaliser une succession de trois affectations. La procédure *writeln* permet finalement d'afficher le nouveau contenu de nos deux variables *mot_1* et *mot_2*.

2 - LA DECLARATION DES VARIABLES DE TYPE CHAINE

Elle se fait à l'aide du mot réservé **string** suivi d'une constante entière dont la valeur doit être comprise entre 1 et 255[2]. Celle-ci représente la longueur maximum des chaînes qu'il sera possible d'y placer au fil de l'exécution du programme. Voici quelques exemples de déclarations correctes :

```
const lg_max = 30 ;
var mot : string [15] ;
    nom : string [lg_max] ;
```

En fait, comme nous l'avons déjà vu à propos des types définis par l'utilisateur, il est également possible de définir un ou plusieurs types par une instruction *type* et de s'y référer ensuite dans une instruction *var*. Ainsi, ces déclarations sont équivalentes aux précédentes :

```
const lg_max = 30 ;
type chaine_longue = string [lg_max] ;
     chaine_courte = string [15] ;
```

---

[1]. Le terme "mot" est ici un peu abusif car, en fait, il s'agit de n'importe quelle suite de caractères (y compris des espaces, des signes de ponctuation...

[2]. Cette limite de 255 s'explique par le fait que Turbo Pascal n'utilise qu'un seul octet pour y placer la longueur d'une chaîne.

```
var  mot : chaine_courte ;
     nom : chaine_longue ;
```

Notez que la mise en garde faite au chapitre 9 à propos de l'utilisation des "types anonymes" ne s'applique pas au type chaîne[3].

Quel traitement peut-on effectuer sur des chaînes ? Tout d'abord, il est possible de les manipuler d'une manière que l'on pourrait qualifier de "globale", c'est-à-dire en prenant en compte l'ensemble des caractères d'une chaîne ; c'est ce que nous avons fait dans l'exemple du paragraphe 1. Ensuite, il est possible d'effectuer des opérations plus élaborées : concaténation, extraction de sous-chaînes, conversions ; ce sera le rôle d'un certain nombre de procédures et de fonctions prédéfinies. Enfin, il sera possible de manipuler **individuellement** chacun des caractères constituant une chaîne.

3 - MANIPULATIONS GLOBALES DE CHAINES

3.1 Affectations

L'exemple du paragraphe 1 vous a montré des affectations entre variables de type chaîne. Celles-ci sont possibles, même lorsque les chaînes correspondantes n'ont pas été déclarées avec la même longueur maximum. Tout se passe en fait comme si **les types chaîne correspondant à différentes longueurs** étaient "**compatibles entre eux**" (c'est d'ailleurs ce qui signifie que nous parlions du type chaîne et non des types chaîne). Notez que les quantités telles que 'bonjour", que jusqu'ici nous avions appelé simplement chaînes, ne sont rien d'autre que des **constantes du type chaîne**.

Avec ces déclarations :

```
var mot : string [10] ;
    nom : string [15] ;
```

Ces affectations sont correctes :

```
nom := 'laurence' ;
mot := nom ;
mot := 'hello' ;
nom := mot ;
```

Lorsque la variable réceptrice a une longueur maximum inférieure à la longueur de la chaîne qu'on cherche à lui affecter, celle-ci est simplement "tronquée" par la droite. Ainsi, ces deux instructions :

```
nom := 'alexandrine' ;
mot := nom ;
```

---

[3]. Ce type, un peu particulier, est à la fois un type prédéfini (identificateur string) et un type défini par l'utilisateur (longueur maximum).

seront acceptées ; nous obtiendrons simplement dans *mot* la chaîne *alexandrin*.

3.2 Comparaisons

Les comparaisons de chaînes sont simplement basées, comme les comparaisons de caractères, sur l'ordre des codes ASCII de chacun des caractères qui les constituent. L'égalité de deux chaînes a lieu lorsqu'elles ont même longueur courante (mais pas nécessairement même longueur maximum) et qu'elles sont constituées des mêmes suites de caractères. Voici quelques expressions booléennes vraies :

```
'beau' < 'belle'
'paris1' < 'paris2'
'bon' < 'bonne'
'paris12' < 'paris2'
'12 < '2'
```

Notez que, bien qu'il soit ordonné, le type chaîne **n'est pas ordinal**. Il n'est pas question de lui appliquer des fonctions telles que *ord, pred* ou *succ*.

3.3 Lecture

Des valeurs de type chaîne peuvent être lues en donnée. Quelques contraintes apparaissent :

- En ce qui concerne la manière dont la chaîne lue est "délimitée", Turbo Pascal cherche à lire un nombre de caractères correspondant à la longueur maximum, mais il s'interrompt à la rencontre d'une validation par la touche "retour".

- La lecture doit toujours se faire par *readln* et non par *read*. Notez que la lecture d'une chaîne par *read* n'entraîne aucun diagnostic de compilation ; mais elle exclut totalement la possibilité de lire convenablement plusieurs chaînes de suite[4].

3.4 Ecriture

L'affichage des chaînes ne pose pas de problème particulier. Nous avons d'ailleurs eu l'occasion d'afficher des "constantes chaînes". Il est naturellement possible d'imposer un gabarit qui sera respecté s'il est au moins égal à la longueur courante de la chaîne (n'oubliez qu'elle sera "justifiée" à droite).

---

[4]. Plus précisément, tout se passe comme si le pointeur du tampon restait désespérément "bloqué" sur la fin de tampon ; à ce niveau, la lecture d'une chaîne fournit alors une chaîne de longueur nulle et ne modifie pas la position du pointeur. Le readln évite ce problème puisqu'il force le passage à la "ligne" suivante. Nous reviendrons sur le détail de ce mécanisme dans le chapitre 15.

3.5 Lien entre type string et type char

Il ne faut pas perdre de vue que chaînes et caractères sont **deux types différents**. C'est ainsi que le **type caractère est compatible avec le type chaîne** ; par exemple, si c est de type *char* et *mot* de type chaîne, ces affectations sont correctes :

```
mot := c ;
mot := 'a'
```

En revanche, la réciproque est fausse : **le type chaîne n'est pas compatible avec le type caractère**. Par exemple, cette affectation est incorrecte (elle conduira à une erreur de compilation), même si *mot* est du type *string[1]* :

```
c := mot    { incorrecte quelle que soit la longueur de la chaine }
```

Bien entendu, ces restrictions n'excluent nullement la possibilité d'accéder individuellement à chacun des caractères constituant une chaîne comme nous le verrons dans le paragraphe 5.

4 - LES OPERATEURS, FONCTIONS ET PROCEDURES PORTANT SUR LES CHAINES

Nous allons maintenant examiner l'unique opérateur (concaténation) et les fonctions prédéfinies portant sur le type chaîne, comme nous l'avons fait au chapitre 4 pour les types scalaires prédéfinis. Nous étudierons également les différentes procédures[5] proposées par Turbo Pascal pour manipuler les chaînes.

4.1 La concaténation

Cette opération consiste à "juxtaposer" deux ou plusieurs chaînes pour n'en former qu'une seule. Elle peut s'obtenir indifféremment avec l'opérateur + ou avec la fonction **concat**. Ainsi, si *mot_1* et *mot_2* contiennent respectivement les chaînes 'bonjour' et 'monsieur' et si la variable *texte* est de type chaîne, les deux instructions suivantes :

```
texte := mot_1 + ' ' + mot_2
texte := concat (mot_1, ' ', mot_2)
```

sont équivalentes : elles placent dans *texte* la chaîne 'bonjour monsieur'.

---

5. Les notions de précédure et de fonction seront étudiées en détail dans le chapitre 12. Ici, nous nous contentons d'utiliser des fonctions prédéfinies (comme nous l'avons fait pour sqr, sqrt...) ou des procédures prédéfinies (comme nous l'avons fait pour read ou write).

Notez que, indépendamment de l'usage qui en sera fait ultérieurement, **le résultat d'une concaténation ne peut dépasser 255 caractères** ; dans le cas contraire, vous obtiendrez une erreur à l'exécution.

En conjuguant la concaténation et la fonction *chr*, vous pouvez fabriquer des chaînes contenant des caractères qu'on ne peut pas entrer au clavier, par exemple :

```
texte_curieux = mot_1 + chr(13) + chr(10) + mot_2 + chr(7)
```

produira une chaîne qui, écrite par *write*, affichera à l'écran les deux lignes :

```
bonjour
monsieur
```

accompagnées d'un bip sonore ; en effet, le caractère de code 13 effectue un retour en début de ligne (retour chariot), celui de code 10 un changement de ligne et celui de code 7 émet un bip.

4.2 La fonction length

Elle permet d'obtenir la longueur d'une chaîne, c'est-à-dire le nombre de caractères qu'elle contient (y compris les blancs et les caractères non affichables). Par exemple, si nous considérons les variables définies dans le précédent paragraphe :

length (mot_1) vaut 7
length (mot_2) vaut 8
length (texte) vaut 16
length (texte_curieux) vaut 18

4.3 La fonction d'extraction de sous chaîne : copy

La fonction *copy* permet d'extraire une partie (sous-chaîne) d'une chaîne, d'une longueur donnée, à partir d'une position donnée. Par exemple, si *mot_1* contient 'bonjour', l'expression :

```
copy (mot_1, 2, 4)
```

correspond à la sous-chaîne commençant en position 2 de *mot_1* et de longueur 4, c'est-à-dire à la chaîne : *njou*.

Voici un petit programme illustrant le rôle de la fonction *copy* :

```
program Exemple_utilisation_copy ;
var mot : string [15] ;
    i   : integer ;

begin
    write ('donnez un mot : ') ;
    readln (mot) ;
    for i := 1 to length (mot) do
        writeln ( copy ( mot, 1, i ) ) ;
end.
```

```
donnez un mot : pascal
p
pa
pas
pasc
pasca
pascal
```

La fonction d'extraction de sous-chaîne : copy

Remarque :

Si l'on cherche à extraire plus de caractères qu'il n'est possible, on n'obtiendra que la partie existant effectivement ; de même, si la position indiquée est située hors de la chaîne, on obtiendra une chaîne vide (de longueur 0), sauf si cette valeur dépasse 255, auquel cas l'on obtiendra une erreur d'exécution.

4.4 La procédure de conversion chaîne - > numérique : val

La procédure *val* permet de convertir, lorsque cela est possible, une chaîne de caractères en une valeur numérique ; cette dernière peut être de type entier ou réel, suivant le type de la variable mentionnée pour le résultat. La chaîne doit respecter les règles d'écriture des données Pascal. De plus, la procédure *val* fournit, outre l'éventuel résultat de conversion, un "indicateur" entier : celui-ci prend la valeur 0 si la conversion s'est déroulée normalement ; dans le cas contraire, on y trouve la position du premier caractère ayant empêché la conversion d'aboutir. Voici un exemple de programme qui vous montre comment lire une valeur numérique entière au clavier, sans être interrompu en cas de réponse incorrecte :

```
program Lecture_entier ;
var ch      : string[20] ;
    n, indic :    : integer ;
begin
    writeln ('donnez un nombre entier') ;
    repeat
        readln (ch) ;
        val (ch, n, indic) ;
        if indic <> 0 then writeln ('** svp entier') ;
    until indic = 0 ;
    write ('merci pour ', n )
end.
```

```
donnez un nombre entier
un
** svp entier
15b
** svp entier
15.3
** svp entier
45231
** svp entier
-15
merci pour -15
```

Pour lire un entier en toute sécurité

4.5 La procédure de conversion numérique - > chaîne : str

La procédure *str* permet l'opération inverse de *val*, à savoir convertir une valeur numérique entière ou réelle en une chaîne de caractères. Il est possible d'agir sur le "format" du résultat ainsi obtenu à l'aide de paramètres de formatage analogues à ceux utilisés dans les instructions *write*. Par exemple, si n (entière) contient 1328 et si *ch* est de type chaîne :

str (n, ch) place dans *ch* la chaîne 1328
str (n:5, ch) place dans *ch* la chaîne $^\wedge$ 1328 ($^\wedge$ désignant un espace)

Si x est une variable réelle contenant 1.23e3 :

str (x, ch) place dans *ch* la chaîne $^\wedge$ $^\wedge$ 1.2300000000e + 03
str (x:10:3, ch) place dans *ch* la chaîne $^\wedge$ $^\wedge$ 1230.000

Voici un programme qui lit un nombre entier et qui en affiche le nombre de chiffres :

```
program Nombre_de_chiffres ;
var ch   : string[20] ;
    n    : integer ;
    nchif : integer ;
begin
    write ('donnez un entier : ') ;                donnez un entier : -543
    readln (n) ;                                    il comporte 3 chiffres
    str (n, ch) ;
    if n >= 0 then nchif := length (ch)
            else nchif := length (ch) - 1 ;
    write ('il comporte ', nchif, ' chiffres' )
end.
```

Détermination du nombre de chiffres d'un entier

Nous avons dû tenir compte de la présence du caractère - dans la conversion en chaîne de nombres négatifs. Notez qu'ici, notre programme n'est pas protégé contre des réponses invalides.

4.6 La fonction de localisation de sous-chaîne : pos

La fonction *pos* permet de "situer" une "sous-chaîne" dans une chaîne donnée ; dans le cas où elle s'y trouve, elle fournit le rang du caractère où commence la sous-chaîne ; dans le cas contraire, elle fournit 0. Par exemple, si *texte* contient la chaîne 'bonjour monsieur' et si *mot* contient la chaîne 'jour' :

pos ('si', texte) vaut 13
pos ('bon', texte) vaut 1
pos (mot, texte) vaut 4
pos ('on'+mot, texte) vaut 2
pos ('on', texte) vaut 2[6]

4.7 La procédure de suppression de sous-chaîne : delete

La procédure *delete* permet de supprimer un ou plusieurs caractères d'une chaîne à partir d'une position donnée. Ainsi, si la chaîne *texte* contient 'bonjour monsieur', *delete (texte, 8, 9)* efface 9 caractères à partir du huitième ; la chaîne *texte* ne contient alors plus que 'bonjour'.

Notez que si l'on cherche à supprimer plus de caractères qu'il n'est possible, il y aura suppression de la partie existant effectivement ; de même, si la position indiquée sort des limites de la chaîne, la procédure n'aura aucune action (à condition, cependant, que la dite valeur ne dépasse pas 255 ; dans ce cas, en effet, on obtiendra une erreur d'exécution).

Voici un exemple utilisant *pos* et *delete* : il s'agit d'un programme qui supprime toutes les lettres e d'un texte fourni au clavier. Notez l'emploi de *do while*, afin de traiter convenablement le cas où le texte ne contient aucune lettre e.

```
program Suppression_de_e ;
const lettre = 'e' ;
var texte : string [80] ;
    place : integer ;
begin
    writeln ('donnez un texte de moins d''une ligne') ;
    readln (texte) ;
    place := pos (lettre, texte) ;
```

[6]. 'on' figure deux fois dans texte. La fonction pos localise la première "occurence" de 'on' dans texte.

127

```
    while place <> 0 do begin
        delete (texte, place, 1) ;
        place := pos (lettre, texte) ;
        end ;
    writeln ('--- texte transforme') ;
    writeln (texte)
end.
```

```
donnez un texte de moins d'une ligne
turbo pascal est un compilateur tres performant.
--- texte transforme
turbo pascal st un compilatur trs prformant.
```

Suppression des e d'un texte

5 - MANIPULATION DES CARACTERES D'UNE CHAINE

Turbo Pascal vous permet d'accéder "individuellement" à chacun des caractères constituant une chaîne et de les traiter effectivement comme des caractères[7]. En fait, cet accès au caractère d'une chaîne fonctionne "dans les deux sens" ; plus précisément, on peut tout aussi bien retrouver un caractère de position donnée que le modifier. Ce second point, comme nous le verrons, comportera d'ailleurs quelques risques.

Voici tout d'abord un premier exemple dans lequel nous nous contentons d'accéder à un caractère d'une chaîne :

```
program Acces_caracteres_d_une_chaine ;
var ch : string[20] ;
    c  : char ;                         donnez un mot : turbo
    i  : integer ;                      caractere 1 = t
begin                                   caractere 2 = u
    write ('donnez un mot : ') ;        caractere 3 = r
    readln (ch) ;                       caractere 4 = b
    for i:= 1 to length(ch) do begin    caractere 5 = o
        c := ch[i] ;
        writeln ('caractere ', i, ' = ',c )
    end
end.
```

Accès aux différents caractères d'une chaîne

---

[7]. Avec ce que nous avons vu jusqu'ici, il est certes possible d'extraire un **caractère d'une chaîne** (sous forme d'une **sous-chaîne de longueur 1**) mais le résultat n'en reste pas moins de type chaîne et il ne peut pas être affecté à une variable de type **caractère**.

Vous constatez que *ch[i]* désigne en fait le ieme caractère de la chaîne *ch*. Voyez maintenant ce second exemple dans lequel nous **modifions** un caractère d'une chaîne :

```
program Modif_carac_de_chaine ;
var ch : string[20] ;
begin
    ch := 'rosee' ;
    writeln ('avant : ', ch, ' long ', length(ch) ) ;      avant : rosee long 5
    ch[2] := 'i' ;                                          apres : risee long 5
    writeln ('apres : ', ch, ' long ', length(ch) ) ;      enfin : risee long 5
    ch[8] := 'x' ;
    writeln ('enfin : ', ch, ' long ', length(ch) )
end.
```

Pour modifier (sans filet !) un caractère d'une chaîne

L'affectation *ch[2]* := '*i*' permet d'affecter au deuxième caractère de la chaîne *ch* le caractère i. En revanche, bien qu'en principe, l'affectation *ch[8]* := '*x*' vienne placer un caractère x en huitième position de *ch*, aucune trace n'en apparaît à l'exécution. En effet, ce type d'affectation au sein même d'une chaîne **n'en actualise pas la longueur**. Ceci nous amène à préciser, dans le paragraphe suivant, comment, en définitive, sont constituées les chaînes en Turbo Pascal.

6 - STRUCTURE D'UNE CHAINE EN TURBO PASCAL

Une déclaration telle :

```
var ch : string [10]
```

réserve en fait pour la variable *ch* un emplacement de 11 octets : 10 pour chacun des caractères de la chaîne (codés en binaire suivant le code ASCII) et un (le premier) pour y placer la longueur de la chaîne (codée en binaire, comme dans le type *byte*). C'est ce premier octet qui est "actualisé" automatiquement par les fonctions et les procédures susceptibles de modifier la valeur de la chaîne *ch*.

Nous avons vu que *ch[1]* désigne le premier caractère de *ch* (et donc le deuxième octet de l'emplacement attribué à *ch*). Mais, assez curieusement, Turbo Pascal accepte l'écriture *ch[0]* qui désigne en fait le premier octet de l'emplacement attribué à *ch*, c'est-à-dire celui où figure sa longueur. Certes, il ne s'agit plus à proprement parler d'un caractère mais, comme tout octet, il peut toujours être considéré comme tel[8]. De toutes façons, le caractère ainsi représenté n'a pas d'intérêt en soi mais, en revanche, l'expression :

```
ord (ch[0])
```

n'est rien d'autre que la longueur courante de la chaîne *ch*.

Tant que vous ne faites que consulter que *ch[0]*, cela n'a guère de conséquences. En revanche, si vous cherchez à le modifier, sachez qu'alors vous risquez d'aboutir à des situations catastrophiques. Nous vous en donnons un aperçu dans le paragraphe suivant et nous vous suggérons quelques "manipulations significatives" en fin de chapitre.

7 - LES RISQUES D'ERREURS DANS LES MANIPULATIONS DES CARACTERES D'UNE CHAINE

Tout d'abord, si vous utilisez l'option R +, celle-vi vous protégera contre toute tentative d'introduction de "quelque chose", au-delà de la longueur maximum de la chaîne. En revanche, il vous sera toujours possible d'agir au-delà de la longueur courante (qui, alors, ne sera pas actualisée).

Par ailleurs, même avec cette option R +, vous pourrez modifier malencontreusement la valeur de *ch[0]* et même récupérer ultérieurement des informations allant au-delà de la longueur maximum de la chaîne.

Enfin, sans l'option R +, tout est permis ! Par exemple : placer un caractère au-delà de la longueur maximale de la chaîne et ainsi détruire la valeur d'une autre variable.

En définitive, nous vous conseillons de réserver l'accès au caractère à de simples consultations passives et d'utiliser les procédures et fonctions (légales !) pour toute opération visant à modifier le contenu d'une chaîne.

EXERCICES

1) Ecrire un programme qui lit un mot d'au maximum 20 caractères et qui le réécrit à l'envers. On cherchera deux solutions différentes :

    a) l'une ne fabriquant pas en mémoire la chaîne renversée,

    b) l'autre fabriquant en mémoire la chaîne renversée, avant de l'afficher.

2) A partir d'un mot fourni en donnée, afficher successivement les chaînes obtenues par juxtaposition :

---

[8]. N'oubliez pas qu'en Turbo Pascal, les 256 codes 0 à 255 sont "accessibles".

- du premier et du dernier caractère,
- des deux premiers et des deux derniers caractères,
- etc

jusqu'à ce qu'on obtienne le mot doublé. Par exemple, avec le mot TURBO, on affichera :

TO
TUBO
TURRBO
TURBURBO
TURBOTURBO

3) Réaliser un programme qui lit un nombre entier et qui l'affiche sur 7 caractères, en remplaçant tous les espaces par des "*". Par exemple :

245 produira ****245
-1347 produira **-1347

4) Réaliser un programme qui lit en entrée un texte formé d'un nombre quelconque de lignes et qui fournit en résultat le nombre de lettres e du texte. Chaque ligne sera de longueur quelconque comprise entre 1 et 80. On signalera la fin du texte par une ligne "vide".

MANIPULATIONS

1) Vérifiez que, même avec l'option R +, il est possible d'introduire des caractères au-delà de la longueur courante d'une chaîne (mais sans dépasser sa longueur maximum) ; pour cela, vous pouvez, par exemple, incorporer l'option R + dans le second programme du paragraphe 5.

2) Expérimentez le programme suivant avec et sans l'option R + ; expliquez les comportements constatés.

```
var ch1 : string[10] ;
    ch2 : string[10] ;
    i   : integer ;

begin
    ch1 := 'bonjour' ;
    ch2 := ' monsieur' ;
    writeln (ch1+ch2) ;
    i := 14 ;
    ch1[i] := 'a' ;
    writeln (ch1+ch2)
end.
```

3) Vérifiez qu'avec ou sans l'option R +, il est possible, en agissant sur l'octet numéro 0, d'augmenter la longueur courante d'une chaîne et de récupérer ainsi des informations relativement arbitraires. Distinguez deux cas :

- on ne dépasse pas la longueur maximum de la chaîne,

- on dépasse la longueur maximum de la chaîne.

XI. LES TYPES TABLEAU

Les types que nous avons étudiés jusqu'ici étaient des types scalaires[1] (ou simples) : chaque identificateur de variable correspondait à une seule valeur (à un instant donné). Comme nous l'avons déjà évoqué, ces types scalaires s'opposent aux types structurés pour lesquels un même identificateur de variable désigne en fait plusieurs valeurs ; le type tableau (*array*), que nous allons étudier ici, correspond au cas où ces différentes valeurs sont d'un même type. Le type enregistrement que nous étudierons ultérieurement correspond au cas où elles sont de type différent.

1 - PREMIER EXEMPLE : TABLEAU INDICE PAR DES ENTIERS

Supposez que nous souhaitions déterminer, à partir de 20 notes fournies en donnée, combien d'élèves ont une note supérieure à la *moyenne de la classe*. Pour parvenir à un tel résultat, nous devons :

- déterminer la moyenne des 20 notes, ce qui demande de les lire toutes,

- déterminer combien, parmi ces 20 notes, sont supérieures à la moyenne précédemment obtenue.

Vous constatez que si nous ne voulons pas être obligé de demander deux fois les notes à l'utilisateur, il nous faut les conserver en mémoire. Pour ce faire, il paraît peu raisonnable de prévoir 20 variables différentes (méthode qui, de toute manière, serait difficilement transposable à un nombre important de notes). Le type tableau va nous offrir une solution convenable à ce problème, à savoir :

---

[1]. En toute rigueur, le type string apparaît comme un type simple lorsqu'on se cantonne à des manipulations globales et comme un type structuré lorsque l'on accède à chacun des caractères d'une chaîne.

- par des déclarations appropriées, nous choisirons un identificateur unique (par exemple *notes*) pour repérer notre ensemble (dit alors tableau) de 20 notes ;

- nous pourrons accéder individuellement à chacune des valeurs de ce tableau, en la repérant par un "indice" (ou index) précisant sa position dans le tableau.

Voici le programme complet résolvant le problème posé :

```
program Exemple_tableau_1 ;

const nb_eleves = 7 ;
type tab_notes = array [1..nb_eleves] of real ;
var notes              : tab_notes ;
    i, nombre          : integer ;
    somme, moyenne     : real ;

begin
    writeln ('donnez vos ', nb_eleves, ' notes') ;
    for i := 1 to nb_eleves do readln ( notes[i] ) ;
    somme := 0.0 ;
    for i := 1 to nb_eleves do somme := somme + notes[i] ;
    moyenne := somme / nb_eleves ;
    nombre := 0 ;
    for i := 1  to nb_eleves do
        if notes[i] > moyenne then nombre := nombre + 1 ;
    writeln (' moyenne de ces ', nb_eleves, ' notes', moyenne:8:2 ) ;
    writeln (nombre, ' eleves ont plus de cette moyenne' )
end.
```

```
donnez vos 7 notes
11
12.5
13
5
9
13.5
10
 moyenne de ces 7 notes    10.57
4 eleves ont plus de cette moyenne
```

Exemple d'utilisation d'un tableau indicé par des entiers

La déclaration :

```
type tab_notes = array [1..nb_eleves] of real ;
```

134

définit un nouveau type nommé *tab_notes* et précise que les "variables" de ce type seront en fait des tableaux de valeurs réelles, repérées par les nombres entiers de 1 à 10. C'est le cas de la variable *notes* qui est ensuite déclarée de ce type.

Remarques :

1) Nous avons choisi comme indices, des nombres allant de 1 à 10 parce que cela paraissait naturel ici. Néanmoins, la manière dont nous l'avons déclaré (1..10), vous laisse deviner que nous aurions pu employer d'autres valeurs ; par exemple, avec *array[5..14]*, nous aurions obtenu un tableau comportant toujours 10 éléments[2] mais repérés, cette fois, par des nombres entiers allant de 5 à 14.

2) Comme nous l'avons déjà mentionné dans d'autres circonstances, l'instruction *type* n'est pas obligatoire, à strictement parler. Ainsi, la variable *notes* pourrait être déclarée simplement comme ceci :

```
var notes : array [1..10] of real ;
```

Néanmoins, comme nous aurons l'occasion de le voir, cette seconde formulation ne serait pas totalement équivalente à la précédente et pourrait, dans certains cas, poser des problèmes de "compatibilité d'affectation".

2 - SECOND EXEMPLE : TABLEAU INDICE PAR DES CARACTERES

L'exemple précédent illustrait la notion de tableau telle qu'on la rencontre dans tous les langages : chaque élément (composante) y est repéré par un nombre entier. Or, en Pascal, les indices peuvent être, non seulement de type entier, mais plus généralement de n'importe quel type ordinal. Voici un exemple de programme qui lit un texte de plusieurs lignes et qui compte le nombre de fois où y apparaissent chacune des lettres (supposées) minuscules) de l'alphabet.

```
program Exemple_tableau_2 ;
type compte_car = array ['a'..'z'] of integer ;
var compteur : compte_car ;
    c        : char ;
    ligne    : string [80] ;
    i        : integer ;

begin
    for c := 'a' to 'z' do compteur [c] := 0 ;
    writeln ('donnez votre texte en tapant une ligne vide pour finir') ;
```

---

[2]. On parle aussi parfois de "composantes" au lieu d'éléments.

```
repeat
    readln (ligne) ;
    if length (ligne) > 0 then
        begin
        for i := 1 to length(ligne) do
            begin
            c := ligne [i] ;
            if (c >= 'a') and (c <= 'z') then
                compteur [c] := compteur [c] + 1 ;
            end ;
        end ;
until length (ligne) = 0 ;
writeln ; writeln ('votre texte comporte :') ;
for c := 'a' to 'z' do
    writeln ( compteur[c], ' fois la lettre ', c ) ;
end.
```

```
donnez votre texte en tapant une ligne vide pour finir
je me figure ce zouave qui joue du xylophone en buvant du whisky

votre texte comporte :
2 fois la lettre a
1 fois la lettre b
1 fois la lettre c

         .
         .
1 fois la lettre x
2 fois la lettre y
1 fois la lettre z
```

Exemple d'utilisation d'un tableau indicé par des caractères

Cette fois, la déclaration :

```
type compte_car = array ['a'..'z'] of integer ;
```

signifie que les variables du type *compte_car* seront en fait des tableaux de valeurs entières, repérées par les caractères allant de 'a' à 'z'. Ce sera le cas de la variable *compteur*.

Remarques :

1) Notre tableau *compteur* comporte 26 éléments (composantes), le premier étant repéré par 'a', le second par 'b'... le 25ème par 'y' et le 26eme par 'z'.

2) Nous nous sommes limités aux caractères 'a' à 'z'. pour tenir compte de ce que notre texte risquait d'en contenir d'autres, nous avons pris soin de n'exécuter l'instruction d'incrémentation :

```
compteur [c] := compteur [c] + 1
```

que lorsque le caractère contenu dans c appartenait effectivement à l'intervalle correspondant. Nous reparlerons dans le paragraphe 8 des risques encourus dans le cas où ces précautions n'auraient pas été prises.

3 - SYNTAXE DE LA DECLARATION D'UN TYPE TABLEAU

La syntaxe de la déclaration d'un type tableau est la suivante :

```
identificateur_de_type = array [type_indices] of type_éléments
```

Le type tableau

Avec :

type_indices : type ordinal quelconque,
type_éléments : type quelconque (excepté un type fichier[3])

Voici quelques exemples de déclarations de variables de type tableau :

```
type jour = (lundi, mardi, mercredi, jeudi, vendredi, samedi, dimanche) ;
     gain_journalier = array [jour] of real ;
var recettes : gain_journalier ;
```

La variable *recettes* est un tableau de 7 éléments réels, repérés par l'un des identificateurs *lundi, mardi, mercredi, jeudi, vendredi, samedi* ou *dimanche*. Il pourrait servir, par exemple, à représenter les recettes de chacun des jours d'une semaine.

```
type couleur_base = (rouge, vert, bleu) ;
     couleur = array [couleur_base] of integer ;
var point : couleur ;
```

La variable *point* est un tableau de 3 éléments entiers repérés par l'un des identificateurs *rouge, vert* ou *bleu*. Elle pourrait, par exemple, contenir une couleur définie comme un mélange des trois couleurs de base (rouge, vert et bleu) suivant les "proportions" indiquées dans chacun des éléments de *point*.

---

[3]. Les types "objets" seront autorisés.

```
type couleur_base = (rouge, vert, bleu) ;
    ligne = array [1..100] of couleur_base ;
var trait : ligne ;
```

Cette fois, la variable *trait* est un tableau de 100 éléments du type *couleur_base*, repérés par un entier. Elle pourrait, par exemple, représenter une succession de 100 points colorés, ayant chacun l'une des trois couleurs *rouge, vert* ou *bleu*.

```
type couleur_base = (rouge, vert, bleu) ;
    ligne = array [1..100] of couleur_base ;
    écran = array [1..80] of ligne ;
var image : écran ;
```

Cette fois, la variable *image* est un tableau de 80 éléments du type *ligne*, repérés par un entier. Chacune de ses composantes est à son tour un tableau de 100 composantes du type *couleur_base* repérées par un entier.

Notez que si le type *ligne* n'intervient pas ailleurs que dans la déclaration du type *écran*, il est possible d'écrire également :

```
type écran = array [1..80] of array [1..100] of couleur_base ;
```

Au paragraphe 5, nous reviendrons plus en détail sur ces tableaux dans lesquels chaque élément est à son tour un tableau.

4 - LA MANIPULATION DES TABLEAUX

Les éléments d'un tableau se manipulent individuellement comme n'importe quelle variable du type correspondant. Ainsi, dans notre premier exemple (tableau *notes* de réels), chaque élément du tableau *notes* pouvait apparaître dans des expressions réelles, dans des affectations et même dans les procédures de lecture ou d'écriture (puisque celles-ci sont utilisables pour les réels). En revanche, les éléments des tableaux définis dans les troisième et quatrième exemples du paragraphe précédent, ne pourraient pas faire l'objet de telles procédures puisque leur type (énuméré) l'interdit.

De plus, Pascal autorise des "manipulations globales" au niveau des **affectations**. Plus précisément, si a et b sont deux variables **d'un même type**, nous pourrons écrire :

```
a := b
```

Que signifie exactement même type ? En fait, Pascal est assez restrictif sur ce point puisqu'il demande qu'il s'agisse du **même identificateur de type**, et non simplement de la même description. Ainsi, dans cet exemple :

138

```
var notes_1 = array [1..10] of real ;
    notes_2 = array [1..10] of real ;
```

les variables *notes_1* et *notes_2* ne seront pas compatibles entre elles, car elles ne sont pas déclarées avec le même identificateur de type. Vous ne pourrez donc pas écrire, par exemple, *note_2 := notes_1*.

En revanche, ce serait possible avec ces déclarations :

```
type tab_notes = array [1..10] of real ;
var notes_1, notes_2 : tab_notes ;
```

Ceci plaide largement en faveur de la définition séparée des types.

Notez bien que cette manipulation globale se limite exclusivement à l'affectation. Il n'existe pas d'opérateurs globaux, ni d'entrées-sorties globales ; une exception aura lieu, en ce qui concerne les entrées-sorties pour les tableaux de caractères que nous examinerons spécialement au paragraphe 6.

5 - CAS DES TABLEAUX A PLUSIEURS INDICES

Comme nous l'avons déjà dit, il n'y a aucune restriction sur le type des éléments d'un tableau. Ceux-ci peuvent, à leur tour, être d'un type structuré, notamment de type tableau. Nous allons ici examiner un exemple de "tableau à deux indices" et montrer, à ce propos, les différentes possibilités de notation qu'offre Pascal dans ce cas.

5.1 Exemple de déclaration d'un tableau à deux indices

Considérons ces déclarations :

```
type rangee = array [1..10] of integer ;
     table = array ['a'..'z'] of rangee ;
var comptage, cumul : table ;
```

Le type *rangee* correspond à un tableau de dix valeurs entières repérées par des entiers allant de 1 à 10. Le type *table*, quant à lui, correspond à 26 éléments de type *rangee*, repérés chacun par une lettre de 'a' à 'z'. La variable *comptage* est donc un tableau de 26 "blocs", (repérés par une lettre de 'a' à 'z') comportant chacun 10 éléments entiers (repérés par un entier de 1 à 10) ; en définitive, *comptage* comporte en tout 260 éléments de type entier et pourrait être schématisée ainsi :

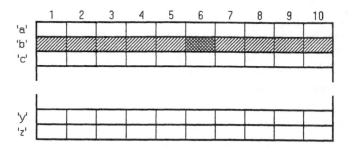

5.2 Désignation des éléments d'un tableau à deux indices

Nous savons qu'une notation telle que *comptage ['b']* désigne un tableau de 10 éléments (nous l'avons hachuré sur notre dessin). Un élément particulier de ce tableau doit donc être désigné par ce nom de tableau (*comptage ['b']*) suivi de la valeur d'un indice entier. Par exemple :

```
comptage ['b'] [6]
```

désigne l'élément doublement hachuré sur notre dessin.

Voici, à titre d'exemple, les instructions permettant de "mettre à zéro" tous les éléments du tableau *comptage* (i étant supposée de type *integer* et c de type *char*) :

```
for c := 'a' to 'z' do
   for i := 1 to 10 do
      comptage [c] [i] = 0
```

Notez que nous pourrions tout aussi bien "imbriquer" les boucles comme suit :

```
for i := 1 to 10 do
   for c := 'a' to 'z' do
      comptage [c] [i] = 0
```

En fait, Pascal autorise une notation simplifiée pour les éléments des tableaux à plusieurs dimensions. Ainsi, notre élément *comptage [c] [i]* peut être désigné plus brièvement par :

```
comptage [c, i]
```

Bien entendu, dans un cas comme dans l'autre, il est nécessaire de **respecter l'ordre des indices**. Ici, par exemple, *comptage [i,c]* n'aurait pas de sens et conduirait à une erreur de compilation (les indices concernés étant de types différents). Dans le cas où les indices d'un tableau sont de même type (ce qui est le cas le plus fréquent), une inversion risque, en revanche, d'être plus difficile à déceler.

La mise à zéro de notre tableau pourrait également être réalisée en utilisant une variable intermédiaire du type *rangee*, nommée par exemple, *tampon* :

```
for i := 1 to 10 do
   tampon [i] = 0 ;
for c := 'a' to 'z' do
   comptage [c] = tampon
```

5.3 Une autre façon de déclarer un tableau à deux indices

Pascal nous autorise également à déclarer notre type *table* (défini au début du paragraphe 5.1) de cette manière :

```
type table = array [ 'a'..'z', 1..10 ] of integer
```

Notez bien que cette déclaration définit exactement le même type *table* que précédemment. Notamment, il vous sera toujours possible de manipuler globalement des tableaux tels que *comptage ['d']*. Par exemple, si *c1* et *c2* sont deux variables de type *character*, ces affectations seront correctes (on suppose que *cumul* et *comptage* sont de ce nouveau type *table*) :

```
cumul [c1] := comptage [c2]
```

(les deux expressions étant considérées comme du même type puisqu'éléments - au sens large - de tableaux de même type).

En revanche, avec cette nouvelle définition du type *table*, nous n'avons plus fait apparaître le type intermédiaire *rangee*. Nous pourrions, en cas de besoin, introduire de nouvelles définitions :

```
type rangee = array [1..10] of integer ;
var ligne : rangee ;
```

Néanmoins, il ne faut pas perdre de vue qu'alors, il ne serait plus possible de réaliser des affectations telles que :

```
comptage [c1] := rangee     { incorrect }
```

car les deux expressions ne seraient plus considérées comme étant de même type : la première est un élément (au sens large) d'un tableau de type *table* ; la seconde est du type *rangee*.

5.4 En résumé

```
array [ type_indice_1 ] of [ type_indice_2 ] of type_élément

array [ type_indice_1, type_indice_2 ] of type_élément
```

Deux façons de déclarer un tableau à deux indices

```
identificateur [ indice_1] [ indice_2]

identificateur [ indice_1, indice_2]
```

Deux façons de désigner un élément d'un tableau à deux indices

5.5 Cas général : tableau à plus de deux indices

Les notations précédentes se généralisent au cas des tableaux comportant plus de deux indices. Ainsi, ces déclarations définissent le même type *tridim* :

```
type tridim = array [1..10] of array [1..20] of array [1..30] of integer ;
type tridim = array [1..10] of array [1..20, 1..30] of integer ;
type tridim = array [1..10, 1..20, 1..30] of integer ;
```

Si *tab* est un élément de type *tridim* et si i, j et k sont trois variables entières, les notations suivantes désignent le même élément de *tab* (et ceci quelle que soit la manière dont *tridim* a été défini) :

```
tab [i, j, k ]
tab [i, j ] [k]
tab [i] [j, k]
tab [i] [j] [k]
```

6 - CAS DES TABLEAUX DE CARACTERES

Le Pascal standard ne dispose pas du type chaîne (*string*), de sorte que les tableaux de caractères (*array [...] of char*) y jouent un rôle important puisqu'ils représentent le seul moyen de manipuler des chaînes de caractères. Il s'agit toutefois de chaînes de longueur fixe (égale au nombre de caractères qui composent le tableau) et l'on ne dispose plus de la notion de longueur courante d'une chaîne (correspondant à la fonction *length*).

C'est pour cette raison qu'en Pascal standard, les procédures *read* et *write* peuvent travailler avec des tableaux de caractères (alors qu'elles ne le peuvent pas avec des tableaux d'entiers ou de réels). Cette possibilité est conservée en Turbo Pascal, alors que la présence du type chaîne lui enlève beaucoup d'intérêt.

A titre d'information, sachez que la lecture de tableaux de caractères se déroule comme celle des chaînes, à savoir qu'on cherche à lire le nombre total de caractères du tableau, sauf dans le cas où l'on rencontre une validation ("retour"). Une différence cependant existe dans le fait que, dans ce dernier cas, le tableau est complété par des espaces (la notion de longueur courante n'existe pas...).

7 - COMPATIBILITE ENTRE LE TYPE CARACTERE ET LE TYPE CHAINE

Une variable ou une expression[4] de type *character* peut être affectée à une variable de type *string* (de longueur maximale quelconque) : sa longueur courante devient 1. En revanche, on ne peut pas affecter une variable ou une expression de type *string*[5] (même si sa longueur maximale est 1) à une variable de type caractère :

```
var mot : string [20] ;
var c   : character ;
    ...
mot := 'a' ;       { correct }
mot := c ;         { correct }
c := 'bonjour' ;   { incorrect }
c := mot ;         { incorrect }
```

Remarques :

1) Rappelons que l'on peut toujours affecter une expression de type chaîne à une variable de type chaîne, quelles que soient les longueurs en jeu.

2) On peut affecter un tableau de caractères à une chaîne (même si les longueurs ne correspondent pas). L'affectation inverse n'est pas possible (même si les longueurs correspondent).

---

[4]. Donc, en particulier, une constante de type caractère.

[5]. Donc, en particulier, une constante de type chaîne.

8 - POUR DETECTER LES DEBORDEMENTS D'INDICE : L'OPTION R +

Lorsque l'on manipule des éléments d'un tableau, le risque existe d'utiliser un indice dont la valeur n'appartient pas à l'intervalle prévu. Or, a priori, Turbo Pascal ne réalise aucun contrôle sur les valeurs des indices, de sorte qu'une anomalie de ce genre peut avoir des conséquences assez fâcheuses (par exemple la modification des valeurs d'autres variables). Nous avons d'ailleurs déjà rencontré ce risque dans la manipulation individuelle des caractères d'une chaîne.

Ici encore, l'option de compilation **R +** demande à Turbo Pascal d'effectuer de tels contrôles[6]. Il va de soi qu'il est vivement conseillé d'employer cette option, au moins tant que votre programme n'est pas parfaitement au point.

9 - INITIALISATION DE TABLEAUX

Nous avons déjà vu au chapitre V, comment initialiser des variables en utilisant une forme particulière de la déclaration *const*, dite "constantes typées". Cette même possibilité s'applique aux variables structurées, et donc en particulier aux tableaux ; Turbo Pascal parle alors (toujours aussi curieusement) de "constantes structurées".

Par exemple, pour déclarer le tableau *recettes*, défini en premier exemple du paragraphe 3, et initialiser chacun de ses éléments à zéro, nous pouvons écrire :

```
const recettes : gain_journalier = (0.0, 0.0, 0.0, 0.0, 0.0, 0.0, 0.0)
```

De même, le tableau *couleur* du second exemple de ce même paragraphe peut être déclaré et initialisé par une déclaration de la forme :

```
const couleur : array [couleur_base] of integer = (3, 5, 1) ;
```

Notez bien la syntaxe d'écriture des valeurs du tableau, à savoir : une liste de constantes[7] entre parenthèses. Il doit impérativement y avoir autant de valeurs que le tableau contient d'éléments.

D'autre part, pour les tableaux à plusieurs indices, il faut imbriquer les parenthèses, par exemple :

```
const table : array [1..2, 1..3] of integer = ( (1, 3, 6), (10, 15, 18) )
```

place les valeurs initiales suivantes dans chacun des éléments de *table* :

---

[6]. En toute rigueur, elle demande d'introduire, lors de la compilation, les instructions supplémentaires effectuant ce contrôle. Ces instructions sont donc introduites à chaque référence à un élément de tableau ; elles augmentent nécessairement la taille du code objet et en diminuent un peu la vitesse d'exécution.

[7]. Il peut s'agir d'expressions constantes.

1 dans *table [1, 1]*
3 dans *table [1, 2]*
6 dans *table [1, 3]*
10 dans *table [2, 1]*
15 dans *table [2, 2]*
18 dans *table [2, 3]*

Notez que ce type de déclaration perd son intérêt dès que les tableaux concernés sont conséquents.

EXERCICES

1) Donnez le type et le nombre des éléments des tableaux réservés par ces déclarations, ainsi que le type du ou des indices correspondants :

```
a)      type nom = array [-5..20] of char ;
        var prenom : nom ;

b)      type liste = array [char] of integer ;
        var suite : liste ;

c)      var groupe : array [1..15] of string [20] ;

d)      type verites = array [1..20] of boolean ;
        var test : verites ;

e) var bizare : array [boolean] of integer ;
```

2) Ecrire les instructions permettant d'obtenir la somme des valeurs du tableau déclaré par :

```
type compte_car = array ['a'..'z', 'a'..'z'] of integer ;
var compteur : compte_car ;
```

(on se limitera aux instructions demandées, sans écrire un programme complet).

3) Ecrire les instructions permettant de mettre à zéro les éléments du tableau déclaré par :

```
type jour = (lun, mar, mer, jeu, ven, sam, dim) ;
type gain_journalier = array [jour] of real ;
var recettes : gain_journalier ;
```

4) Ecrire les instructions permettant de faire la somme des éléments du tableau déclaré par :

```
type couleur = (violet, bleu, vert, jaune, orange, rouge) ;
type table = array [char] of array [couleur] of integer ;
var intensite : table ;
```

5) Ecrire un programme permettant de déterminer les k premiers nombres premiers (1 exclu), la valeur de k étant fixée dans le programme par une instruction *const*. On conservera les nombres premiers dans un tableau, au fur et à mesure de leur découverte, et on utilisera la remarque suivante pou décider si un nombre entier est premier : n est premier s'il n'est divisible par aucun nombre premier (1 exclu) inférieur ou égal à la racine carrée de n.

6) Réaliser un programme de "tri alphabétique" de mots fournis au clavier. Le nombre de mots sera prévu dans une instruction *const* et chacun d'entre eux ne pourra comporter plus de 20 caractères.

MANIPULATIONS

1) Modifiez le programme du paragraphe 2, afin qu'il ne vérifie plus que le caractère courant est bien compris entre 'a' et 'z' avant de le comptabiliser. Voyez l'effet produit avec, puis sans R+ (entrez en donnée un texte comportant d'autres caractères que des minuscules).

2) Expérimentez ce programme avec et sans l'option R+ :

```
type tab = array [1..10] of integer ;
var r1, t2 : tab ;
begin
   t2 [1] := 0 ;
   t1 [11] := 25 ;
   writeln (t2[1])
end.
```

XII. LES PROCEDURES ET LES FONCTIONS

Comme tous les langages, Pascal permet de découper un programme en plusieurs parties (nommées souvent "modules"). Cette "programmation modulaire" se justifie pour différentes raisons :

- Un programme écrit d'un seul tenant devient difficile à comprendre dès qu'il dépasse une ou deux pages de texte. Une écriture modulaire permet de le scinder en plusieurs parties et de regrouper dans le "programme principal" les instructions en décrivant les enchaînements. Chacune de ces parties peut d'ailleurs, si nécessaire, être décomposée en modules plus élémentaires ; ce processus de décomposition pouvant être répété autant de fois que nécessaire. Il est à noter que les méthodes de "programmation structurée" conduisent tout naturellement à ce découpage.

- La programmation modulaire permet d'éviter des séquences d'instructions répétitives. En particulier, nous verrons comment la notion d'argument permet de "paramétrer" certains modules.

- La programmation modulaire permet le partage d'outils communs qu'il suffit d'avoir écrits et mis au point une seule fois. Cet avantage devient d'ailleurs nettement plus perceptible depuis la version 4.0 de Turbo Pascal, laquelle a introduit des possibilités de "compilation séparée" (nous en parlerons dans le chapitre XVIII).

1 - LA NOTION DE PROCEDURE OU DE FONCTION

En Pascal, il existe deux sortes de modules : les procédures et les fonctions.

Vous avez déjà été amené à utiliser des "fonctions prédéfinies" telles que *sqr, ord, pred...* Vous avez pu constater que cette notion de fonction en Pascal est très proche de la notion mathématique classique. En particulier, une fonction possède généralement un ou plusieurs arguments et elle fournit un résultat. Quant à l'aspect modulaire, on peut dire que le fait de mentionner le nom d'une fonction dans un programme entraîne l'"appel" de tout un ensemble d'instructions (module) en réalisant le calcul.

La procédure, quant à elle, n'est rien d'autre qu'une généralisation de la notion de fonction. Elle peut, elle aussi, posséder des arguments ; en revanche, elle peut, en retour, fournir un ou plusieurs résultats, ou même aucun. Mais ces résultats (lorsqu'ils existent) ne constituent pas nécessairement le seul "travail" de la procédure ; par exemple, cette dernière peut imprimer un message. On peut dire de la procédure qu'elle réalise une "action", terme plus général que calcul[1]. Notez que nous avons déjà été amené à utiliser des procédures "prédéfinies" pour les entrées-sorties (*read, write*) et pour les manipulations de chaînes.

En ce qui concerne la notion d'argument, nous verrons que celle-ci est plus générale qu'en mathématiques ; en particulier, elle interfère avec les notions de "variables globales et locales". C'est pourquoi, nous allons commencer par vous présenter une succession d'exemples introduisant progressivement les notions fondamentales (variables globales, variables locales, arguments muets et effectifs, arguments transmis par valeur, arguments transmis par adresse). Nous parlerons des procédures en premier, les fonctions apparaissant ensuite comme un cas particulier. Pour compléter quelque peu cette présentation par l'exemple, nous reprendrons de manière plus formelle les règles d'écriture et d'utilisation des procédures dans les paragraphes 11 et 12.

2 - PREMIER EXEMPLE DE PROCEDURE

Considérez ce programme :

```
program Exemple_procedure_1 ;
var i : integer ;
procedure pessimist ;                       il ne fait jamais beau
begin                                       il ne fait jamais beau
   writeln ('il ne fait jamais beau')       il ne fait jamais beau
end ;                                       il ne fait jamais beau
                                            il ne fait jamais beau
begin                                       du moins, on le croit
   for i := 1 to 5 do
      pessimist ;
   writeln ('du moins, on le croit')
end.
```

Premier exemple de procédure

---

[1]. Quoiqu'en toute rigueur, une fonction Pascal puisse, comme une procédure, réaliser une action ; ce n'est toutefois pas là sa vocation.

148

Après l'en-tête du programme et les déclarations usuelles (limitées ici à la déclaration de i), nous trouvons ce que l'on appelle une "déclaration de procédure" :

```
procedure pessimist ;
begin
    writeln ('il ne fait jamais beau')
end ;
```

Cette déclaration définit à la fois :

- le nom de la procédure à l'aide d'un en-tête ressemblant à un en-tête de programme,

- son action, à l'aide d'un "bloc" d'instructions ; ici, ce bloc comporte simplement :

```
writeln ('il ne fait jamais beau')
```

Le programme proprement dit (dit parfois "programme principal") vient ensuite, écrit comme à l'accoutumée sous forme d'un bloc terminé par un point. La seule nouveauté réside dans le fait qu'il est possible d'y utiliser la procédure *pessimist* préalablement définie. Pour ce faire, il suffit d'en citer le nom pour former une nouvelle instruction Pascal. Ainsi, l'instruction *pessimist* demande simplement d'exécuter les instructions mentionnées dans la définition de la procédure *pessimist* (ici, il n'y a qu'une instruction...).

Comme cette instruction dite "instruction d'appel de procédure" apparaît ici au sein d'une boucle *for*, elle est répétée 5 fois, d'où l'affichage de 5 fois le message : *"il ne fait jamais beau"*.

3 - LES VARIABLES GLOBALES

Notre précédente procédure *pessimist* réalisait toujours la même chose. Or, comme vous le devinez, en général, l'intérêt d'une procédure résidera dans son aptitude à réaliser une action dépendant de certains "paramètres". Ces paramètres seront définis, non plus lors de l'écriture de la procédure elle-même, mais lors de son appel par le "programme appelant[2]".

En Pascal, il existe deux méthodes radicalement différentes pour paramétrer une procédure : les variables globales d'une part, les arguments d'autre part. Dans l'exemple suivant, la (nouvelle) procédure *optimist* voit son action paramétrée par l'intermédiaire d'une variable globale nommée i.

---

[2]. Pour l'instant, ce programme appelant est le programme principal mais, par la suite, il pourra s'agir d'une autre procédure.

```
program Exemple_procedure_2 ;
var i : integer ;

procedure pessimist ;
begin
    writeln ('il ne fait jamais beau') ;
    writeln ('---- ', i, ' fois') ;
end ;

begin
    for i := 1 to 5 do
        pessimist ;
    writeln ('du moins, on le croit')
end.
```

```
il ne fait jamais beau
---- 1 fois
il ne fait jamais beau
---- 2 fois
il ne fait jamais beau
---- 3 fois
il ne fait jamais beau
---- 4 fois
il ne fait jamais beau
---- 5 fois
du moins, on le croit
```

Paramétrage d'une procédure par variable globale

Le programme principal est ici resté le même, tant au niveau de ses déclarations que de sa partie exécutable. La seule différence réside dans la présence, au sein de la procédure, de l'instruction :

```
writeln ('---- ', i, ' fois')
```

Vous constatez que la variable i a été déclarée dans la partie déclaration du programme principal. Pour l'instant, d'ailleurs, la définition de notre procédure ne comporte aucune déclaration qui lui soit propre (mais nous verrons bientôt que cela serait possible). Dans ces conditions, il vous paraît peut-être normal que l'identificateur i, lorsqu'il est employé dans la procédure *pessimist*, désigne bien la variable entière i connue du programme principal.

Il en va bien ainsi en Pascal. Plus précisément, à partir du moment où un identificateur a été déclaré dans le programme principal, il est connu de toutes les procédures qui sont éventuellement déclarées par la suite[3].

Ici, donc, nous avons pu paramétrer l'action de la procédure *pessimist* par l'intermédiaire de la variable i.

Remarque :

On dit souvent qu'une variable telle que i, connue à la fois du programme principal et de la procédure *pessimist*, est une "variable globale". En fait, ce terme de global est quelque peu ambigu, dès que l'on utilise plusieurs niveaux de procédures car il est "relatif". Nous y reviendrons.

---

[3]. Notez bien que cette règle ne s'appliquera plus pour les identificateurs définis au sein des procédures.

4 - LES VARIABLES LOCALES

En fait, dans notre précédent exemple, la variable i était considérée comme "globale" parce qu'aucune déclaration concernant i n'avait été placée dans la procédure elle-même.

Or, il est tout à fait possible d'effectuer au sein d'une procédure, des déclarations (classiques) de types, de variables, d'étiquettes, de procédures... Dans ces conditions, les nouvelles "entités" (variables, types, étiquettes, procédures) ainsi déclarées ne sont connues qu'à l'intérieur de la procédure dans laquelle elles ont été déclarées. On dit qu'elles sont "locales" à la procédure, ou encore que leur "portée est limitée à la procédure".

Voyez cet exemple :

```
program exemple_procedure_3 ;
var c1, c2 : char ;
procedure tricar ;
  var c : char ;
  begin
    if c1 > c2 then begin
      c  := c1 ;
      c1 := c2 ;                    donnez 2 caracteres : zx
      c2 := c ;                     caracteres tries    : xz
      end ;
  end ;
begin
  write ('donnez 2 caracteres : ') ;
  readln (c1, c2) ;
  tricar ;
  write ('caracteres tries    : ') ;
  writeln (c1,c2)
end.
```

Exemple d'utilisation de variable locale (c)

Le rôle de la procédure *tricar* est simplement de ranger par ordre alphabétique les caractères contenus dans les deux variables globales *c1* et *c2* en procédant, si nécessaire, à un échange de leurs valeurs. Pour ce faire, elle utilise la variable c comme variable intermédiaire. Or, vous constatez que c a été déclarée au sein de la procédure *tricar*. Cette fois, c n'est connue qu'au sein de *tricar* ; on dit que sa "portée est limitée à la procédure *tricar*" ou encore que "c est locale à *tricar*".

Que se passerait-il si l'on cherchait à utiliser c en dehors de *tricar*, par exemple, en ajoutant une simple instruction telle que :

```
write (c)
```

après l'appel de *tricar* dans le programme principal. Le compilateur signalerait simplement que l'identificateur c n'est pas connu à ce niveau.

Si, en revanche, nous déclarions, en plus de la déclaration faite dans *tricar*, une variable c dans le programme principal, celle-ci serait indépendante de la variable c connue dans *tricar*. Voyez cet exemple qui reprend le précédent auquel nous avons ajouté la déclaration :

```
var c : char
```

ainsi que les deux instructions :

```
c := 'A' ;
writeln ('et dans c : ', c)
```

qui permettent d'affecter une valeur à la variable globale c avant l'appel de *tricar* et de l'afficher après cet appel, afin de montrer qu'elle n'a effectivement pas été modifiée :

```
program exemple_procedure_4 ;
var c1, c2 : char ;
    c     : char ;
procedure tricar ;
  var c : char ;
  begin
    if c1 > c2 then begin
        c  := c1 ;             donnez 2 caracteres : zx
        c1 := c2 ;             caracteres tries    : xz
        c2 := c ;               et dans c : A
        end ;
  end ;

begin
  c := 'X' ;
  write ('donnez 2 caracteres : ') ;
  readln (c1, c2) ;
  tricar ;
  write ('caracteres tries   : ') ;
  writeln (c1,c2) ;
  writeln (' et dans c : ', c)
end.
```

Quand un même idenficateur (ici c) désigne à la fois
une variable globale et une variable locale

5 - LES ARGUMENTS TRANSMIS PAR VALEUR

Lorsque nous avons évoqué la possibilité de paramétrage d'une procédure, nous avons précisé qu'il existait deux façons de le faire en Pascal : à l'aide de variables globales ou à l'aide d'arguments. Nous venons de voir ce que sont les variables globales et nous vous proposons maintenant d'examiner la notion d'argument. Voyez ce nouvel exemple :

```
program exemple_procedure_5 ;
type note = (ut, re, mi, fa, sol, la, si) ;
var nl : note ;
    i  : integer ;

procedure imprime_note (n : note) ;
  begin
    case n of
       ut  : write ('do  ') ;
       re  : write ('re  ') ;
       mi  : write ('mi  ') ;
       fa  : write ('fa  ') ;            voici les notes de la gamme
       sol : write ('sol ') ;            do re mi fa sol la si
       la  : write ('la  ') ;            donnez un numero : 3
       si  : write ('si  ')              la 3 eme note est fa
    end ;
  end ;

begin
    writeln ('voici les notes de la gamme') ;
    for nl := ut to si do
       imprime_note (nl) ;
    writeln ;
    write ('donnez un numero : ') ;
    readln (i) ;
    write ('la ', i, ' eme note est ') ;
    imprime_note (note(i)) ;
    writeln
end.
```

Paramétrage d'une procédure par arguments (transmis ici par valeur)

Avant de l'examiner en détail, portons d'abord notre attention sur la définition de la procédure *imprime_note*, et plus particulièrement sur son en-tête :

```
procedure imprime_note (n : note) ;
```

Cette fois, celle-ci comporte, en plus du nom de procédure (*imprime_note*), une indication signifiant que cette procédure possède un **argument** nommé n, de type *note* (notez que ce type est en fait "défini" dans le programme principal). Cela signifie que lorsque cette procédure sera appelée, on lui transmettra une valeur de type *note*. Quant à l'usage qu'elle doit faire de cette valeur, celui-ci lui est spécifié au sein des instructions mêmes, sachant que c'est l'identificateur n qui désigne la dite valeur.

Notez bien que n n'a aucune signification en dehors de la procédure, ni aucun rapport avec une éventuelle variable globale de même nom. On peut dire que n se comporte un peu comme une variable locale à la procédure, avec cette différence importante que *sa valeur proviendra de l'extérieur*. On peut dire aussi que n est un "**argument muet**", autrement dit que ce nom en soi n'a aucune importance et que la même procédure pourrait être définie en remplaçant n par n'importe quel autre identificateur (à chaque endroit où apparaît n, bien sûr, et non seulement dans l'en-tête). Il s'agit là du même principe que lorsque nous définissons une fonction en mathématiques : nous pouvons indifféremment définir f par $f(x) = ax^2 + bx = c$ ou par $f(u) = au^2 + bu + c$; x ou u sont des variables muettes.

Quant au rôle de notre procédure, il se limite à l'affichage "en clair" de la valeur de type *note* qu'on lui transmet.

En ce qui concerne la manière d'utiliser la procédure *imprime_note*, vous constatez que nous faisons suivre son nom d'une expression de type *note* entre parenthèses. Par exemple :

```
imprime_note (n1)
```

appelle la procédure *imprime_note*, en lui transmettant la valeur de n1. De même :

```
imprime_note (fa)
```

appelle la même procédure en lui transmettant la valeur (constante cette fois) *fa*.

Cette fois, nous dirons que *n1* ou *fa* sont les **arguments effectifs** de l'appel de la procédure. Ces arguments ne sont plus muets comme dans la définition de la procédure puisqu'ils ne représentent plus quelque chose d'indéfini mais, qu'au contraire, ils ont une valeur bien précise.

6 - LES DEUX MODES DE TRANSMISSION D'ARGUMENTS : PAR VALEUR OU PAR ADRESSE

Dans notre précédent exemple, nous avons indiqué que la valeur de l'argument était transmise à la procédure, mais nous n'avons pas précisé quel était le mécanisme de cette transmission. En fait, il existe en Pascal deux techniques différentes d'échange d'informations par arguments, à savoir **la transmission par valeur** et **la transmission par adresse**.

La transmission par valeur consiste à **recopier** la valeur à transférer au sein de la procédure elle-même. Cette dernière travaille alors avec cette **copie**, sans toucher en quelque sorte à la valeur d'origine.

Lorsque l'on ne spécifie rien de particulier, la transmission d'arguments se fait par valeur. Ainsi, dans notre précédent exemple, où l'en-tête de procédure était :

```
procedure imprime_note (n : note)
```

nous pouvons considérer que n représentait un emplacement de la procédure dans lequel se trouvait recopiée, à chaque appel, la valeur de l'argument effectif correspondant. Au fil du déroulement du programme, nous trouvions donc successivement à cet endroit : 7 fois la valeur de n1 (*ut* puis *ré*, puis *mi...*) et 1 fois la valeur *fa*.

Il faut bien noter que cette transmission par valeur est "à sens unique" : s'il y a bien transfert d'informations lors de l'appel de la procédure, il n'y a, en revanche, *aucun échange lors du retour de la procédure*. Pour illustrer cette restriction, supposez que nous ayons modifié ainsi la procédure *tricar* du premier exemple du paragraphe 3 :

```
procedure tricar (ca, cb : char) ;
    var c : char ;
    begin
      if ca < cb then begin
            c  := ca ;
            ca := cb ;
            cb := c
            end
  end ;
```

Dans ce cas, lors de l'appel de *tricar* par :

```
tricar (c1, c2)
```

il y aura transfert des variables c1 et c2 dans les emplacements de la procédure. La "mise en ordre" se fera alors sur les valeurs de ces emplacements "locaux". Ainsi, si avant de sortir de *tricar*, nous écrivions les valeurs de *ca* et *cb*, celles-ci seraient convenablement ordonnées. En revanche, lors du retour dans le programme principal, aucun échange symétrique du précédent n'aura lieu, de sorte que *c1* et *c2* contiendront toujours leurs "anciennes" valeurs.

En résumé, donc, la transmission par valeur permet de fournir de l'information à la procédure, mais en aucun cas de recueillir un quelconque résultat.

En Pascal, la transmission par adresse va nous permettre de résoudre ce problème. Dans ce cas, en effet, lors de l'appel de la procédure, il y aura, non plus recopie d'une valeur, mais transmission de son "adresse", donc de son emplacement dans le programme appelant. Dans ces conditions, la procédure travaillera, non plus sur une copie, mais sur la valeur d'origine elle-même. Elle peut donc éventuellement la modifier.

Voyons maintenant comment indiquer à Pascal que la transmission de certains arguments doit se faire par adresse plutôt que par valeur.

7 - LES ARGUMENTS TRANSMIS PAR ADRESSE

Supposons que nous souhaitions réaliser une procédure calculant la somme des valeurs d'un tableau. Les arguments en seraient donc :

- le tableau,

- la somme de ses valeurs.

En ce qui concerne le tableau, nous pouvons nous contenter d'une transmission par valeur puisque la procédure n'a pas à le modifier. Pour ce qui est de la somme, en revanche, il nous faut utiliser une transmission par adresse. Supposons que, dans le programme principal, nous ayons les déclarations suivantes :

```
const nb_valeurs = 10 ;
type  ligne = array [1..nb_valeurs] of integer ;
var   a, b : ligne ;
```

Voici comment nous pourrions écrire notre en-tête de procédure :

```
procedure somme (t : ligne, var som : integer ) ;
```

Vous voyez que, pour préciser que l'argment *som* est transmis par adresse, il nous suffit d'en faire précéder la déclaration du mot **var**.

Voici maintenant la liste complète de notre procédure, et deux exemples de son utilisation pour calculer la somme des dix premiers entiers, ainsi que celle de leurs carrés[4] :

```
program Exemple_procedure_6 ;
const n_max = 10 ;
type ligne = array [1..n_max] of integer ;
var a, b   : ligne ;
    i      : integer ;
    sa, Sb : integer ;
procedure somme (t : ligne ; var som : integer ) ;
  var i : integer ;
  begin
    som := 0 ;
    for i := 1 to n_max do
      som := som + t[i] ;
  end ;
```

---

[4]. Bien entendu, il ne s'agit que d'un "exemple d'école" dans la mesure où nous aurions pu nous contenter d'appliquer une simple formule mathématique.

```
begin
   for i := 1 to n_max do begin
      a[i] := i ;
      b[i] := sqr(i) ;
      end ;
   somme ( a, sa ) ;
   somme ( b, Sb ) ;
   writeln (' somme des ', n_max, ' premiers entiers : ', sa ) ;
   writeln (' somme des ', n_max, ' carres des premiers entiers : ', Sb)
end.
```

```
somme des 10 premiers entiers : 55
somme des 10 carres des premiers entiers : 385
```

Paramétrage d'une procédure par arguments (transmis ici par adresse et par valeur)

Cette fois, lors de l'appel de la procédure *somme*, par exemple par :

```
somme (a, sa)
```

il y a :

- d'une part, recopie des valeurs du tableau a au sein de la procédure, dans l'emplacement désigné par t,

- d'autre part, transmission de l'adresse de la variable *sa*. Ainsi, une instruction de la procédure telle que *som := 0* travaillera en fait directement sur la variable *sa*.

Remarques :

1) Dans l'en-tête de *somme*, nous avons utilisé l'identificateur *ligne* pour déclarer le type de t. Nous verrons que c'est d'ailleurs le seul moyen de déclarer le type d'un argument formel, lorsqu'il ne s'agit pas d'un type prédéfini. En effet, **Pascal refuserait** :

```
procedure somme (t : array [1..n_max] of integer, ...   { incorrect }
```

2) Notre procédure *somme* utilise finalement :

- une variable globale : *n_max*,

- un argument transmis par valeur : t,

- un argument transmis par adresse : *som*.

3) La transmission par adresse n'est pas, à proprement parler, le symétrique de la transmission par valeur. On pourrait simplement dire qu'elle est plus générale puisqu'elle permet toujours, le cas échéant, de transférer une information qui ne serait pas modifiée par la procédure, donc de réaliser l'équivalent d'une transmission par valeur. Dans certains langages, en revanche, il existe une technique de transmission parfaitement symétrique de la transmission par valeur, à savoir la transmission par résultat (il y a recopie d'un résultat lors du retour de la procédure).

4) Telle qu'elle se présente, notre procédure *somme* ne peut travailler que sur des tableaux du type *ligne*, c'est-à-dire sur des tableaux de 10 entiers. On pourrait souhaiter disposer d'une procédure capable de faire la somme de tableaux d'entiers de tailles différentes. Ceci n'est pas prévu par le Pascal standard ; nous verrons toutefois un peu plus loin que la notion de "paramètre ouvert" introduite par la version 6 de Turbo Pascal permet d'y parvenir.

8 - LA FONCTION : CAS PARTICULIER DE LA PROCEDURE

Considérons l'utilisation d'une fonction prédéfinie telle que *sqr* dans l'instruction :

```
a := sqr (b) + 3
```

La notation *sqr(b)* peut faire penser à un appel de procédure qui se nommerait *sqr*, à laquelle on fournirait en argument un valeur b. Cependant, si nous avions cherché à écrire une procédure réalisant le même calcul, nous aurions dû y prévoir un argument (transmis par adresse) pour recueillir le résultat. Voici, par exemple, une procédure nommée *proc_sqr* effectuant un tel travail :

```
procedure proc_sqr (nombre : integer ; var carre : integer ) ;
   begin
     carre := nombre * nombre
   end ;
```

Si nous cherchons alors à réaliser l'équivalent de l'affectation précédente, nous voyons que nous sommes amenés à écrire :

```
proc_sqr (b, b2) ;
a := b2 + 3 ;
```

Si, donc, nous revenons à la notation *sqr (b)*, nous constatons qu'elle désigne "implicitement" la valeur du résultat. Cela n'est bien sûr possible que parce ce résultat est unique[5]. Il est alors plus pratique, dans ce cas, d'utiliser une fonction plutôt qu'une procédure, puisque la première peut éventuellement être insérée dans une expression.

---

[5]. Notez bien que si le résultat, bien qu'unique, n'était pas de type scalaire, il ne serait pas possible de l'utiliser au sein d'une expression.

Nous venons de raisonner sur une fonction prédéfinie. En fait, de même que nous pouvions définir nos propres procédures, nous pouvons définir nos propres fonctions.

Nous pouvons dire que lorsqu'un "module" ne comporte qu'un seul résultat de type scalaire, nous avons le choix entre l'écrire sous forme d'une procédure ou d'une fonction.

9 - EXEMPLE D'UTILISATION D'UNE FONCTION

Voici, à titre d'exemple, l'utilisation d'une fonction calculant la somme des valeurs d'un tableau ; vous pouvez le comparer utilement à celui du paragraphe 7 qui résolvait le même problème à l'aide d'une procédure.

```
program Exemple_procedure_7 ;
const n_max = 10 ;
type ligne = array [1..n_max] of integer ;
var a, b  : ligne ;
    i     : integer ;
    sa, Sb : integer ;

function somme ( t : ligne ) : integer ;
  var i   : integer ;
      som : integer ;
  begin
    som := 0 ;
    for i := 1 to n_max do
       som := som + t[i] ;
  somme := som ;
  end ;

begin
   for i := 1 to n_max do begin
     a[i] := i ;
     b[i] := sqr(i) ;
     end ;
   sa := somme ( a ) ;
   Sb := somme ( b ) ;
   writeln (' somme des ', n_max, ' premiers entiers : ', sa ) ;
   writeln (' somme des ', n_max, ' carres des premiers entiers : ', Sb)
end.
```

```
somme des 10 premiers entiers : 55
somme des 10 carres des premiers entiers : 385
```

Exemple d'utilisation d'une fonction

Vous constatez tout d'abord que l'en-tête de procédure est devenu un en-tête de fonction :

```
function somme ( t : ligne ) : integer ;
```

Le terme *procedure* a été remplacé par celui de *function*. En ce qui concerne les arguments, vous remarquez que *som* n'apparaît plus dans la liste ; en revanche, le mot *integer* a été ajouté à la suite. Cet en-tête précise, en définitive, le nom de la fonction, les arguments d'"entrée", qui correspondent aux valeurs qui lui seront transmises en argument et, enfin, le "type de la fonction" (ici *integer*), c'est-à-dire le type de l'unique résultat qu'elle fournira.

En ce qui concerne la description de la fonction elle-même, vous constatez la présence d'une variable locale nommée *som* (dans la procédure, il s'agissait d'un argument) : elle servira au calcul de la somme désirée.

Enfin, l'affectation *somme* := *som* est quelque peu spéciale puisqu'on y trouve, à gauche du signe :=, le nom même de la fonction. Par convention, cette affectation sert à définir la valeur du résultat de la fonction. L'identificateur *somme* apparaît ainsi à la fois comme **identificateur de fonction** et comme **identificateur de variable** . Toutefois, dans ce dernier cas, il ne peut apparaître qu'à gauche d'une instruction d'affectation, et en aucun cas dans une expression. En particulier, nous n'aurions pas pu utiliser directement l'identificateur *somme* pour y cumuler progressivement la somme des éléments de notre tableau en écrivant :

```
somme := somme + t [i]
```

10 - PROCEDURES IMBRIQUEES - PORTEE DES IDENTIFICATEURS

Nous avons déjà été amené à évoquer le problème de la "portée" des identificateurs. Toutefois, jusqu'ici, tous nos exemples ne comportaient qu'une seule procédure ou fonction. En fait, la partie déclaration d'une procédure (ou d'une fonction) peut comporter, à son tour, outre des déclarations classiques de types ou de variables, d'autres déclarations de procédures ou de fonctions.

Voici un exemple de programme utilisant deux procédures **imbriquées**. La procédure *tri* a pour objet de ranger par ordre alphabétique les caractères d'une chaîne qu'on lui fournit en argument (par adresse puisqu'elle doit la modifier). Pour ce faire, elle utilise une procédure nommée *echange* qui a pour rôle d'échanger deux caractères de la chaîne.

```
program Exemple_procedures_imbriquees ;
const long = 10;
type chaine = string[long] ;
var  suite : chaine ;
```

```
procedure tri ( var t : chaine ) ;
   var i, j : integer ;
   procedure echange ;
      var c : char ;
      begin
         c   := t[i] ;
         t[i] := t[j] ;
         t[j] := c
      end ;    { echange }
   begin
      for i := 1 to length(t)-1 do
         for j := i+1 to length(t) do
            if t[i] > t[j] then echange ;
   end ;    { tri }
begin
   writeln ('donnez une suite d''au plus ', long, ' caracteres') ;
   readln (suite) ;
   tri (suite) ;
   writeln ('voici votre suite ordonnee : ', suite)
end.
```

```
donnez une suite d'au plus 10 caracteres
azertyuiop
voici votre suite ordonnee : aeioprtuyz
```

Procédures imbriquées

La structure d'ensemble de notre programme peut être schématisée ainsi :

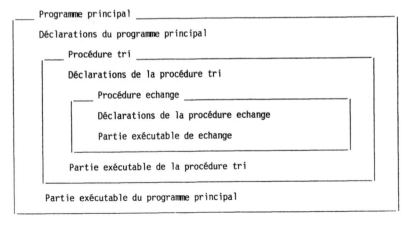

161

La procédure *échange* est "imbriquée" (on dit aussi "emboîtée") dans la procédure *tri*. Elle ne peut être appelée que depuis *tri* (et non, par exemple, depuis le programme principal). De même, *tri* ne peut être appelé que depuis le programme principal (et pas depuis *echange*).

Examinons la "portée" de quelques identificateurs. Des identificateurs tels que *long* (constantes), *chaine* (type) ou *suite* (variable) définis dans le programme principal sont connus des procédures *tri* et *echange* ; en fait, ici, seuls *long* et *chaine* sont effectivement utilisés, et encore uniquement dans *tri*.

L'identificateur t est défini dans *tri*, en tant que paramètre formel de cette procédure. De même, i et y sont définis dans *tri*. Ces trois identificateurs sont connus de la procédure *echange* ; ici, ils sont d'ailleurs utilisés, en tant que moyen de communication entre les deux procédures. Ces identificateurs ne sont pas connus du programme principal.

Enfin, l'identificateur c, défini dans la procédure *echange*, n'est connu ni du programme principal, ni de la procédure *echange*.

Remarques :

1) Notez bien que nous avons dû donner un identificateur (*chaine*) au type *string[long]* ; en effet, Pascal n'aurait pas accepté, dans l'en-tête de la procédure *echange*, une déclaration telle que :

```
var t : string [long]
```

2) Notre exemple correspondait simplement à deux procédures imbriquées. Mais rien n'empêche d'aboutir à des structures plus complexes telles que :

11 - REGLES GENERALES D'ECRITURE DES PROCEDURES ET DES FONCTIONS

Nous reprenons ici en les généralisant l'ensemble des règles qui président à l'écriture des procédures ou des fonctions. Celles relatives à leur utilisation seront étudiées dans le paragraphe suivant.

11.1 Structure générale

Chaque procédure est définie (déclarée) dans la partie déclaration du programme principal ou d'une autre procédure ou fonction. En Pascal standard, cette déclaration de procédure ne peut apparaître qu'après les autres déclarations (*label, const, type, var*). En Turbo Pascal, comme nous l'avons déjà mentionné, cette contrainte n'existe plus ; néanmoins, ne perdez pas de vue qu'aucun identificateur ne peut être utilisé (donc en particulier, dans une déclaration de procédure) avant d'avoir été défini. Ainsi, dans notre exemple du paragraphe 10, il serait impossible de placer l'une quelconque des trois déclarations (*const, type* ou *var*) du programme principal après la définition de la procédure *tri*, puisque cette dernière utilise les identificateurs *long, chaine* et *suite*.

Par ailleurs, la portée d'un identificateur est limitée à la procédure où il est défini, ainsi qu'à celles qui sont internes à cette dernière. Bien entendu, les identificateurs définis dans le programme principal, sont connus partout.

11.2 L'en-tête et les arguments formels

L'en-tête d'une procédure ou d'une fonction précise :

- son nom,

- les arguments formels,

- leur type,

- leur mode de transmission (par valeur ou par adresse).

De plus, pour les fonctions, il spécifie le type du résultat.

```
procedure identificateur_procedure (suite_de_déclarations)

function identificateur_fonction (suite_de_déclarations) : identificateur_type
```

L'en-tête d'une procédure ou d'une fonction

Avec :

suite_de_déclarations : une ou plusieurs *déclarations_d_arguments* séparées par des points-virgules,

déclarations_d_arguments : de l'une des deux formes :

liste_de_variables : identificateur_type
var liste_de_variables [: identificateur_type][6] [7]

identificateur_type : identificateur d'un type scalaire.

Notez que la déclaration des arguments suit une syntaxe voisine de la déclaration des variables dans l'instruction *var* ; les différences résident dans l'usage du mot *var* lui-même (pour les arguments transmis par adresse) et dans les déclarations des types qui sont impérativement limités ici à des identificateurs ; ces derniers sont donc nécessairement soit **prédéfinis** , soit **définis dans une instruction type d'une procédure englobante.**

Dans les fonctions, les arguments transmis par adresse sont autorisés par Turbo Pascal. Néanmoins, il ne paraît pas très raisonnable de les employer, dans la mesure où cela ne correspond pas à l'idée usuelle qu'on peut se faire d'une fonction. Que penser, par exemple, d'une fonction f qui, à chaque appel du genre *f(x)*, modifierait la valeur de x ?

Voici quelques exemples d'en-têtes corrects :

```
procedure ex1 (n, p : integer ; c : real) ;
```

```
procedure ex2 (n : integer ; var p : integer ; var x, y : real ; q : integer) ;
     { ici, p, x et y sont transmis par adresse }
```

En revanche, ces en-têtes sont incorrects :

```
procedure ex3 (n : 0..100, var x : real)
```

(le type de n est explicité dans l'en-tête ; il faudrait le définir dans la procédure englobante et placer ici son identificateur)

```
function ex4 (x : real, c : char) ;
```

(il manque le type de la fonction)

---

[6]. Nous verrons, au chapitre XXII, que Turbo Pascal autorise des "arguments sans type", ce qui revient, dans cette syntaxe, à omettre les deux points et l'identicateur de type ; c'est ce qui justifie la présence des crochets. De plus, depuis la version 6, existe la notion de "paramètre ouvert" dont nous parlerons dans le paragraphe 15.

[7]. Les noms de fichiers doivent obligatoirement être transmis par adresse.

11.3 Attribution d'une valeur à une fonction

Dans la définition d'une fonction, il est convenu d'attribuer une valeur à la fonction, en faisant apparaître son nom (sans arguments) à gauche d'au moins une instruction d'affectation.

Si aucune instruction de cette nature n'apparaît dans la définition de la fonction, aucun diagnostic de compilation ne sera fourni par Turbo Pascal. Toutefois, lors de l'exécution, tout appel de la fonction conduira à l'obtention en retour d'une valeur non définie (ou plutôt non prévisible !).

Par ailleurs, le nom de la fonction ne peut apparaître dans une expression que s'il est accompagné entre parenthèses d'une liste d'arguments effectifs. Dans ce cas, il ne s'agit plus de la désignation d'un résultat mais d'un **nouvel appel à la fonction** elle-même (au sein de sa propre définition. Nous avons affaire à ce que l'on appelle la "récursivité", laquelle peut s'appliquer également aux procédures. Nous y reviendrons dans le chapitre XX.

12 - POUR JOUER LA SECURITE

12.1 Transmission par valeur ou par adresse

A partir du moment où une procédure ne modifie pas un argument, il paraît préférable d'en effectuer la transmission par valeur. Ainsi, vous ne risquez pas de voir une variable du programme appelant modifiée inopinément. De plus, l'utilisation de la procédure s'en trouve simplifiée, puisque l'argument effectif correspondant peut s'exprimer sous forme d'une expression quelconque.

Néanmoins, il faut noter que, pour les variables occupant un espace mémoire conséquent (notamment les tableaux ou les enregistrements), la transmission par valeur peut prendre un temps nettement plus important que la transmission par adresse. De même, elle impose la réservation d'un espace mémoire important au sein de la procédure concernée ; ce dernier point doit toutefois être pondéré par le fait que les emplacements des données internes à une procédure sont alloués "dynamiquement" lors de son appel et libérés lors de son retour ; nous en reparlerons dans le chapitre XVI.

12.2 Les effets de bord

Dès lors qu'une procédure utilise des variables globales, celles-ci n'apparaissent pas de manière aussi explicite que les arguments. Pour les connaître, il est nécessaire d'examiner en détail la définition de la procédure. En général, l'ensemble du programme a plutôt tendance à y perdre en lisibilité.

Par ailleurs, l'utilisation de variables globales rend plus difficile la mise au point d'un programme et, a fortiori, son adaptation ultérieure. Tant que vous vous limitez à l'utilisation de variables globales au sein d'une procédure, les risques se limitent à d'éventuelles confusions. En revanche, dès qu'une procédure modifie la valeur d'une variable globale, vous risquez d'aboutir à des effets indésirables dits "effets de bord".

Certes, cela ne signifie nullement qu'il faille exclure totalement l'usage des variables globales. Cependant, il est bon de le faire en toute connaissance de cause, notamment après vous être assuré que vous aviez effectivement de bonnes raisons d'y recourir.

Enfin, n'oubliez pas que les effets de bord peuvent apparaître de manière imprévue lorsque vous oubliez de déclarer une variable locale qui porte le même nom qu'une variable globale. Dans ce cas, aucun diagnostic n'est fourni en compilation, mais c'est la variable globale qui se trouve utilisée sans que l'on ne s'y attende.

13 - LES PROCEDURES PREDEFINIES

Turbo Pascal dispose de "sous-programmes" (procédures ou fonctions) "tout faits" que vous pouvez employer à votre gré. C'est ainsi que nous avons utilisé *length*, *str*, *delete*, *sqr* , *ord*...

En fait, la plupart de ces sous-programmes sont incorporés à votre programme lors de sa compilation[8]. Plus précisément, Turbo Pascal utilise pour ce faire, des (sortes de) bibliothèques de sous-programmes qu'il nomme des **unités** : celles-ci contiennent des sous-programmes déjà compilés.

L'une d'entre elle, nommée *system*, est automatiquement utilisée lors de la compilation de votre programme, sans qu'il ne soit nécessaire de le demander. C'est dans cette unité que se trouvent toutes les procédures ou fonctions que nous avons utilisées jusqu'ici.

Les autres unités, en revanche, ne sont pas considérées automatiquement. Dès lors qu'on utilise un ou plusieurs sous-programmes en faisant partie, il faudra le signaler à Turbo Pascal à l'aide d'une instruction de déclaration **uses** mentionnant le nom de l'unité voulue. Par exemple, pour utiliser l'unité *Crt* :

```
uses Crt ;
```

Nous aurons l'occasion de revenir sur cette notion d'unité :

- d'une part, lorsque nous rencontrerons une procédure n'appartenant pas à l'unité *system*,

- d'autre part, dans le chapitre XVII où nous vous montrerons comment réaliser vos propres unités et ainsi vous créer des "bibliothèques personnelles".

---

[8]. Une exception a lieu pour certaines fonctions simples, pous lesquelles le compilateur introduit directement les instructions correspondantes. Ce sont d'ailleurs ces fonctions qui peuvent figurer dans une expression constante.

14 - LE TYPE SOUS-PROGRAMME

La version 5 de Turbo Pascal a introduit deux nouvelles familles de types : les types procédures et les types fonctions. Ceux-ci se révèlent particulièrement utiles lorsque l'on souhaite transmettre un sous-programme (procédure ou fonction) en argument de l'appel d'un autre sous-programme. Introduisons-les d'abord sur un exemple d'école.

14.1 Exemple de type sous-programme

```
program Exemple_utilisation_type_fonction ;
type fonc = function (a:real) : real ;          valeur de x : 1.5
var fc : fonc ;                                  no de fonction (1 ou 2) : 1
    x  : real ;                                  valeur : 8.2500000000E+00
    nf :integer ;
{$F+}
function f1 (x:real) : real ;
begin
   f1 := sqr (x) + 2 * x + 3
end ;
function f2 (x:real) : real ;
begin
   f2 := abs (-2 * x + 3) ;
end ;                                            valeur de x : 2.5
{$F-}                                            no de fonction (1 ou 2) : 2
begin                                            valeur : 2.0000000000E+00
   write ('valeur de x : ') ; readln (x) ;
   write ('no de fonction (1 ou 2) : ') ;
   readln (nf) ;
   if nf = 1 then fc := f1
            else fc := f2 ;
   writeln ('valeur : ', fc(x))
end.
```

Utilisation d'un type fonction

La déclaration de type :

```
type fonc = function (a:real) : real
```

précise que l'identifcateur *fonc* correspond à des fonctions possédant un argument réel et fournissant un résultat réel. L'instruction suivante :

```
var f : fonc
```

déclare que f est une variable de type *fonc* ; cela signifie qu'elle pourra se voir affecter n'importe quel "nom" de fonction, pour peu que cette dernière soit du tpe *fonc*, c'est-à-dire qu'elle possède un argument réel et qu'elle fournisse un résultat réel.

Les définitions des fonctions f1 et f2 sont classiques. Notez que leurs en-têtes n'ont absolument pas besoin d'employer des noms d'arguments muets, identiques à ceux employés dans la déclaration du type *fonc*. Notez les affectations *fc := f1* et *fc := f2* ainsi que l'appel de fonction *fc (x)* ; ce dernier doit être interprété comme : valeur de la fonction dont le nom figure dans la variable *fc*, lorsqu'on lui fournit comme argument la valeur figurant dans x.

Notez enfin que les deux fonctions f1 et f2 ont été compilées avec l'option F +. Nous y reviendrons un peu plus loin.

14.2 D'une manière générale

a) Compatibilité

Les variables de type sous-programme (procédure ou fonction) peuvent se voir affecter :

- le contenu d'une variable de même type (c'est-à-dire déclarée avec le même identificateur). Ainsi, en introduisant dans le programme précédent, la déclaration :

```
var fct : fonc ;
```

les affectations suivantes sont correctes :

```
fc := fct ;
fct := fc ;
```

- le nom d'un sous-programme ayant un en-tête en accord avec celui de la déclaration de type. Ainsi, si dans notre précédent exemple, nous avions défini une fonction f3 d'entête *function f3 (x, y : real) : real*, il n'aurait pas été possible d'écrire *fc := f3*. Notez bien que les noms de sous-programmes en question apparaissent comme des "constantes" du type sous-programme concerné.

b) Utilisation en argument d'une valeur de type sous-programme

Une valeur (constante ou variable) de type sous-programme peut être utilisée (comme n'importe quelle autre) comme argument effectif de l'appel d'un autre sous-programme ; bien entendu, l'argument muet correspondant devra avoir été déclaré du même type. Par exemple, nous pourrions définir une procédure nommée *integrale* calculant l'intégrale d'une fonction inconnue. Son en-tête pourrait se présenter ainsi :

```
procedure integrale (a, b : real ; npt : integer ; f : fonc ; var res : real) ;
```

en supposant que a et b représentent les "bornes d'intégration", *npt* le nombre de points à utiliser, *res* le résultat de calcul d'intégrale et f la fonction "à intégrer" (le type *fonc* pouvant être le même que celui défini précédemment).

Au sein de la définition de la procédure *integrale*, nous "calculerions" les valeurs nécessaires de la fonction à intégrer par des expressions telles que *f(x)* , x étant de type *real*. Pour réaliser ensuite un calcul d'intégrale à l'aide de cette procédure, il nous suffit d'employer des appels tels que :

```
integrale (0.0, 1.0, 100, f1, resul)
```

Notez que cet aspect prendra tout son intérêt lorsque nous aurons étudié la notion d'unité. En effet, il sera alors tout à fait possible de placer *integrale* une fois pour toutes dans une unité. La procédure aura donc pu être écrite, sans qu'on ait alors besoin de connaître la ou les fonctions à intégrer.

c) Emploi de la directive F+

Les fonctions dont le nom peut être affecté à une variable ou transmis en argument, doivent être compilées avec l'option F+. Sa justification nécessite des connaissances techniques concernant la manière dont sont exprimées les adresses. Nous y reviendrons plus en détail dans le chapitre XIX. Pour l'instant, disons qu'il existe deux sortes d'adresses : d'une part des adresses "intra-segment" exprimées sur 2 octets ne permettant de travailler que dans une partie de mémoire ne dépassant pas 64 KO, des adresses "inter-segment" d'autre part, exprimées sur 4 octets et permettant de couvrir toute la mémoire[9].

Par défaut, le compilateur emploie des adresses "intra-segment". Mais lorsqu'une fonction risque d'être appelée depuis n'importe quel endroit, il est nécessaire que son adresse soit exprimée sous la forme inter-segment. C'est ce qui justifie la présence de la directive F+.

d) Quelques restrictions

Pour qu'une procédure ou une fonction puisse être affectée à une variable ou transmise en argument, elle ne doit pas être :

- une procédure ou fonction "standard" (procédures ou fonctions des unités standards). Si un tel besoin se manifeste, il est toujours possible d'utiliser un artifice, à savoir cacher le sous-programme en question. Par exemple, pour utiliser la fonction *cos* dans notre procédure *integrale* précédente, nous ne pourrons pas écrire :

```
integrale (..., ..., ..., cos, ...)    { erreur }
```

mais nous pourrons définir une fonction, par exemple *cs*, calculant notre cosinus :

---

[9]. Cette distinction est indépendante du fait qu'on travaille en mode réel ou en mode protégé.

```
function cs (x : real) : real ;
begin
    cs := cos (x)
end ;
```

et transmettre *cs* en argument de notre appel :

```
integer (..., ..., ..., cs, ...)
```

- un sous-programme imbriqué dans un autre.

15 - LES PARAMETRES "OUVERTS"

Jusqu'ici, nous avons vu que, pour transmettre un tableau en argument, il était nécessaire que le sous-programme appelé précise l'identificateur de son type et, donc, qu'a fortiori, le nombre de ses éléments soit parfaitement défini. Ceci ne permet pas d'écrire des sous-programmes susceptibles de travailler sur ce que l'on nomme généralement des "tableaux variables" (ou tableaux de dimensions ajustables), par exemple une fonction ou une procédure calculant la somme des éléments d'un tableau.

Depuis la version 6, Turbo Pascal a introduit la notion de "paramètre ouvert". Elle permet de déclarer qu'un argument (muet) est un tableau, en précisant le type de ses éléments mais sans en donner la taille.

Voici comment nous pourrions modifier notre fonction *somme* du paragraphe 7, pour qu'elle s'applique à des tableaux d'entiers de taille quelconque.

```
program Exemple_tableau_ouvert ;

const nb1 = 10 ;
      nb2 = 6 ;
type ligne1 = array [1..nb1] of integer ;
     ligne2 = array [1..nb2] of integer ;
var a      : ligne1 ;
    b      : ligne2 ;
    i      : integer ;
    sa, sb : integer ;

function somme (t : array of integer ; var som : integer ) : integer ;
  var i : integer ;
  begin
    som := 0 ;
    for i := 0 to high (t) do  { attention, ne pas faire i := 1 to high(t) }
      som := som + t[i] ;
    somme := som
  end ;
```

```
begin
    for i := 1 to nb1 do a[i] := i ;
    for i := 1 to nb2 do b[i] := sqr(i) ;
    sa := somme ( a, sa ) ;
    sb := somme ( b, sb ) ;
    writeln (' somme des ', nb1, ' premiers entiers : ', sa ) ;
    writeln (' somme des ', nb2, ' carres des premiers entiers : ', sb)
end.
```

```
somme des 10 premiers entiers : 55
somme des 6 carres des premiers entiers : 91
```

Exemple d'utilisation de "tableau ouvert"

Notez la déclaration de notre argument muet :

```
t : array of integer
```

Elle précise simplement que t est un tableau d'entiers, sans en indiquer la taille. Dans la définition de notre fonction, il faut savoir qu'alors, un tel tableau doit être décrit par des **indices entiers** dont la valeur s'étend de 0 (attention, pas 1) à une valeur maximale non connue lors de l'écriture de la fonction et, susceptible de varier d'un appel à l'autre. Elle peut être connue à l'aide d'une fonction particuliere nommée **high** à laquelle on transmet en argument le nom du tableau (comme dans *high(t)*).

Remarques :

1) Notez bien qu'il n'est pas nécessaire de transmettre en argument la taille du tableau concerné.

2) Prenez bien garde à ce que *high(t)* fournit le dernier indice du tableau t, le premier étant 0. Autrement dit, le nombre d'éléments de t serait, non pas *high(t)* mais *high(t) + 1*.

3) Les arguments définis comme des tableaux ouverts peuvent être indifféremment transmis par valeur ou par adresse.

3) Cette notion de paramètre ouvert s'applique de façon comparable (mais avec moins d'intérêt) aux chaînes de caractères. Dans ce cas, l'argument muet correspondant doit être déclaré, soit sous la forme **string** (mais il faut qu'alors l'option **\$P+** soit présente), soit sous la forme **OpenString** (l'option R+ n'est alors plus utile). Là encore, les chaînes ouvertes peuvent être transmises indifféremment par valeur ou par adresse.

16 - REGLES GENERALES D'UTILISATION D'UNE PROCEDURE OU D'UNE FONCTION

16.1 Respect de la hiérarchie

Une procédure ou une fonction ne peut être appelée que depuis un **bloc de même niveau** ou **un bloc de niveau immédiatement supérieur l'englobant**.

Ainsi, dans notre exemple de procédures imbriquées de la seconde remarque du paragraphe 10 :

- B peut être appelée depuis A (bloc de niveau immédiatement supérieur),

- B peut être appelée depuis C ou E (blocs de même niveau),

- D ne peut être appelée que depuis C.

- E ne peut être appelée de B, bien que ces deux procédures soient de même niveau. En effet, lorsque l'on définit la partie exécutable de B, la procédure E n'a pas encore été définie (nous retrouvons là la règle habituelle qui veut que tout objet soit défini pour le compilateur avant son utilisation). Nous verrons cependant que, dans ce cas particulier de procédures ou de fonctions, il sera possible de s'affranchir de cette règle grâce à l'instruction *forward* (elle sera présentée dans le chapitre relatif à la récursivité).

16.2 Appel d'une procédure ou d'une fonction

L'appel d'une procédure ou d'une fonction se fait, comme nous l'avons vu, par son nom, suivi, s'il y a lieu, de la liste des *arguments effectifs* placée entre parenthèses.

```
nom_procédure_ou_fonction ( liste_d_arguments_effectifs )
```

L'appel d'une procédure ou d'une fonction

Lorsque la transmission a lieu par **adresse** (*var*), l'argument effectif correspondant doit obligatoirement se présenter sous la forme d'une **variable**[10] (puisqu'elle doit pouvoir être modifiée par le sous-programme appelé) ; en cas de transmission par **valeur**, en revanche, il peut s'agir d'une **expression** quelconque (donc, a fortiori, d'une variable).

Turbo Pascal vérifie les correspondances de type entre arguments effectifs et arguments formels suivant les règles que nous avons mentionnées, à savoir : concordance exacte de type pour les arguments transmis par adresse, compatibilité entre le type de l'argument

---

[10]. Au sens large; il peut donc s'agir d'une référence à un élément de tableau, à un champ d'un enregistrement...

effectif et celui de l'argument muet en cas de transmission par valeur. En cas de non respect, il signale une erreur de compilation. Il existe quelques exceptions à cette règle :

- Pour le type chaîne, en cas de transmission par **adresse**, Turbo Pascal accepte que l'argument effectif et l'argument formel n'aient pas la même longueur maximale[11]. Cette souplesse présente le risque de déborder de l'espace alloué à la chaîne transmise en argument effectif (pour peu que la taille maximale de l'argument muet soit supérieure à celle de l'argument effectif). Vous pouvez, à l'aide de l'option **V+** refuser cette "entorse à la règle". Dans ce cas, une absence de correspondance de longueur (en plus ou en moins !) provoquera une erreur de compilation.

- Pour les paramètres ouverts, comme nous l'avons vu dans le paragraphe 15 (pour les tableaux, il suffit alors qu'il y ait seulement correspondance du type des éléments, la taille n'intervenant plus - pour les chaînes, il n'y a plus de restriction).

- Pour les paramètres dits "sans type" dont nous parlerons dans le chapitre XXI.

EXERCICES

1) Quelles erreurs ont été (éventuellement) commises dans les en-têtes suivants :

```
a)      procedure essai (n : integer, x : real) ;
b)      procedure essai (var n, p : integer) ;
c)      procedure essai (p : 1..20) ;
d)      procedure essai (mot : string [20] ) ;
e)      function essai (n : integer ; x : real) ;
f)      function essai (n, p : integer ; x : real) :: 1..50 ;
```

2) Soit une procédure d'en-tête :

```
procedure essai (n : integer ; var p : integer ; x : real ; var y : real) ;
```

On suppose qu'on l'appelle depuis un bloc comportant les déclaration suivantes :

```
var k, l : integer ;
    y, z : real ;
```

Quelles erreurs ont été commises dans les appels suivants:

```
a)      essai (k, l, x)
b)      essai (10, k, 5.25, y)
c)      essai (k, 10, y, 5.25)
d)      essai (k+l, k, y+z, z)
e)      essai (k, k+l, z, y+z)
```

---

[11]. Notez bien que pour la transmission par valeur, ce problème ne se pose pas puisque, bien que non identifques, les différents types chaîne sont compatibles entre eux (il peut cependant y avoir troncature au moment de la recopie...).

```
f)      essai (k, 1, k, x)
g)      essai (k, 1, x, k)
```

3) Ecrire une procédure permettant de déterminer si un nombre entier est premier. Elle comportera deux arguments : le nombre à examiner, un indicateur booléen précisant si ce nombre est premier ou non.

4) Ecrire la procédure précédente sous forme d'une fonction.

5) Ecrire une fonction calculant la norme d'un vecteur à 3 composantes réelles.

6) Ecrire la fonction précédente sous forme d'une procédure.

7) Ecrire une procédure qui supprime tous les espaces d'une chaîne (de longueur maximale 50).

MANIPULATIONS

Examinez le comportement de Turbo Pascal dans les différents cas suivants :

- appel de procédure ne respectant pas la hiérarchie,

- arguments effectifs dont le type ne correspond pas à celui des arguments muets,

- arguments effectifs fournis sous forme d'expression alors qu'ils sont transmis par adresse,

- arguments de type chaîne, sans concordance de longueur, d'abord avec V +, puis sans V +.

XIII. LES TYPES ENSEMBLE

Pascal permet de manipuler des "ensembles" au sens mathématique du terme, c'est-à-dire des collections non ordonnées d'objets. Notamment, nous verrons qu'il soit possible de réaliser les opérations classiques de réunion, d'intersection, de complémentation ainsi que les relations d'égalité, d'inclusion et d'appartenance d'un élément à un ensemble.

1 - EXEMPLE INTRODUCTIF

Ce programme détermine les lettres (minuscules) apparaissant au moins une fois dans un texte donné.

```
program Exemple_utilisation_type_ensemble ;
type lettre = 'a'..'z' ;
var lettres_presentes : set of lettre ;
    texte : string[80] ;
    c     : char ;
    i     : integer ;
begin
  writeln ('donnez un texte de moins d''une ligne') ;
  readln (texte) ;
  lettres_presentes := [] ;
  for i := 1 to length(texte) do begin
    c := texte [i] ;
    if (c >= 'a') and (c<='z') then
        lettres_presentes := lettres_presentes + [c]
    end ;
  writeln ('ce texte comporte les lettres suivantes ') ;
  for c := 'a' to 'z' do
    if c in lettres_presentes then write(c) ;
end.
```

```
donnez un texte de moins d'une ligne
je me figure ce zouave
ce texte comporte les lettres suivantes
acefgijmoruvz
```

Détermination des lettres présentes dans un texte

La déclaration :

```
lettres_presentes : set of lettres
```

précise que la variable nommée *lettres_presentes* est du type ensemble (*set*) et que les éléments **susceptibles** d'être placés dans cet ensemble sont des caractères allant de a à z. Bien entendu, cette déclaration, comme n'importe quelle autre, n'affecte pas de valeur précise à cet ensemble.

Les autres déclarations sont classiques. Vient ensuite l'instruction d'affectation :

```
lettres_presentes := [] ;
```

C'est elle qui donne une valeur initiale à notre variable de type ensemble, à savoir l'ensemble formé des éléments indiqués entre les deux crochets, c'est-à-dire l'ensemble vide. Après cette affectation donc, nous pouvons dire que l'ensemble *lettres_presentes* ne contient **aucun élément**.

A ce stade, vous percevez peut-être que la démarche adoptée par le programme va consister à "collationner" dans *lettres_presentes* les différentes lettres minuscules du texte. Voyons précisément comment.

Une boucle *for* permet d'explorer chacun des caractères du texte. A un instant donné, la variable c contient le "caractère courant". Après nous être assuré qu'il s'agissait bien d'une lettre minuscule, nous exécutons l'affectation :

```
lettres_presentes := lettres_presentes + [c]
```

[c] désigne un ensemble formé des éléments indiqués entre les deux crochets, à savoir, ici, le caractère contenu dans la variable c. Notez bien que *[c]* désigne un ensemble et non un caractère. Le signe + représente la réunion[1] des deux ensembles *lettres_presentes* et *[c]*. L'ensemble obtenu par cette réunion est affecté de nouveau à *lettres_presentes*. Notez que si le caractère c appartient à *lettres_presentes*, cette affectation laissera cet ensemble inchangé.

A la fin de notre boucle *for*, l'ensemble *lettres_presentes* se trouve donc formé de toutes le lettres minuscules présentes dans notre texte. Il ne nous reste donc plus qu'à en afficher le contenu. Là, vous constatez qu'il n'existe pas d'instruction Pascal permettant de le faire directement. En revanche, il existe un opérateur relationnel nommé **in**, permettant de savoir si un élément donné appartient à un ensemble ; plus précisément, l'expression :

```
c in lettres_presentes
```

prend la valeur *vrai* si le caractère contenu dans c fait partie de l'ensemble *lettres_presentes*.

---

[1]. C'est-à-dire l'ensemble formé des éléments appartenant au moins à l'un des deux ensembles.

En examinant ainsi, un par un, chacun des caractères de a à z, nous pouvons connaître ceux qui font partie de notre ensemble et, donc, les afficher.

2 - DECLARATION D'UN TYPE ENSEMBLE

Le type ensemble se déclare, soit au sein d'une instruction *type*, soit au sein d'une instruction *var*, suivant la syntaxe suivante :

```
set of type_de_base
```

Le type ensemble

Avec :

type_de_base : type ordinal ou intervalle d'un type ordinal, dont les valeurs ordinales sont comprises entre 0 et 255.

Les restrictions imposées au type de base montrent qu'un ensemble ne peut contenir plus de 256 éléments. Par ailleurs, **différents types ensemble sont compatibles entre eux, s'ils sont formés à partir des mêmes types de base.**

Voici un premier exemple de déclaration d'un type ensemble :

```
type note = (ut, re, mi, fa, sol, la, si) ;
     accord = set of note ;
var  do_majeur, accord_1 : accord ;
```

Le type *accord* est un type ensemble formé sur le type de base *note* (dont les valeurs ordinales s'étendent de 0 à 6). Les variables *do_majeur* et *accord_1* seront bien sûr compatibles entre elles (dans les deux sens !) puisque de même type.

Les déclarations précédentes pourraient être remplacées par :

```
type note = (ut, re, mi, fa, sol, la, si) ;
var  do_majeur : set of note ;
     accord_1 : set of note ;
```

Les variables *do_majeur* et *accord_1* seraient encore compatibles entre elles puisque définies à partir du même type de base (*note*).

Voici d'autres déclarations correctes de type ensemble :

```
type premier = set of 1..250 ;
type lettres = set of char ;
```

En revanche, ces déclarations seront refusées par Turbo Pascal :

```
type premiers = set of integer   { le type de base integer comporte trop d'éléments }
type nombres  = set of 1..500    { même raison }
type nombres  = set of 300..500  { les valeurs ordinales du type de base sont }
                                 {     supérieures à 255   }
```

3 - LE CONSTRUCTEUR D'ENSEMBLE

On nomme ainsi la paire de crochets ([]) qui, comme nous l'avons vu, sert à créer une valeur d'un type ensemble. Ainsi :

['a', 'b', 'f'] est l'ensemble constitué des trois caractères a, b et f,

[5, 8, 12, 25] est l'ensemble constitué des quatre entiers 5, 8, 12 et 25,

[ut, mi, sol] est (en supposant défini le type *note* précédent) l'ensemble formé des trois notes *ut, mi* et *sol.*

Notez que l'ensemble ainsi crée par ce constructeur d'ensemble n'a **pas de type "en soi"**. Il est compatible avec n'importe quel ensemble formé sur n'importe quel type de base dont font partie les éléments indiqués. Ainsi, *[5, 8, 12, 25]* peut être affecté aussi bien à une variable de type *set of 1..30* qu'à une variable de type *set of 3..150*. De même, *['a'; 'b'; 'f']* peut être affecté aussi bien à une variable de type *set of char* qu'à une variable de type *set of 'a'..'z'* ou même de type *set of 'a'..'g'*.

Les exemples que nous venons de citer ne faisaient appel qu'à des constantes. Dans notre programme d'introduction, nous avons rencontré la notation *[c]* où c était une variable. Plus généralement, il est possible d'utiliser le constructeur d'ensemble avec des expressions ; par exemple, si c est de type *char :*

[c, chr(ord(c)+2)] est l'ensemble formé de deux caractères : celui contenu dans c et celui situé 2 rangs plus loin dans la table ASCII.

D'une manière générale, on peut mentionner plusieurs valeurs successives sous forme d'un intervalle. Par exemple :

[1..5, 8, 12..14] est l'ensemble formé des 9 entiers : 1, 2, 3, 4, 5, 8, 12, 13 et 14.

Voici la syntaxe générale du constructeur d'ensemble :

```
[ lise_d_intervalles ]
```

Le constructeur d'ensemble

Avec :

liste_d_intervalles : un ou plusieurs intervalles séparés par des virgules,
intervalle : l'une des deux possibilités suivantes :
      expression
      expression_1..expression_2

N.B. Toutes les expressions figurant au sein d'un constructeur d'ensemble doivent être d'un même type ordinal.

Remarques :

1) L'ordre dans lequel sont mentionnées les expressions n'a aucune importance. Ainsi [5, 7] et [7, 5] définissent le même ensemble. Il n'est pas interdit que plusieurs valeurs identiques apparaissent ; bien entendu, elles ne correspondront qu'à un seul élément de l'ensemble ainsi constitué (cela peut s'avérer utile lorsqu'on y utilise des expressions). Enfin, si l'on mentionne un intervalle avec une valeur de début supérieure à la valeur de fin, il sera simplement considéré comme ne contenant aucun élément. Par exemple, l'ensemble [5..2] sera l'ensemble vide.

2) Il est possible de déclarer des constantes de type ensemble comme dans ces exemples :

```
const voyelles = ['a', 'e', 'i', 'o', 'u', 'y'] ;
const p = 10 ;
const valeurs = [p, 2*p, 3*p] ;
const c = 'e' ;
const lettres = [c, pred(c), succ(c)] ;
```

3) Il est possible de déclarer et d'initialiser une variable de type ensemble à l'aide de la forme particulière de la déclaration *const*, comme dans ces exemples :

```
const do_majeur : set of note = [ut, mi, sol] ;
const lettres_presentes : set of lettres = [] ;
const chiffres : set of char = [0..9] ;
```

4 - LES OPERATEURS PORTANT SUR LES ENSEMBLES

Passons maintenant en revue les différents opérateurs portant sur les ensembles (nous avons déjà rencontré la réunion dans notre exemple introductif).

4.1 L'opérateur de réunion : +

Rappelons que la réunion de deux ensembles est l'ensemble formé des éléments appartenant au moins à l'un des deux ensembles. En voici quelques exemples :

A	B	A + B
[1, 3]	[2, 6]	[1, 2, 3, 6]
[1, 3]	[3, 4]	[1, 3, 4]
[1, 5]	[1, 5, 6]	[1, 5, 6]

4.2 L'opérateur d'intersection : *

Rappelons que l'intersection de deux ensembles est l'ensemble formé des éléments appartenant simultanément aux deux ensembles. En voici quelques exemples :

A	B	A * B
[1, 3, 8]	[1, 5, 8, 11]	[1, 8]
[1, 5]	[1, 3, 5, 8]	[1, 5]
[3, 7]	[2, 9, 11]	[]

Si, dans notre programme d'introduction, nous avions souhaité déterminer toutes les voyelles du texte lu, nous aurions pu :

- ajouter la déclaration :

```
var voyelles_presentes : set of lettres
```

- introduire à la fin, ces instructions :

```
voyelles_presentes := lettres_presentes * [ 'a', 'e', 'i', 'o', 'u', 'y'] ;
writeln ('ce texte comporte les voyelles suivantes') ;
for c := 'a' to 'z' do
    if c in voyelles_presentes then write (c) ;
```

4.3 L'opérateur différence (ou complémentaire relatif) : -

Si A et B sont deux ensembles, A-B est l'ensemble formé des éléments appartenant à A et n'appartenant pas à B (on pourrait dire, de manière imagée, qu'on retire de A, tout ce qui appartient à B). Voici quelques exemples :

A	B	A - B
['a'; 'c'; 'f'; 'k']	['c', 'f']	['a','k']
['a', 'b', 'c']	['d', 'e']	['a', 'b', 'c']
['f', 'g']	['a', 'f', 'g', 'k']	[]

Si, dans notre programme d'introduction, nous avions souhaité déterminer toutes les consonnes du texte, nous aurions pu :

- ajouter la déclaration :

```
var consonnes_presentes : set of lettres ;
```

- introduire à la fin, ces instructions :

```
consonnes_presentes := lettres_presentes - [ 'a', 'e', 'i', 'o', 'u', 'y'] ;
writeln ('ce texte comporte les consonnes suivantes') ;
for c := 'a' to 'z' do
    if c in consonnes_presentes then write (c) ;
```

4.4 Les opérateurs de comparaison

Il s'appliquent à des **ensembles formés sur les mêmes types de base** ; ce sont :

= (égalité)	A = B si A et B sont formés des mêmes éléments,
< = (inclusion)	A < = B si A est inclus dans B,
> =	A > = B si B est inclus dans A.

4.5 Exemples

Dans notre programme d'introduction, nous pouvons ajouter ces quelques instructions pour savoir :

- si toutes les lettres de l'alphabet sont présentes dans le texte,

- si le texte ne contient que des voyelles,

- si les six voyelles de l'alphabet sont présentes dans le texte.

```
if lettres_presentes = ['a'..'z'] then
    writeln ('ce texte contient toutes les lettres de l''alphabet') ;
if lettres_presentes <= ['a', 'e', 'i', 'o', 'u', 'y'] then
    writeln ('ce texte ne contient que des voyelles') ;
if lettres_presentes >= ['a', 'e', 'i', 'o', 'u', 'y'] then
    writeln ('ce texte contient toutes les voyelles') ;
```

5 - QUELQUES PRECAUTIONS A PRENDRE AVEC LES ENSEMBLES

D'une manière générale, nous pouvons dire qu'il n'existe pas, pour les types ensemble, de possibilité de protections aussi rigoureuses que celles que l'on rencontre pour les autres types. En particulier, l'option de compilation R + n'est pas toujours opérante. Cela peut se justifier par le fait qu'il n'existe pas de risques majeurs, comme nous allons vous le montrer ici.

Tout d'abord, il faut savoir que Turbo Pascal réserve pour une variable de type ensemble un nombre entier d'octets, à raison d'un octet pour huit éléments (du type de base). Par exemple, une variable du type *set of char* occupera 16 octets, une variable du type *set of 1..10* occupera deux octets ; dans ce dernier cas, bien qu'ils ne fassent pas partie du type de base, on voit qu'il "y aura de la place" pour les nombres 11 à 15.

Lorsque l'on cherche à placer dans un ensemble, un élément situé en dehors des valeurs du type de base mais de valeur ordinale inférieure à celle autorisée par le nombre d'octets réservés, aucun diagnostic n'est fourni par Turbo Pascal, même si l'on a utilisé l'option R +.

Tout se passe comme si l'on travaillait avec un type de base légèrement étendu. Ainsi, si *ens* est du type *set of 1..10*, l'affectation :

```
ens := [12]
```

fonctionnera et *ens* contiendra bien 12 (on pourrait s'en assurer par une boucle *for i := 1 to 15*).

Si, en revanche, l'élément en question "tombe en dehors" de l'espace réservé et que l'on n'utilise pas la directive R +, il ne se passera en fait rien ! En particulier, il n'y aura pas de destruction d'un octet situé en dehors de l'espace attribué à l'ensemble (comme cela peut se produire, par exemple, dans le cas de débordement d'indice d'un tableau).

Enfin, lorsque l'on cherche à placer dans un ensemble un élément dont la valeur ordinale dépasse 255, là encore aucun diagnostic n'est fourni si l'on n'a pas utilisé l'option R +. Mais, il faut savoir qu'en fait Turbo pascal n'utilise de cette valeur que le "dernier octet", de sorte que la valeur considérée est toujours comprise entre 0 et 255. Et l'on est ainsi ramené au cas précédent.

EXERCICES

1) Soit une variable *nombres* du type :

```
set of 1..200
```

Ecrire les instructions permettant de calculer la somme des éléments de *nombres*.

2) Ecrire un programme qui détermine le nombre de voyelles d'un mot fourni en donnée.

3) Ecrire un programme qui lit un texte (d'une seule ligne) et qui affiche, par ordre alphabétique, les lettres (minuscules) qu'il ne contient pas.

4) Ecrire une fonction permettant de déterminer le "cardinal" d'un ensemble (c'est-à-dire le nombre de ses éléments) du type :

```
set of char
```

MANIPULATIONS

1) Essayez ce programme :

```
program essai ;
{$R+}
var ens : set of 1..12 ;
    n   : integer ;
begin
   readln (n) ;
   ens := [n] ;
   if n in ens then writeln ('present')
end.
```

avec les réponses : 5, 13, 14, 15, 16, 17, 20, 256, 257, 260, 300...

Supprimez la directive R + et expérimentez à nouveau le programme avec les mêmes réponses que précédemment.

2) Remplacez la déclaration de *ens* par *set of 3..11*. Expérimentez à nouveau (avec en plus les valeurs 0, 1 et 2) avec, puis sans R +.

3) Remplacez la déclaration de *ens* par *set of 10..18*. Expérimentez avec les réponses : 0, 1, 7, 8, 9, 19, 20, 23, 24, 25, 256, 267, 275, 300... (avec puis sans R +).

XIV. LES TYPES ENREGISTREMENT

Parmi les types structurés dont dispose Pascal, nous avons déjà étudié le type tableau. Celui-ci nous permettait de réunir, au sein d'une même structure, des éléments de même type ayant un certain rapport entre eux ; cela nous autorisait, au bout du compte, soit à manipuler globalement l'ensemble du tableau (dans des affectations), soit à appliquer un même traitement à chacun de ses éléments (grâce à la notion d'indice).

Mais, on peut également souhaiter regrouper au sein d'une même structure des informations n'ayant pas nécessairement toutes le même type ; par exemple, les différentes informations (nom, prénom, sexe, nombre d'enfants...) relatives à un employé d'une entreprise.

En Pascal, le type enregistrement va nous permettre d'y parvenir. Ses différents éléments, nommés alors **champs**, pourront être de type quelconque ; par exemple, un enregistrement correspondant à un employé pourra comporter les informations suivantes :

- *nom*, de type *string[30]*,
- *prenom* , de type *string[20]*,
- *sexe* , de type *boolean*,
- *nombre d'enfants*, de type 0..50.

Comme les tableaux, les enregistrements pourront être manipulés soit globalement, soit élément par élément. En revanche, nous ne retrouverons pas la possibilité qu'offrait le tableau de répéter un même traitement sur les différents champs (celle-ci n'aurait d'ailleurs en général aucun sens, à partir du moment où les champs sont de nature différente).

Comme nous le verrons dans le prochain chapitre, le type enregistrement est fréquemment associé aux fichiers. Néanmoins, ce n'est pas là une règle générale : il existe des variables de type enregistrement n'ayant pas de rapport avec des fichiers et il existe des fichiers ne faisant pas appel à un type enregistrement. C'est pour cette raison que nous vous proposons d'étudier ici la notion d'enregistrement indépendamment de la notion de fichier.

1 - EXEMPLES INTRODUCTIFS

Voyez ces déclarations :

```
type personne = record
                nom :        string [30] ;
                prenom :     string [20] ;
                masculin :   boolean ;
                nb_enfants : 0..50
                end ;
var employe, courant : personne
```

Elles correspondent à l'exemple évoqué en introduction. Elles définissent tout d'abord un type nommé *personne* comme étant formé de 4 champs nommés *nom, prenom, masculin* et *nb_enfants* et ayant le type spécifié. Ensuite de quoi, elles déclarent deux variables nommées *employe* et *courant* comme étant de ce type *personne*.

Ces variables pourront être manipulées champ par champ, de la même manière que n'importe quelle information ayant le type du champ correspondant. Pour ce faire, un champ d'une variable de type enregistrement est désigné par le nom de la variable, suivi d'un point et du nom du champ concerné. Par exemple :

employe.nom désigne le champ *nom* de l'enregistrement *employe* (il s'agit donc d'une information de type *string[30]*),

courant.masculin désigne le champ *masculin* de l'enregistrement *courant* (il s'agit donc d'une information de type *boolean*).

Voici quelques exemples d'instructions faisant référence à certains champs de nos enregistrements *personne* et *courant* :

```
readln (employe.nom)
employe.nb_enfants := 3
if courant.masculin then ...
```

Par ailleurs, les variables *employe* et *courant* pourront être manipulées globalement ; ainsi :

```
courant := employe
```

recopie toutes les valeurs des différents champs de *employe* dans les champs correspondants de *courant*. Elle remplace (avantageusement) les 4 affectations :

```
courant.nom        := employe.nom
courant.prenom     := employe.prenom
courant.masculin   := employe.masculin
courant.nb_enfants := employe.nb_enfants
```

Notez que, comme pour les tableaux, ces affectations globales ne seront possibles que pour des **enregistrements déclarés explicitement du même type.**

2 - LA SYNTAXE (PARTIELLE) DE LA DECLARATION D'UN TYPE ENREGISTREMENT

Au sein d'une déclaration *type* ou *var*, la définition d'un type enregistrement peut se faire comme suit (nous verrons, au paragraphe 6 qu'il est également possible de généraliser cette syntaxe en lui adjoignant ce que l'on nomme une "partie variable" ou "variante") :

```
record
    liste_d_identificateurs_1 : description_de_type_1 ;
    liste_d_identificateurs_2 : description_de_type_2 ;
            .....
    liste_d_identificateurs_n : description_de_type_n
end
```

Le type enregistrement (sans variante)

Avec :

liste_d_identificateurs : un ou plusieurs identificateurs séparés par des virgules.

Notez que le mot *end* termine la description de l'enregistrement ; celle-ci est comparable au contenu d'une instruction *var* avec ses listes d'identificateurs et ses descriptions de types ; ces derniers pouvant être aussi bien des identificateurs de type que des descriptions effectives.

Jusqu'ici, nous avons vu qu'un même identificateur ne pouvait être défini qu'une seule fois. Le type enregistrement apporte en quelque sorte une exception (logique) à cette règle car il est possible de donner le même nom à des champs de deux types enregistrement différents ; en effet, dans un tel cas, Pascal est en mesure de lever l'ambiguïté grâce au "préfixe" (nom d'enregistrement) précédant ce nom de champ. Néanmoins, pour des raisons de clarté des programmes, il est conseillé de ne pas abuser de cette possibilité (laquelle peut, au demeurant, entraîner quelques ambiguïtés en cas d'utilisation d'instructions *with* multiples dont nous parlerons au paragraphe 4.

Aucun restriction n'est apportée à la nature des différents champs qui peuvent être, à leur tour, de type structuré, de sorte que l'on peut très bien définir des enregistrements comportant eux-mêmes des enregistrements ou des tableaux. Nous avions déjà fait une remarque analogue à propos des tableaux ; maintenant, vous voyez que l'on peut aussi définir des tableaux d'enregistrements. Examinons dès maintenant un exemple d'enregistrements d'enregistrements. Nous rencontrerons ultérieurement un exemple de tableaux d'enregistrements.

3 - EXEMPLES D'ENREGISTREMENTS
D'ENREGISTREMENTS

Supposons qu'à l'intérieur de nos enregistrements de type *personne*, nous ayons besoin d'introduire deux dates : la date d'embauche (*date_embauche*) et la date d'entrée dans le dernier poste occupé (*date_poste*) ; ces dates étant elles-mêmes formées de plusieurs champs :

jour_s (jour de la semaine)
jour (quantième du mois)
mois
annee.

Nous pourrions effectuer les déclarations suivantes :

```
type date = record
            jour_s : (lun, mar, mer, jeu, ven, sam, dim) ;
            jour :   1..31 ;
            mois :   1..12 ;
            annee :  0..99
        end ;

type personne = record
            nom           : string [30] ;
            prenom        : string [20] ;
            masculin      : boolean ;
            date_embauche : date ;
            date_poste    : date ;
            nb_enfants    : 0..50
        end ;

var employe, courant : personne ;
```

Voici quelques exemples de références à des champs de la variable *employe* :

employe.date_embauche.annee désigne l'année d'embauche de l'enregistrement *employe* (cette information est de type 0..99),

employe.date_embauche désigne la date d'embauche de l'enregistrement *employe* (il s'agit cette fois d'une information de type *date*)

L'instruction :

```
if employe.date_embauche.jour_s = lun
```

permet de tester si un employé a été embauché un lundi.

4 - L'INSTRUCTION WITH

4.1 Exemples

La manipulation globale d'enregistrements n'est possible que dans le cas d'affectations (et à condition que l'on manipule tous les champs en même temps). Supposons que l'on souhaite écrire les informations de l'enregistrement *employe*. Nous pourrions procéder ainsi (en supposant que c est de type *char*) :

```
writeln ('nom     : ', employe.nom) ;
writeln ('prenom  : ', employe.prenom) ;
if employe.masculin then c := 'M'
              else c := 'F' ;
writeln ('sexe : ', c, ' nbre enfants' , employe.nb_enfants) ;
```

En fait, l'instruction *with* nous permet de simplifier les choses :

```
with employe do begin
    writeln ('nom     : ', nom) ;
    writeln ('prenom  : ', prenom) ;
    if masculin then c := 'M'
              else c := 'F' ;
    writeln ('sexe : ', c, ' nbre enfants' , nb_enfants) ;
    end ;
```

Vous constatez que nous avons pu omettre le nom d'enregistrement à l'intérieur de :

```
with employe do begin
    .....
    end
```

L'instruction *with employe* demande en fait au compilateur de "préfixer" par *employe* tous les idenficateurs qui correspondent à un nom de champ de l'enregistrement *employe*. Sa portée est naturellement limitée à l'instruction (souvent composée) mentionnée à la suite du *do*. Bien entendu, un identificateur ne correspondant pas à un nom de champ de l'enregistrement *employe*, n'est pas affecté par cette instruction.

4.2 Imbrication des instructions with

Avec les déclarations des types *date* et *personne* et la variable *courant* du paragraphe précédent, nous pourrions écrire ces instructions utilisant deux *with* imbriqués :

```
with courant do
    begin
    nom := ...
    prenom := ...
```

```
with date_embauche do
   begin
   jour_s := ...
   jour := ...
   mois := ...
   annee := ...
   end ;
      ...
   end ;
```

On obtiendrait le même résultat avec :

```
with courant do
   with date_embauche do
   begin
   nom := ...
   prenom := ...
   jour_s := ...
   jour := ...
   mois := ...
   annee := ...
      ...
   end ;
```

En effet, les noms de champ appartenant à *date_embauche* (et seulement ceux-là) seront préfixés par *date_embauche*. Puis, les champs appartenant à *courant* (y compris ceux éventuellement préfixés par *date_embauche*) seront préfixés par *courant*.

Il faut cependant noter que ce mécanisme d'imbrication des *with* risque d'entraîner quelques ambiguïtés lorsque des noms de champ identiques sont définis au sein d'enregistrements différents. En fait, dans ce cas, Pascal, qui se trouve confronté à deux préfixes possibles pour un nom de champ, choisit celui qui a été cité en dernier (donc celui de niveau le plus imbriqué). Nous vous conseillons d'éviter ce genre de situation, bien compromettante pour la compréhension du programme.

Signalons enfin une troisième possibilité, équivalente aux deux précédentes :

```
with courant, date_embauche do
   begin
   nom := ...
   prenom := ...
   jour_s := ...
   jour := ...
   mois := ...
   annee := ...
      ...
   end ;
```

4.3 Syntaxe générale de l'instruction with

```
with liste_d_identificateurs do instruction
```

Avec : *liste_d_identificateurs* : un ou plusieurs identificateurs séparés par des virgules.

5 - EXEMPLE D'APPLICATION

```
program Exemple_utilisation_enregistrements ;
const nb_personnes = 10 ;
type personne = record
                    nom    : string[30] ;
                    prenom : string[20] ;
                    age    : 1..150
                end ;
var fichier : array [1..nb_personnes] of personne ;
    i, j    : integer ;
    tampon  : personne ;
begin
   { .......... entree des informations ............ }
   for i := 1 to nb_personnes do begin
      with fichier [i] do begin
         write ('nom    : ') ; readln (nom) ;
         write ('prenom : ') ; readln (prenom) ;
         write ('age    : ') ; readln (age) ;
      end ;
   end ;
   { .......... tri sur le nom ..................... }
   for i := 1 to nb_personnes -1 do
      for j := i+1 to nb_personnes do
         if fichier[i].nom > fichier[j].nom then begin
            tampon     := fichier[i] ;
            fichier[i] := fichier[j] ;
            fichier[j] := tampon
            end ;
   { .......... affichage informations triees ...... }
   writeln ; writeln ('**** informations triees ****') ;
   for i := 1 to nb_personnes do
      with fichier[i] do
         writeln (nom:35, prenom:25, age:5) ;
end.
```

Utilisation d'un tableau d'enregistrements

Ce programme lit au clavier les informations nom, prénom et âge, relatives à dix personnes et les affiche d'une façon ordonnée suivant le nom. Pour ce faire, nous plaçons tout d'abord ces informations dans un tableau formé de 10 éléments d'un type enregistrement nommé *personne*. Ensuite de quoi, nous effectuons un "tri" de ces différents enregistrements. Notez bien qu'une instruction telle que :

```
employe [i] := employe [j]
```

est en fait une affectation globale entre enregistrements de type *personne*.

Remarque :

En principe, la norme du Pascal interdit que, dans la portée d'une instruction *with*, on modifie toute variable apparaissant dans les préfixes mentionnés. Ainsi, dans notre exemple, il ne faut pas modifier la valeur de i à l'intérieur de *with fichier[i]*. Toutefois, Turbo Pascal ne détecte pas ce manquement à la règle ; les conséquences peuvent en être assez désastreuses (voyez la manipulation 1).

6 - LES ENREGISTREMENTS AVEC VARIANTES

6.1 Exemple

Supposez que, dans les enregistrements du type *personne*, définis dans le paragraphe 1, nous ayons besoin d'ajouter des informations relatives au "statut marital" de l'employé, en introduisant :

- son statut : marié, veuf, divorcé ou célibataire,

- suivant son statut :

    * s'il est marié ou veuf : la date de son (dernier) mariage,

    * s'il est divorcé : la date de son (dernier) mariage, la date de son divorce et une indication précisant s'il s'agit de son premier divorce,

    * s'il est célibataire : une indication spécifiant s'il a ou non un domicile indépendant.

Nous pourrions prévoir des champs supplémentaires correspondant à l'ensemble de toutes ces informations, quitte à ne remplir, pour chaque employé, que les champs correspondant à sont statut. En fait, Pascal nous autorise à tenir compte de la structure "variable" de notre enregistrement. Si nous supposons que le type *date* a été préalablement défini, notre nouveau type d'enregistrement pourrait être défini comme suit :

```
type statut_marital = (marie, veuf, divorce, celibataire) ;
    personne = record
                nom         : string [30] ;
                prenom      : string [20] ;
                masculin    : boolean ;
                nb_enfants  : 0..50 ;
                case statut : statut_marital of
                  marie, veuf : (date_mariage : date) ;
                  divorce     : (prem_divorce : boolean ; date_divorce : date) ;
                  celibataire : (domicile_ind : boolean)
              end ;
```

La partie introduite par *case* précise que, suivant la valeur d'un **champ discriminateur** (ou
"sélecteur") nommé *statut*, de type *statut_marital*, l'enregistrement sera considéré comme se
poursuivant par l'une des structures décrites entre parenthèses, en regard de chaque valeur
possible.

Le discriminateur fait partie de l'enregistrement. Si *employe* est, par exemple, une variable
de type *personne*, le champ discriminateur sera simplement noté *employe.statut*.

6.2 Limitations et risques d'erreurs

La partie variante doit toujours apparaître à la fin de la description de l'enregistrement.
Cependant, la "partie fixe" peut être inexistante. Il est très important de noter qu'un
enregistrement avec variante **n'est pas un enregistrement de taille variable**. En effet,
chaque enregistrement occupe un emplacement de taille fixe définie comme étant la taille
correspondant à la plus grande taille possible.

D'autre part, bien que chaque description de variante corresponde à des valeurs précises
du champ discriminateur, il n'y a en fait, aucun contrôle à ce propos. Ainsi, avec notre
exemple du paragraphe 6.1, il est possible d'accéder, par erreur, au champ
employe.prem_divorce alors que la valeur de *statut* est, par exemple, *marie* ou *celibataire*.
Bien entendu, dans de telles conditions, on risque fort de récupérer ainsi une valeur
parasite.

Remarque :

En fait, les différentes variantes peuvent être considérées comme différentes
descriptions d'une même zone mémoire[1]. Ainsi, dans notre exemple, *prem_divorce* et
domicile_ind désignent un même emplacement d'un octet. De même, *date_mariage* et
prem_divorce correspondent à la même adresse, mais à des tailles différentes (le type
date occupant plusieurs octets).

---

[1]. Nous retrouverons des choses comparables dans le chapitre XVI avec l'instruction absolue qui permettra de
décrire de plusieurs façons différentes une même zone (affectée à une variable).

6.3 La syntaxe générale de la déclaration d'un type enregistrement (avec variantes)

```
record
   liste_d_identificateurs_1 : description_de_type_1 ;
   liste_d_identificateurs_2 : description_de_type_2 ;
      .....
   liste_d_identificateurs_n : description_de_type_n ;
   case identificateur : identificateur_de_type of
      liste_de_valeurs_1 : (description_variante_1) ;
      liste_de_valeurs_2 : (description_variante_2) ;
      .....
      liste_de_valeurs_p : (description_variante_p)
   end
```

Le type enregistrement (avec variantes)

Avec :

liste_de_valeurs : une ou plusieurs valeurs séparées par des virgules, du type du champ discriminateur

description_variante : une description d'enregistrement avec ou sans variante, sans les mots *record* et *end*.

Notez bien que chaque variante peut, à son tour, comporter des variantes, à condition, là encore, qu'elles apparaissent après la partie fixe.

7 - INITIALISATION D'ENREGISTREMENT

Nous avons déjà vu comment initialiser des variables ou des tableaux en utilisant une forme particulière de la déclaration *const*, dite "constantes typées". Cette possibilité s'applique également aux enregistrements. Dans ce cas, on place entre parenthèses la liste des différentes valeurs formant l'enregistrement en faisant précéder chaque valeur du nom de champ correspondant, suivi de deux-points. En voici un exemple :

```
type date = record
                jour_s : (lun, mar, mer, jeu, ven, sam, dim) ;
                jour   : 1..31 ;
                mois   : 1..12 ;
                annee  : 0..99
             end ;
const prem_jour = (jour_s : lun ; jour : 10 ; mois : 3 ; annee : 93) ;
```

Notez que les champs doivent apparaître dans le même ordre que dans la déclaration de type correspondante et aucun d'entre eux ne peut être omis.

Il est possible d'initialiser de cette manière des enregistrements avec variantes. De même, il est possible que certaines des valeurs ainsi spécifiées soient elles-mêmes des constantes de type structuré (tableau ou enregistrement).

EXERCICES

1) Ecrire la ou les déclarations permettant de décrire une fiche d'un répertoire comportant :

- nom,

- prénom,

- numéro de téléphone formé de :

  * indicatif Paris/Province (booléen),
  * numéro à 8 chiffres,

- adresse comportant :

  * numéro,
  * type de voie (rue, avenue, impasse, boulevard...)
  * nom de la voie,
  * code postal se décomposant en numéro de département (2 chiffres) et numéro dans le département (3 chiffres).

2) Soient les déclarations suivantes :

```
type bloc = record
               n : integer ;
               c : char ;
               x : real
            end ;
var a : bloc ;
    i : integer ;
    z : real ;
```

Ecrire, sans *with*, les instructions suivantes :

```
with a do begin
        i := 5 ;
        c := 'a' ;
        z := n + x ;
        read (n)
        end
```

MANIPULATIONS

1) Dans le programme du paragraphe 5, ajoutez, dans la partie saisie des informations, une instruction modifiant la valeur de i, comme suit :

```
write ('nom    :') ; readln (nom) ;
write ('prenom :') ; readln (prenom) ;
i := 4 ;
```

Voyez comment Turbo Pascal ne décèle aucune erreur de compilation. Voyez le résultat obtenu à l'exécution...

2) Voyez comment il est possible d'omettre certaines valeurs possibles du champ discriminateur dans la description des différentes variantes d'un enregistrement.

3) Voyez comment il est possible d'accéder (avec plus ou moins de bonheur) aux différentes variantes d'un enregistrement, et ceci quelque soit la valeur du champ discriminateur.

XV. LES TYPES FICHIER

Les types de données étudiés jusqu'ici, servaient à décrire des informations situées en mémoire centrale. Comme son nom le laisse supposer, le type fichier va permettre de manipuler (créer ou utiliser) des informations situées sur un "support externe" tel que le disque ou la disquette[1].

Dans ce cas, l'ensemble des informations contenues dans un fichier n'est pas, à un instant donné, intégralement présent en mémoire. En fait, le fichier lui-même est constitué d'une suite de blocs d'informations de même structure, nommés "composants" ou "enregistrements"[2]. L'accès au fichier se fait par l'intermédiaire d'une zone mémoire qui, à un instant donné, contient un tel composant (soit en provenance du fichier, soit à destination du fichier). En quelque sorte, tout se passe comme si on ne disposait en mémoire centrale que d'une "fenêtre" sur un composant quelconque du fichier.

Les composants d'un fichier peuvent être de type quelconque, scalaire ou structuré. L'accès à ces différents composants peu être soit **séquentiel** (la fenêtre se déplaçant d'un composant au suivant), soit **direct** (la fenêtre pouvant alors être placée sur un composant quelconque). Notez que[3] cette notion d'accès est indépendante du fichier lui-même ; autrement dit, un même fichier pourra indifféremment être consulté de manière séquentielle ou de manière directe ; nous verrons d'ailleurs que les instructions utilisées seront les mêmes dans les deux cas, à l'exception de celles qui agissent sur le déplacement de la fenêtre.

Enfin, il existe un cas particulier de fichier : le type **texte** ; si, en principe, ses composants sont réduits à des caractères, l'utilisation de certains caractères particuliers permet de lui conférer une structure de *lignes* de longueur variable.

---

[1]. Nous verrons également que des "périphériques" tels que clavier, écran, imprimante... peuvent aussi être considérés comme des fichiers particuliers.

[2]. Le mot enregistrement est fréquemment utilisé. Toutefois, comme en Pascal, ce terme désigne également un type, nous continuerons à parler des composants d'un fichier.

[3]. En Turbo Pascal dans l'environnement PC.

1 - L'ACCES SEQUENTIEL

1.1 Création séquentielle d'un fichier

Voici un programme qui crée un fichier "répertoire" (très simplifié) dans lequel chaque composant contient, pour chaque personne figurant au fichier, un **nom** et un **numéro de téléphone**. Ces informations sont fournies au clavier ; le nombre de personnes n'est pas connu à l'avance ; il est simplement convenu que l'utilisateur fournira un "nom vide" pour signaler qu'il n'a plus d'informations à entrer.

```
program Creation_sequentielle_fichier_repertoire ;
type personne = record
                  nom : string [20] ;
                  telephone : string [11] ;
                end ;
var repertoire : file of personne ;
    individu   : personne ;

begin
    assign (repertoire, 'c:\bases\repert.dat' ) ;
    rewrite (repertoire) ;
    with individu do begin
        repeat
            write ('nom      : ') ; readln (nom) ;
            write ('telephone : ') ; readln (telephone) ;
            if length(nom) <> 0 then
                    write (repertoire, individu) ;
        until length(nom) = 0 ;
        end ;
    close (repertoire) ;
end.
```

```
nom       : dubois
telephone : 86554830
nom       : jolibois
telephone : 75472512
nom       : dutronc
telephone : 38456789
nom       : desbois
telephone : 47751515
nom       :
telephone :
```

Création séquentielle d'un fichier répertoire (simplifié)

Voyez tout d'abord la déclaration :

```
var repertoire : file of personne ;
```

Elle précise que la variable *repertoire* est un "fichier" (*file*) dont les composants sont du type *personne*. L'identificateur *repertoire* servira à désigner le fichier dans la suite du programme ; mais il faut bien voir qu'un tel identificateur n'a de signification qu'au sein du programme.

Or, bien entendu, le fichier que l'on va ainsi créer continuera à exister, indépendamment du programme lui-même ; notamment, comme tout fichier, il possèdera un nom de la forme **u:nomfich.ext** (nom d'unité avec un éventuel "chemin", nom de fichier de 1 à 8 caractères et extension de 0 à 3 caractères). Ce nom est spécifié par l'instruction :

```
assign (repertoire, 'c:\bases\repert.dat' ) ;
```

Celle-ci établit, en quelque sorte, une correspondance entre l'identificateur "interne" du fichier et son "nom externe (ici, *c:\bases\repert.dat*). Notez que ce nom externe est fourni ici sous forme d'une *constante chaîne* ; mais on pourrait également utiliser une variable de type chaîne (son contenu pourrait alors être lu en donnée).

L'instruction :

```
rewrite (repertoire)
```

est ce que l'on nomme une **ouverture de fichier** en écriture. Si le fichier *c:\bases\repert.dat* existe déjà, son ancien contenu deviendra inaccessible. S'il n'existe pas encore, il sera simplement créé (pour l'instant, il sera vide).

La création proprement dite du fichier est réalisée par la répétition de l'instruction :

```
write (repertoire, individu)
```

Celle-ci écrit, dans le fichier repéré par *repertoire*, le contenu de l'enregistrement *individu*, ce qui constitue ainsi un composant du fichier. Notez bien qu'une telle instruction nécessite que la variable mentionnée (ici *individu*) soit du type déclaré comme étant celui des composants du fichier *repertoire* (dans *file of personne*), donc du type *personne*.

Enfin l'instruction :

```
close (repertoire)
```

est une instruction dite "de fermeture" de fichier. A partir de là, le fichier devient inaccessible.

1.2 Liste séquentielle d'un fichier

Le programme suivant permet simplement d'afficher à l'écran le contenu du fichier précédemment créé :

```
program Lecture_sequentielle_fichier_repertoire ;
type personne = record
                   nom : string [20] ;
                   telephone : string [11] ;
                end ;
var repertoire : file of personne ;
    individu   : personne ;

begin
    assign (repertoire, 'c:\bases\repert.dat' ) ;
    reset (repertoire) ;
    writeln ('NOM     ':25, 'TELEPHONE ':15) ;
    while not eof (repertoire) do
        begin
        read (repertoire, individu) ;
        with individu do
            writeln ( nom:25, telephone:15) ;
        end ;
    close (repertoire) ;
end.
```

NOM	TELEPHONE
dubois	86554830
jolibois	75472512
dutronc	38456789
dunoyer	96383712
desbois	47751515

Liste séquentielle d'un fichier répertoire

Les déclarations, y compris celles relatives au fichier, sont identiques à celles du programme précédent. Il en va de même de l'instruction *assign*. En revanche, cette fois l'ouverture est réalisée par :

```
reset (repertoire)
```

Contrairement à *rewrite*, cette instruction "ouvre le fichier en lecture" ; autrement dit, elle place la fenêtre sur le premier composant du fichier. Notez que, cette fois, le fichier doit effectivement exister, sans quoi une erreur d'exécution se produit.

La lecture dans le fichier se fait d'une manière analogue à l'écriture, c'est-à-dire composant par composant, par l'instruction :

```
read (repertoire, individu)
```

La détection de fin de fichier est assurée par la fonction *eof*. L'expression :

```
eof (repertoire)
```

prend la valeur vrai lorsque la fin du fichier *repertoire a été atteinte,* c'est-à-dire plus précisément si l'une des conditions suivantes est vraie :

- le dernier enregistrement du fichier a été pris en compte par *read,*

- *reset* a été réalisé sur un fichier vide[4].

Notez bien que tout se passe comme si *eof* fonctionnait "par anticipation". On s'aperçoit qu'on est en fin de fichier, non pas lorsque l'on cherche à lire un enregistrement inexistant, mais bien lorsque l'on a lu le dernier.

1.3 Recherche séquentielle

Voici un programme (accompagné de deux exemples d'exécution) qui recherche, dans notre fichier, le numéro de téléphone d'une personne dont on lui fournit le nom en donnée. Pour ce faire, il explore "séquentiellement" chacun des composants du fichier jusqu'à ce qu'il ait trouvé le nom recherché ou atteint la fin du fichier.

```
program Recherche_sequentielle_abonne ;

type personne = record
                    nom : string [20] ;
                    telephone : string [11] ;
                end ;
var repertoire : file of personne ;
    individu    : personne ;
    nom_cherche : string [20] ;
    trouve      : boolean ;

begin
    assign (repertoire, 'c:\bases\repert.dat' ) ;
    reset (repertoire) ;
    write (' nom recherché : ') ;
    readln (nom_cherche) ;
    trouve := false ;
```

---

[4]. Cette deuxième condition, jointe à l'utilisation d'une boucle do while permet à notre programme de fonctionner convenablement en cas de fichier vide.

```
while not eof (repertoire) and not trouve do
    begin
    read (repertoire, individu) ;
    with individu do
        begin
        if nom = nom_cherche then
                begin
                trouve := true ;
                writeln (nom, ' a pour telephone ', telephone) ;
                end ;
        end ;
    if not trouve then writeln ('ce nom ne figure pas au fichier') ;
    close (repertoire) ;
end.
```

```
nom recherché : jolibois
jolibois a pour telephone 75472512
```

```
nom recherché : durand
ce nom ne figure pas au fichier
```

Recherche séquentielle

Remarques :

1) L'instruction *close* ferme un fichier, mais ne détruit pas le lien établi par *assign*. Il est ainsi possible, après avoir créé un fichier, de le fermer par *close* puis de l'ouvrir à nouveau par *reset* pour le lister ou le consulter.

2) Dans nos exemples, les composants du fichier étaient de type enregistrement (*record*). Mais, d'une manière générale, Pascal accepte des composants de n'importe quel type structuré (tableau, tableau d'enregistrement[5]...) ou même scalaire (réel, entier, caractère[6]...). Cela montre bien à quel point, en Pascal, les notions de fichier et d'enregistrement sont fortement dissociées.

2 - L'ACCES DIRECT

Nous venons de voir comment créer ou explorer séquentiellement un fichier à l'aide des instructions (procédures) *write* et *read*. En fait, nous allons voir qu'il est possible de faire opérer ces mêmes instructions sur un composant quelconque et réaliser ainsi un véritable

---

[5]. Pour peu qu'il ne comporte pas de type énumération...

[6]. Mais, il ne peut toutefois pas s'agir d'un type énumération.

accès direct. Il suffit pour cela de commander le déplacement de la "fenêtre" en agissant sur ce que l'on nomme le "pointeur de fichier" à l'aide de la procédure *seek*.

Tout d'abord, nous vous proposons de voir comment accéder par *read* à un composant quelconque d'un fichier existant ; cela nous permettra de mieux introduire cette notion de pointeur et de la généraliser à l'instruction *write*.

2.1 Accès direct en lecture sur un fichier existant

Ce programme affiche le contenu d'un composant quelconque du fichier *repert.dat*, à partir de son numéro fourni en donnée :

```
program Acces_direct_en_lecture ;
type personne = record
                    nom : string [20] ;
                    telephone : string [11] ;
               end ;
var repertoire : file of personne ;
    individu   : personne ;
    num_comp   : integer ;

begin
    assign (repertoire, 'c:\bases\repert.dat' ) ;
    reset (repertoire) ;
    write ('donnez le numero de composant : ') ;
    readln (num_comp) ;
    seek (repertoire, num_comp) ;
    read (repertoire, individu) ;
    writeln ('----- composant numero ', num_comp );
    with individu do
       writeln (' NOM : ', nom, ' TELEPHONE : ', telephone) ;
    close (repertoire) ;
end.
```

```
donnez le numero de composant : 3
----- composant numero 3
 NOM : dunoyer  TELEPHONE : 96383712
```

Accès direct en lecture

La seule instruction nouvelle est :

```
seek (repertoire, num_comp) ;
```

Grâce à elle, l'instruction *read* qui est exécutée ultérieurement, accède, non pas au premier composant du fichier, mais à celui dont le numéro d'ordre lui a été préalablement fourni par la variable *num_comp*. Notez que, par convention, les composants d'un fichier sont **numérotés à partir de 0** (et non de 1).

2.2 Le pointeur de fichier

Lorsque nous utilisions les instructions *read* et *write* en mode séquentiel (donc sans *seek*), nous n'avions guère à nous préoccuper de la manière exacte dont elles se déroulaient (sauf, peut-être, pour la fonction *eof*). En revanche, lorsque l'on aborde les possibilités d'accès direct, il est nécessaire d'approfondir quelque peu le mécanisme de ces instructions.

En toute rigueur, celles-ci peuvent agir à la fois sur le contenu de la fenêtre (image d'un composant en mémoire) et sur celui du fichier lui-même. Par exemple, *read* prend le contenu de la fenêtre (pour l'affecter à la variable mentionnée) puis y recopie le composant suivant du fichier[7]. Dans ces conditions, il est généralement plus simple d'ignorer l'existence de cette fenêtre et de faire intervenir un "pointeur" désignant en quelque sorte le "composant courant" du fichier (c'est-à-dire celui qui sera pris en compte lors d'une prochaine instruction *read* ou *write*). Avec cette nouvelle notion, nous pouvons définir le rôle de *read* et de *reset* :

reset place le pointeur sur le premier composant (numéro 0) du fichier (qui doit exister). Si le fichier ne comporte aucun enregistrement, *eof* prend la valeur vrai.

read prend le composant désigné par le pointeur et avance le pointeur sur le composant suivant (s'il pointe en dehors du fichier, *eof* prend la valeur vrai).

De manière analogue, et en comprenant bien que le pointeur désigne alors un emplacement du fichier qui peut ne pas avoir encore été rempli, nous pouvons dire que :

rewrite crée un nouveau fichier et place le pointeur sur le premier composant (numéro 0), lequel n'existe pas encore. *Eof* a la valeur vrai (ceci a peu d'intérêt en pratique).

write écrit à l'emplacement désigné par le pointeur et avance le pointeur à la position suivante, laquelle peut faire partie ou non du fichier. Si le pointeur pointe en dehors du fichier, *eof* prend la valeur vrai.

Notez bien que lors de la création séquentielle d'un fichier, le pointeur ne cesse de désigner un composant non encore créé : il pointe toujours en dehors du fichier (et *eof* est toujours vrai). En revanche, à partir du moment où l'on agit sur le pointeur par *seek*, tous les cas de figure peuvent se présenter ; nous en rencontrerons quelques exemples.

---

[7]. On a bien affaire à un mécanisme d'anticipation.

2.3 Les possibilités de l'accès direct

L'accès direct permet, outre les possibilités de *consultation immédiate* à partir du numéro de composant, de faciliter et d'accélérer toutes les fonctions de "mise à jour" de fichier, à savoir : **correction** ou **modification** de composants, **ajout** de nouveaux composants, **suppression** de composants.

Modification de composants

Voici un programme simple permettant d'effectuer des corrections sur le fichier *repert* précédemment créé.

```
program Correction_en_Acces_direct ;
type personne = record
                    nom : string [20] ;
                    telephone : string [11] ;
                end ;

var repertoire : file of personne ;
    individu   : personne ;
    num_comp   : integer ;

begin
    assign (repertoire, 'b:repert.dat' ) ;
    reset (repertoire) ;
    repeat
       write ('donnez le numéro du composant à corriger : ') ;
       readln (num_comp)
    until num_comp <= FileSize(repertoire) ;
    seek (repertoire, num_comp) ;
    read (repertoire, individu) ;
    with individu do
        begin
        writeln ('ancien nom  : ', nom) ;
        write   ('nouveau nom : ') ;
        readln  (nom) ;
        writeln ('ancien téléphone  : ', telephone) ;
        write   ('nouveau téléphone : ') ;
        readln  (telephone) ;
        seek  (repertoire, num_comp) ;
        write (repertoire, individu) ;
        end ;
    close (repertoire) ;
end.
```

```
donnez le numéro du composant à corriger : 2
ancien nom   : dutronc
nouveau nom : Dutronc
ancien téléphone   : 38456789
nouveau téléphone : 38456788
```

Modification d'un fichier en accès direct

Pour éviter que le programme ne cherche à accéder à un composant inexistant[8] (car de rang supérieur au nombre de composants du fichier), nous avons été amenés à utiliser la fonction *FileSize* qui fournit le nombre de composants d'un fichier. Notez bien qu'étant donné que le premier composant porte le numéro 0, le dernier porte le numéro *FileSize(repert)-1*.

En pratique, pour être exploitable, un tel programme devrait permettre la modification de plusieurs composants et ne pas obliger l'utilisateur à refrapper une information qu'il ne souhaite pas modifier.

Extension de fichier

Il est assez facile d'ajouter des composants à la suite d'un fichier existant. Par exemple, pour étendre notre fichier *repert* précédent, il nous suffit :

- de l'ouvrir par *reset* (et non par *rewrite*, car le fichier serait détruit !),

- de placer le pointeur en fin de fichier par :

```
seek (repertoire, FileSize (repertoire) )
```

- d'écrire consécutivement les composants à ajouter par :

```
write (repertoire, individu)
```

Notez qu'ici, nous avons été amenés à "mélanger" accès direct (lors du premier positionnement du pointeur) et accès séquentiel (lors de l'écriture des nouveaux composants).

Suppression de composants

Si l'on souhaite supprimer un composant quelconque du fichier, sans qu'il continue à occuper de la place, il est nécessaire de "retasser" le fichier. Cela impose :

---

[8]. Ce qui produirait une erreur d'exécution.

- Soit de créer un nouveau fichier dans lequel on recopie l'ancien, exception faite du composant concerné. L'accès direct est alors inutile dans ce cas.

- Soit de déplacer d'une position, tous les composants situés après celui à supprimer. L'accès direct est alors utilisable mais la méthode est lourde.

De toute façon, ces méthodes ont l'inconvénient d'être lentes et, de surcroît, de modifier les numéros des composants. Il est généralement préférable d'accepter qu'un composant inexistant continue d'occuper "physiquement" une place dans le fichier. Encore faut-il pouvoir *identifier* ces composants inexistants. Plusieurs techniques existent ; citons :

- l'écriture, dans le composant lui-même, d'une valeur spéciale (par exemple 'ZZZ' dans le champ *nom*),

- la gestion d'une table des composants inexistants, table qui doit alors être de préférence conservée dans le fichier lui-même.

D'une manière générale

L'accès direct offre d'autres possibilités que celles de mise à jour, telles que nous venons de les évoquer.

Tout d'abord, il permet de **créer** les composants d'un fichier dans **un ordre quelconque.** Dans ces conditions, on retrouve le problème évoqué précédemment à propos du repérage des composants non encore créés. En effet, si l'on ne prend pas de précautions et que l'on cherche à "lire" un composant qui n'a pas reçu de valeur, on obtiendra en fait un contenu aléatoire[9].

D'autre part, l'accès direct semble n'avoir d'intérêt que lorsque l'on est en mesure de fournir le numéro du composant cherché. Ce n'est pas toujours possible ; ainsi, dans le cas d'un véritable fichier répertoire, on cherchera à accéder à une personne par son nom plutôt que par son numéro d'ordre dans le fichier. Cela semble imposer une recherche séquentielle. En fait, il est possible de créer ce que l'on nomme un **index** (établissant ici la correspondance entre nom et numéro de composant). Cet index peut être situé en mémoire et sa consultation peut donc être rapide. L'accès au composant correspondant peut alors, ensuite, être réalisé d'une manière directe.

Nous n'en dirons pas plus sur ces méthodes spécifiques de gestion de fichiers qui sortent du cadre de cet ouvrage.

---

[9]. Du moins, lorsque son numéro est inférieur à celui du dernier composant. En effet, lorsque vous écrivez un composant situé au-delà de la limite courante du fichier, Turbo Pascal alloue dynamiquement de l'espace disque pour tous les composants situés entre l'ancien dernier et le nouveau créé. Mais, il n'y place pas de valeurs particulières, de sorte que celles-ci sont quasiment aléatoires.

2.4 Lorsque l'on souhaite traiter de très gros fichiers

Nous avons vu que la procédure standard *seek*, possédait un second argument de type entier et que, de même, la fonction *FileSize* restituait un résultat entier. Cela semble impliquer que les fichiers "examinés" avec ces fonctions ne peuvent pas posséder plus de 32 767 composants. En fait, le second argument de la procédure *seek* ainsi que le résultat de *FileSize* sont, non pas de type *integer*, mais de type *longint*. Celui-ci, comme nous le verrons dans le chapitre XXI, offre un domaine beaucoup plus étendu (supérieur à 1.10^9).

Dans ces conditions, vous pouvez vous demander pourquoi le programme du paragraphe précédent, fonctionne normalement, bien que nous n'ayons pas tenu compte de cette particularité. En fait, nous verrons que ceci est dû aux possibilités de "conversions automatiques" de types offertes par Turbo Pascal. Bien entendu, si nous souhaitions que notre programme puisse travailler avec des fichiers de plus de 32 767 composants, il faudrait attribuer à la variable *num_comp* le type *longint*.

2.5 Syntaxe générale des "instructions" read et write

D'une manière générale, lorsqu'elles s'appliquent à des fichiers déclarés sous la forme **file of**[10], ces instructions (procédures) respectent la syntaxe suivante :

```
read ( identificateur_fichier , liste_de_variables )
```

L'instruction read pour un fichier (file of...)

Avec :

liste_de_variables : une variable[11] ou plusieurs variables séparées par des virgules, du type défini dans la déclaration du fichier.

```
write ( identificateur_fichier , liste_d_expressions )
```

L'instruction write pour un fichier (file of...)

Avec :

liste_d_expressions : une expression ou plusieurs expressions séparées par des virgules, du type défini dans la déclaration du fichier.

---

[10]. Ce qui exclut donc les fichiers de type texte et les fichiers sans type que nous étudions un peu plus loin.

[11]. N'oubliez pas que le terme variable désigne aussi bien un identificateur qu'une "référence" à un objet quelconque (élément d'un tableau, champ d'un enregistrement, pointeur.).

Remarque :

Par rapport à nos exemples, vous voyez que cette syntaxe vous autorise à regrouper dans une seule instruction, la lecture ou l'écriture de plusieurs composants.

2.6 L'organisation des informations sur disque

Qu'il s'agisse d'un disque dur ou d'une disquette, les informations y sont rangées suivant des cercles concentriques nommés "pistes" ; chaque piste est découpée en un nombre donné de secteurs de taille fixe. L'accès à l'information est réalisé par l'intermédiaire d'une tête de lecture/écriture qui, grâce à un mouvement de translation, peut accéder à une piste quelconque du disque en rotation.

Physiquement parlant, les échanges d'informations se font toujours par "secteurs complets" et il sont gérés par le système d'exploitation qui possède pour ce faire ses propres tampons (en anglais "buffers") ; ceux-ci sont donc toujours l'image d'un nombre entier de secteurs. Turbo Pascal, quant à lui, dispose d'un tampon correspondant à ce que nous avons appelé la "fenêtre" associée au fichier.

Dans ces conditions, vous voyez que ce que l'on nomme accès direct (sous-entendu à un composant donné) consiste en fait, à un accès direct au(x) secteur(s)[12] contenant le dit composant. Le numéro du secteur concerné est en fait "calculé" à partir du numéro de composant et de la taille des différents composants (laquelle doit obligatoirement être fixe).

3 - LES FICHIERS DE TYPE TEXTE

3.1 Ce qu'est un fichier de type texte

D'une manière générale, indépendamment de Pascal, beaucoup de fichiers sont dits de type texte. Ce sont tous ceux que vous pouvez manipuler avec un "éditeur" ou avec certains traitements de texte[13] ou, encore, tout simplement, lister à l'aide des commandes TYPE ou PRINT du système DOS.

---

[12]. On rencontre parfois les termes d'enregistrements logiques et physiques. Les enregistrements logiques correspondent aux "véritables composants" du fichier, tels qu'ils intéressent finalement l'utilisateur. Les enregistrements physiques correspondent aux blocs d'informations tels qu'ils sont réellement échangés entre la mémoire et le disque (donc ici les secteurs).

[13]. Nous disons certains seulement, dans la mesure où, dès lors qu'un texte contient des informations de mise en page ou de stylisation, il ne s'agit généralement plus d'un vrai fichier de type texte tel que nous allons l'étudier ici.

Dans de tels fichiers, chaque octet représente un caractère codé en ASCII[14]. Quant à la présentation sous forme de "ligne", celle-ci est obtenue grâce à la présence dans le fichier des caractères (de contrôle) :

- retour chariot (noté souvent CR), de code ASCII 13,

- saut de ligne (noté souvent LF), de code ASCII 10.

Ces deux caractères, "affichés" ou "imprimés" consécutivement, provoquent effectivement un retour en début de ligne, suivi d'un saut de ligne, ce qui, globalement, correspond bien à un passage à la ligne suivante.

En définitive, un fichier de type texte apparaît comme un cas particulier de

file of char

dans lequel des groupes de caractères CR/LF[15] permettent une structuration en lignes.

A priori, il serait tout à fait possible de créer ou de lire de tels fichiers, en les déclarant sous la forme *file of char* ; il faudrait toutefois prendre convenablement en compte la gestion des "CR/LF". Mais il existe en Pascal un type de fichier prédéfini désigné par le mot **text**. Celui-ci permet, au-delà de cet aspect fichier de caractères, de prendre en compte la structure de ligne et, de surcroît, **d'utiliser les procédures read et readln** d'une manière aussi souple que lors de la lecture au clavier ou de l'affichage à l'écran. Ce dernier point confère au type *text* des propriétés qu'il serait difficile de mettre en oeuvre sur un simple fichier de caractères.

3.1 Liste d'un fichier de type texte

Voici un programme qui utilise le type *text* pour afficher à l'écran le contenu d'un fichier texte quelconque. Notez que son exécution fournit en fait, le même résultat que la commande TYPE du DOS.

```
program Liste_fichier_texte ;
var entree  : text ;
    ligne   : string [80] ;
    nomfich : string [30] ;
```

---

[14]. Bien entendu, tout fichier, au bout du compte, est constitué d'une suite d'octets, de sorte qu'on peut toujours le considérer comme une suite de caratères et en "afficher" le contenu. Toutefois, le résultat obtenu n'a généralement guère de signification, à partir du moment où l'information y a été codée autrement que sous forme de caractères. Pour vous en convaincre, il suffit de voir ce que provoque l'affichage par TYPE d'un fichier quelconque.

[15]. Ces deux caractères apparaissent de manière consécutive dans les fichiers texte. En revanche, rien n'empêcherait, par exemple, de créer en Pascal un fichier de caractères contenant isolément des CR ou des LF. Sa liste serait simplement "moins ordonnée" ; en particulier, chaque CR isolé provoquerait un retour en début de ligne, sans changement de ligne, donc une "surimpression" ; chaque LF isolé provoquerait un changement de ligne, sans retour au début, donc un "décalage".

```
begin
    write ('nom fichier a lister : ') ;
    readln (nomfich) ;
    assign (entree, nomfich) ;
    reset (entree) ;
    while not eof (entree) do
        begin
        readln (entree, ligne) ;
        writeln (ligne)
        end ;
    close (entree)
end.
```

Liste d'un fichier de type texte

La déclaration

```
var entree : text
```

précise que *entree* est un fichier de type *text*. Contrairement aux autres déclarations de fichiers, celle-ci ne contient plus le mot *file* (il est, en quelque sorte, sous-entendu dans *text*). Les instructions *assign* et *reset* sont classiques. Notez que le nom de fichier est fourni en donnée et stocké dans la chaîne nommée *nomfich*[16]. Tant que l'on n'est pas arrivé en fin de fichier, on répète simplement les instructions :

```
readln (entree, ligne) ;
writeln (ligne)
```

Vous pouvez déjà remarquer que :

- Nous avons pu utiliser *readln*, chose qui n'aurait pas de sens pour un fichier autre qu'un fichier de type *text*. Nous reviendrons en détail sur le comportement de cette instruction. Pour l'instant, disons qu'elle lit dans le fichier des caractères jusqu'à ce qu'elle rencontre une fin de ligne (couple CR/LF).

- Nous avons mentionné, toujours dans cette instruction *read*, une variable de type chaîne. Si nous avions considéré notre fichier comme *file of char*, cela n'aurait pas été possible puisque les seules variables autorisées auraient été celles de type *char* (correspondant au type du composant du fichier !). Comme nous allons le voir, l'instruction *read* peut accepter n'importe quel type autorisé pour les instructions de lecture au clavier.

---

[16]. Attention, si le nom complet dépasse les 30 caractères prévus, il y aura débordement de tableau non détecté puisque l'option R + n'a pas été utilisée.

3.3 Les instructions read et readln

Notre exemple s'est limité, d'une part à *readln*, d'autre part à la lecture d'informations du seul type chaîne. Or, d'une manière générale, les procédures *read* et *readln* vont nous permettre, comme pour la lecture au clavier, de lire dans un fichier texte des informations de type entier, réel, caractère ou chaîne. De plus, une fonction booléenne *eoln* va nous permettre de "gérer" la structure de ligne.

Les règles que nous avons données à propos de la lecture au clavier, se transposent à la lecture des fichiers texte. Nous allons toutefois les rappeler ici, en insistant un peu plus sur la notion de caractère séparateur et sur la structure de la fin de ligne, points plus importants pour la lecture dans un fichier texte que pour la lecture au clavier.

Rappelons tout d'abord que la structure de ligne est obtenue par la présence de **deux caractères CR et LF consécutifs (dans cet ordre)**. D'autre part, la fin de fichier est, en principe, indiquée, elle aussi, par un caractère spécial : CTRL-Z (code ASCII 26)[17].

Par ailleurs, pour décrire le fonctionnement de nos procédures, nous allons, comme dans le cas de la lecture au clavier, faire intervenir un *"pointeur sur un caractère courant"*. Toutefois, dans le cas de la lecture au clavier, nous avions fait intervenir un pointeur au sein d'un tampon (qui était en fait l'image d'une ligne frappée au clavier). En toute rigueur, ici aussi, il y a utilisation d'un tampon (ou "buffer")[18] en vue d'optimiser les temps d'échange d'informations avec le disque. Néanmoins, pour ce qui nous préoccupe ici, nous pouvons ignorer son existence et nous contenter de parler d'un pointeur désignant un **caractère courant du fichier**. Voici comment agissent les procédures *read* et *readln* suivant le type des variables qu'on leur demande de lire.

char : le caractère courant est affecté à la variable et le pointeur est avancé d'un caractère.

numérique (*integer* ou *real*) : tant que le caractère courant est un espace, un CR, un LF ou une tabulation[19], le pointeur est avancé d'un caractère. Puis, il y a prise en compte des caractères qui suivent[20] jusqu'à rencontre d'un espace, d'un CR, d'une tabulation ou de la fin du fichier[21]. Le pointeur reste sur ce caractère qui a servi de délimiteur.

chaîne (*string* ou *array of char*) : il y a prise en compte d'un nombre de caractères égal à la longueur de la chaîne, sauf si l'on rencontre un CR ou une fin de fichier.

---

[17]. Bien sûr, ceci n'est vrai que pour les fichiers texte (la notion de caractère n'aurait pas réellement de sens pour les autres). Si un tel caractère (CTRL-Z) n'existe pas, le fichier se terminera sur le dernier caractère du dernier secteur (on risque d'y trouver quelques caractères parasites !).

[18]. En toute logique, les composants d'un fichier de type texte sont des caractères, de sorte que l'"enregistrement logique" est, en principe, constitué d'un seul caractère. Néanmoins, Turbo Pascal utilise un tampon (de 128 ou 256 caractères). Cette taille peut d'ailleurs être modifiée en cas de nécessité, en faisant appel à la fonction SetTextBuf.

[19]. Il s'agit du caractère de code ASCII 9, noté CTRL-I, correspondant à la touche TAB.

[20]. Avec un maximum de 30 caractères.

[21]. Caractère CTRL-Z ou fin "physique" du fichier.

En outre, après avoir lu les valeurs requises, la procédure *readln* "ignore" la fin de la ligne courante, en avançant le pointeur sur le premier caractère suivant le prochain couple CR/LF.

Exemple

Supposez qu'un fichier de type texte (créé par exemple avec l'éditeur du Turbo Pascal) contienne ces deux lignes (terminées par CR/LF) :

```
123^@456
789
```

Si *entree* désigne le nom interne associé à ce fichier (par *reset*) et si n, p, q sont des variables entières, voici quelques exemples de suites d'instructions de lecture et de leur effet :

```
read (entree, n) ;          n = 123
read (entree, p) ;          p = 456
read (entree, q) ;          q = 789

read (entree, n, p, q) ;    n = 123, p = 456, q = 789

readln (entree, n) ;        n = 123
read (entree, p) ;          p = 789
```

3.4 Les fonctions eof et eoln

Nous avons déjà vu l'emploi de *eof*. Quant à *eoln* (abréviation de *end of line*), elle permet de déterminer si le pointeur est ou non en "fin de ligne". Voici plus précisément ce que fournissent ces deux fonctions auxquelles on fournit en argument, le nom interne d'un fichier déclaré de type *text* :

eof prend la valeur vrai, si le caractère courant est CTRL-Z ou si la fin physique du fichier a été atteinte,

eoln prend la valeur vrai soit si le caractère courant est CR, soit si *eof* a la valeur vrai.

Remarque :

La fonction *eoln* a un aspect relativement "fugitif". Elle ne prend la valeur vrai que lorsque le pointeur désigne un CR. En particulier, lorsqu'il désigne un LF, *eoln* a la valeur faux. Il en va de même après une lecture par *readln* puisqu'alors, le pointeur désigne le premier caractère de la ligne suivante.

3.5 Les procédures write et writeln

Nous avons utilisé jusqu'ici des fichiers texte supposés déjà créés (par exemple par un éditeur). Mais, bien entendu, Pascal permet de créer de tels fichiers par programme, à l'aide des procédures *write* et *writeln*. Leur comportement est analogue à celui décrit pour l'affichage à l'écran, à savoir :

    - *writeln* ajoute le couple CR/LF à la fin de l'écriture,

    - ces deux procédures acceptent des "indications de formatage" (gabarit et précision).

3.6 Syntaxe générale des instructions d'entrées-sorties appliquées à des fichiers de type texte

Elle est analogue à celle décrite dans les paragraphes 4 et 7 du chapitre VI pour les instructions de lecture au clavier et d'affichage à l'écran. Il faut simplement y introduire l'identificateur du fichier concerné.

4 - LES FICHIERS SANS TYPE

Jusqu'ici, nous avons été amené à préciser le type des informations que nous manipulions dans nos fichiers. Or, Turbo Pascal permet d'utiliser ce qu'il nomme des **fichiers sans type**. Pour en comprendre l'utilisation, il est nécessaire de bien voir que ce que l'on nomme un "type de données" n'est en fait que la manière dont les informations sont codées. Plus précisément, le fait de ne pas connaître le type d'informations situées dans un fichier, n'empêche pas de les manipuler ; il vous empêche simplement de leur attribuer une signification sous forme de valeur. Une autre façon de dire la même chose consiste à remarquer qu'au bout du compte, toute information peut toujours être considérée comme une suite de bits ou d'octets[22].

Lorsqu'en Turbo Pascal, vous utilisez un fichier sans type, cela signifie que vous en manipulez le contenu sans vous préoccuper de sa signification. Ces manipulations se font toujours par blocs de 128 octets, à l'aide des instructions **BlockRead** et **BlockWrite**.

A titre d'exemple, voici un programme qui recopie un fichier quelconque dans un autre fichier, sans avoir besoin de connaître la nature des informations qui y figurent.

Les déclarations des deux fichiers sont réalisées à l'aide du seul mot **file**. Les instructions *assign*, *reset* et *rewrite* restent classiques.

---

[22]. Ou même, à la limite, de caractères, puisque tout octet peut toujours être considéré comme représentant un des 256 caractères du code ASCII.

```
program Recopie_fichier_quelconque ;
var
   entree : file ;
   sortie : file ;
   nom_entree : string[11] ;
   nom_sortie : string[11] ;
   tampon      : array [1..128] of char ;

begin
   write ('--- nom fichier source : ') ;
   readln (nom_entree) ;
   write ('--- nom fichier destination : ') ;
   readln (nom_sortie) ;
   assign (entree, nom_entree) ;
   assign (sortie, nom_sortie) ;
   reset   (entree) ;
   rewrite (sortie) ;
   repeat
      BlockRead  (entree, tampon, 1) ;
      BlockWrite (sortie, tampon, 1)
   until eof (entree) ;
   close (entree) ;
   close (sortie)
end.
```

Programme de recopie d'un fichier quelconque

L'instruction

```
BlockRead (entree, tampon, 1)
```

signifie : lire 1 bloc (de 128 octets), à partir du fichier *entree*, dans la variable nommée *tampon*. Notez que cette dernière peut être de type quelconque ; l'essentiel est qu'elle corresponde à un emplacement **d'au moins 128 octets**. Ici, nous avons utilisé un tableau de 128 octets (*byte*) ; nous aurions pu utiliser (de façon toutefois un peu plus artificielle !) un tableau de 128 caractères ou de 64 entiers...

La présence du paramètre 1 montre que, d'une manière générale, cette instruction peut lire plusieurs blocs ; encore faut-il que la variable mentionnée soit de taille suffisante pour les accueillir.

L'instruction :

```
BlockWrite (sortie, tampon, 1)
```

signifie : écrire dans le fichier *sortie*, à partir de la variable *tampon*, 1 bloc (de 128 octets). Là encore, la présence du paramètre 1 montre que, d'une manière générale, cette instruction peut écrire plusieurs blocs.

Notez que nous avons (classiquement) décelé la fin du fichier *entree* à l'aide de la fonction *eof*.

Remarques :

1) Lorsque l'on souhaite lire simultanément plus d'un bloc avec *BlockRead*, il faut bien voir qu'on risque alors de demander plus de blocs qu'il n'en reste dans le fichier. En fait, la procédure *BlockRead* possède un quatrième paramètre (variable de type entier), facultatif, précisant le nombre de blocs réellement transférés.

2) Depuis la version 4.0, la procédure *BlockRead* n'accepte plus de lire un bloc incomplet. Si cette éventualité se produit, vous obtenez une erreur d'exécution. Si vous souhaitez qu'un programme comme celui de notre exemple fonctionne avec des fichiers dont la taille n'est pas multiple de 128, il est alors nécessaire de gérer vous-mêmes les erreurs d'entrées-sorties, comme nous le montrons dans le paragraphe 5 ou d'adapter la taille des blocs, comme le précise la remarque suivante.

3) La taille des blocs lus par *BlockRead* ou écrits par *BlockWrite* peut être déterminée lors de l'ouverture du fichier, en la spécifiant comme second argument de l'une des procédures *reset* ou *rewrite*. Par exemple, en remplaçant l'instruction *reset* de notre précédent exemple par :

```
reset (entree, 80)
```

notre instruction *BlockRead* aurait alors lu des blocs de 80 octets.

5 - GESTION DES ERREURS D'ENTREES-SORTIES

Lorsqu'un programme réalise des entrées-sorties, les possibilités d'erreurs à l'exécution sont nombreuses. Certaines sont, comme les autres erreurs d'exécution, la conséquence d'une mauvaise programmation ; c'est par exemple le cas, lorsqu'un programme tente d'écrire dans un fichier ouvert par *reset*.

D'autres erreurs, en revanche, peuvent être la conséquence d'une maladresse de l'utilisateur du programme. Citons, par exemple : tentative d'utilisation d'un fichier inexistant, donnée fournie au clavier non conforme au type numérique attendu, disquette pleine...

Actuellement, lorsque de telles erreurs surviennent, Turbo Pascal interrompt l'exécution du programme, en vous gratifiant d'un message d'erreur. Si un tel comportement est acceptable en cas de faute de programmation, il l'est nettement moins pour l'utilisateur qui a commis une maladresse. En fait, Turbo Pascal vous offre la possibilité de "gérer" ces erreurs au sein du programme lui-même.

Pour ce faire, vous utilisez l'option de compilation **I** et la fonction **IOResult** pour détecter ces erreurs. Le cas échéant, vous placerez les instructions de votre choix pour y remédier. Voici un exemple de programme simple qui lit une valeur entière au clavier, et ceci jusqu'à ce que la valeur fournie soit correcte (c'est-à-dire qu'elle ne provoque pas d'erreur d'entrées-sorties).

```
program Test_erreurs ;
var n      : integer ;
    erreur : integer ;
begin                                 donnez un entier : un
  repeat                              ----- réponse incorrecte
    write ('donnez un entier : ') ;   donnez un entier : 12.5
{$I-}                                 ----- réponse incorrecte
    readln (n) ;                      donnez un entier : 25
    erreur := IoResult ;             merci pour 25
    if erreur <> 0 then
        writeln ('----- réponse incorrecte') ;
  until erreur = 0 ;
  writeln ('merci pour ', n)
{$I+}
end.
```

Gestion des erreurs d'entrées-sorties

La directive **$I-** agit sur les instructions générées par le compilateur : en cas d'erreur d'entrées-sortie, il n'y aura plus interruption du programme, mais toute nouvelle entrée-sortie sera suspendue jusqu'à ce que la fonction *IOResult* soit appelée. Celle-ci fournit la valeur 0 si l'entrée-sortie s'est convenablement déroulée ; dans le cas contraire, elle fournit le code de l'erreur.

Ici, notre instruction (*read(n)*) est répétée jusqu'à ce qu'il n'y ait plus d'erreur, autrement dit, jusqu'à ce que la valeur fournie soit de type entier. Notez que tout appel à *IOResult* supprime en quelque sorte la condition d'erreur. Autrement dit, tout nouvel appel de *IOResult*, non précédé d'une entrée-sortie, fournira la valeur 0. Ainsi, dans notre exemple précédent, **il faut éviter d'écrire** :

```
readln (n) ;
if IOResult <> 0 then            { forme }
    writeln ('svp un entier')    { a éviter }
until IOResult = 0
```

En effet, le second appel de *IOResult* (utilisé dans la condition d'arrêt de la boucle jusqu'à), fournirait toujours la valeur 0.

La directive I est **locale**, c'est-à-dire qu'elle peut être activée ou désactivée à volonté, en fonction de vos besoins. Rien n'empêche qu'un programme se présente ainsi :

```
.....           { ici, toute erreur d'entrée-sortie interrompt le programme }
{$I-}
.....           { ici, les erreurs d'entrée-sortie sont controlées par le programme }
{$I+}
.....           { ici, elles ne sont plus controlées }
{$I-}
.....           { ici, elles sont de nouveau controlées }
```

Cette possibilité présente l'avantage de vous permettre de ne gérer que les entrées-sorties présentant un aspect critique.

Voici un canevas montrant comment, lorsqu'on demande un nom de fichier à un utilisateur, s'assurer de son existence effective :

```
repeat
    write ('donnez le nom du fichier') ;
    readln (nomfich) ;
    assign (fichier, nomfich) ;
    {$I-}
    reset (fichier) ;
    {$I+}
    erreur = IOResult ;
    if erreur <> 0 then write ('ce fichier n''existe pas')
until erreur = 0
```

Remarque :

Depuis la version 4, la directive I peut être transmise au compilateur à l'aide de l'option *IO Checking* de la commande *Options/Compiler*. Toutefois, dans ce dernier cas, la directive a obligatoirement un caractère global (puisqu'elle est fixée pour l'ensemble de la compilation) ; vous ne bénéficiez plus de la possibilité de l'activer ou de la désactiver à volonté au sein du programme.

6 - CAS PARTICULIER DES PERIPHERIQUES

6.1 Les organes logiques du système

Les périphériques sont traités par le système comme de simples fichiers (on parle d'organes logiques). Turbo Pascal utilise cette facilité de sorte que, dans un programme, ces périphériques peuvent être considérés comme de simples fichiers de type texte. Leur nom (externe) n'est rien d'autre que celui utilisé par le système. Voici les principaux noms externes (en gras) et le périphérique correspondant :

CON : en entrée, correspond au clavier (avec écho des caractères frappés et possibilités classiques de correction de la ligne courante) ; en sortie, correspond à l'écran,

LPT1 ou **PRN** : imprimante,

AUX ou **COM1** : organe auxiliaire,

NUL : organe "fictif".

Notez que les procédures standards d'entrées-sorties utilisent en fait le fichier CON ; l'ouverture, l'initialisation et la fermeture sont réalisées automatiquement par Turbo Pascal. Mais, de même que vous pouvez lire ou écrire dans un fichier texte, vous pouvez utiliser l'un quelconque des périphériques cités. Voici, par exemple, un programme qui écrit simplement "coucou" dans un fichier de votre choix :

```
program Choix_sortie ;
var nomfich : string[12] ;
    sortie : text ;
begin
   writeln('donnez le nom du fichier ') ;
   readln (nomfich) ;
   assign (sortie, nomfich) ;
   rewrite (sortie) ;
   writeln (sortie, 'coucou') ;
   close (sortie) ;
end.
```

Choix du périphérique ou du fichier de sortie

Si, à la question posée, vous répondez LPT1, le programme écrit "coucou" sur l'imprimante. Si vous répondez CON, il écrira à l'écran. Avec la réponse NUL, il écrirait... nulle part. Avec un nom de fichier usuel, le programme créerait un petit fichier contenant simplement le texte "coucou".

6.2 Lecture "au vol" au clavier

La lecture (classique) au clavier entraîne l'apparition à l'écran de l'écho des caractères frappés. Il existe une fonction particulière nommée *ReadKey* qui permet de lire un caractère sans écho. Par exemple, l'instruction :

```
c := ReadKey ;
```

attend qu'un caractère soit frappé au clavier et le range dans c.

En outre, il arrive fréquemment que l'on ait besoin de "lire un caractère au vol", c'est-à-dire de connaître la touche pressée à un instant donné (s'il y en a une) et d'éviter de rester bloqué par une attente quelconque. Cette lecture au vol peut se réaliser en conjuguant l'emploi de *ReadKey* avec la fonction *KeyPressed* qui fournit la valeur vrai si une touche du clavier est enfoncée. Voici un exemple de programme qui "surveille" le clavier en permanence. A chaque fois qu'une touche est pressée, il en affiche le code ASCII. Pour s'arrêter, il suffit de taper "*".

```
program Lecture_au_vol ;
uses Crt ;
var c : char ;
begin
   c := ' ' ;
   repeat
      if KeyPressed then
         begin
         read (kbd, c) ;
         write (' ', ord(c))
         end ;
   until c = '*'
end.
```

Lecture au vol

Notez la présence de l'instruction de déclaration :

```
uses Crt ;
```

Nous en avons déjà parlé à propos des bibliothèques fournies par Turbo Pascal, sous forme de ce qu'il appelle des "unités". Ici, l'unité *Crt* (qui, contrairement à l'unité *System*, n'est pas chargée automatiquement) est celle qui, précisément, contient les fonctions *ReadKey* et *KeyPressed*.

Remarque :

Pour mettre clairement en évidence le fait que le programme précédent ne reste pas bloqué en attente d'une quelconque réponse, il suffit de lui ajouter, après l'instruction *if* (et à l'intérieur de l'instruction *repeat... until*), une instruction telle que :

```
write ('.') ;
```

Le programme affichera alors des points en permanence. Lorsque vous frapperez sur une touche du clavier, il en affichera (une fois) le code.

220

EXERCICES

1) Ecrire un programme permettant d'enregistrer dans un fichier un nombre quelconque de valeurs entières positives fournies au clavier. Les composants du fichier seront simplement des entiers.

2) Ecrire un programme permettant de retrouver, dans le fichier précédent, une valeur de rang donné. On fournira un message dans le cas où le rang demandé dépasse la taille du fichier.

3) Ecrire un programme effectuant la liste d'un fichier texte en "numérotant" les lignes. Le nom du fichier à lister sera lu en donnée.

MANIPULATIONS

1) Réalisez un programme permettant de vérifier :

- le caractère "fugitif" de *eoln*,

- que *eoln* prend bien la valeur vrai quand *eof* est vrai.

2) Adaptez le programme précédent, pour qu'il effectue le même travail pour du "texte" entré au clavier.

3) Essayez le programme du paragraphe 6.2 : tapez des caractères de la forme CTRL/x (x désignant une lettre quelconque de l'alphabet). Voyez notamment comment sont traités CTRL/S et CTRL/C.

4) Essayez ce même programme avec les touches fonction, les touches fléchées, les combinaisons de la forme ALT/x. Voyez comme vous obtenez souvent le code 0 (voyez ci-dessous pour plus d'explications).

5) Certaines touches du clavier (telles que celles expérimentées en 4) fournissent, non pas un seul code, mais deux codes consécutifs, le premier étant le caractère de code ASCII 0. Le programme que vous venez d'essayer est peu adapté à ce cas (il répond simplement 0 !). Essayez de le généraliser pour que ces touches soient convenablement prises en compte. Pour cela, il suffit, lorsqu'un caractère de code 0 a été lu, d'examiner (par *KeyPressed*) si un autre caractère est présent. Dans l'affirmative, on le lira et on affichera son code précédé par exemple de * (pour montrer qu'il s'agit d'un code composé).

6) Expérimentez le programme du paragraphe 5 avec des valeurs sortant du type *integer*. Revoyez à ce propos la remarque située à la fin des manipulations du chapitre 6.

XVI. LES POINTEURS

Les variables définies dans un programme principal sont "statiques" ; autrement dit, leurs emplacements et, a fortiori, leurs tailles sont définis lors de la compilation. Les variables locales à une procédure sont, quant à elles, traitées quelque peu différemment ; en effet, leurs emplacements ne sont effectivement alloués que lors de l'entrée dans la procédure et libérés lors de sa sortie ; leur taille est néanmoins parfaitement définie lors de la compilation.

Dans ces conditions, cela semble exclure toute possibilité d'"allocation dynamique" de mémoire en fonction de besoins qui pourraient surgir lors de l'exécution du programme. Par exemple, si vous souhaitez utiliser un tableau, il vous est impossible de n'en fixer les bornes qu'au moment de l'exécution. Il est nécessaire d'en prévoir d'office la taille, ou du moins d'en fixer une limite, ce qui conduit généralement à une mauvaise utilisation de l'espace mémoire.

De même, cette "gestion statique" ne se prête pas très facilement à la mise en oeuvre de structures telles que les listes chaînées, les arbres binaires... dans lesquelles chaque élément comporte un ou plusieurs "pointeurs" sur d'autres éléments de la structure et dont l'ampleur n'est pas connue lors de l'écriture du programme.

Par opposition à cet aspect statique, Pascal dispose de données dites "dynamiques" ; ces données, dont l'emplacement n'est plus défini à la compilation, sont créées ou supprimées lors de l'exécution en fonction des besoins[1].

Bien entendu, la gestion des données dynamiques sera profondément différente de celle des données statiques. Il ne s'agit plus de les réserver par des déclarations classiques, mais bien de faire appel à des procédures permettant d'"allouer" ou de "libérer" dynamiquement des emplacements mémoire.

En Pascal, cette gestion passe par l'intermédiaire de **pointeurs**, variables un peu spéciales contenant des adresses de données dynamiques. Nous verrons d'ailleurs que les variables pointeur seront les seules variables (statiques) à déclarer pour utiliser des données dynamiques.

---

[1]. Comme nous l'avons dit, les variables locales aux procédures ne sont pas véritablement dynamiques. Il s'agit d'emplacements de taille bien définie, alloués automatiquement par Turbo Pascal et dont la gestion échappe au programmeur.

1 - LE MECANISME DES PROCEDURES NEW ET DISPOSE

Pour introduire la notion de pointeur et les deux procédures (*new* et *dispose*) utilisées pour mettre en oeuvre la gestion dynamique, nous allons considérer un problème relativement simple. Supposons qu'au cours d'un programme, nous ayons besoin de créer temporairement des blocs de 10 entiers ; supposons également qu'il soit indispensable, par exemple, pour des questions d'encombrement mémoire, de "récupérer" l'espace correspondant à un bloc, lorsqu'il n'est plus utilisé. Ces contraintes nous imposent donc de recourir à la gestion dynamique.

Pour ne pas compliquer inutilement l'exposé, nous nous limiterons à la gestion d'un seul bloc. Nous commençons (classiquement) par déclarer le type de nos blocs, par exemple :

```
type bloc = array [1..10] of integer
```

Puis, et c'est là la nouveauté, nous déclarons une variable, nommée par exemple *adr_bloc*, destinée à contenir l'"adresse" d'un bloc, c'est-à-dire à "pointer" sur ce bloc :

```
var adr_bloc : ^bloc
```

Le symbole ^ doit être interprété comme "pointeur sur". Ainsi, *adr_bloc* est déclarée du type "pointeur sur des données de type *bloc*". Remarquez bien que Pascal nous oblige à préciser, non seulement que *adr_bloc* est un pointeur, mais également sur quel type de données il pointe.

Notez qu'une telle déclaration se borne à réserver un emplacement pour un pointeur ; elle ne réserve pas d'emplacement pour un bloc. Quant à la valeur de *adr_bloc*, elle est, pour l'instant, indéfinie, au même titre que n'importe quelle autre variable déclarée par *var*, tant qu'on ne lui a pas affecté de valeur.

Voilà pour ce qui sera réservé à la compilation, en ce qui concerne notre problème de gestion dynamique d'un bloc. Pour créer un bloc au sein d'un programme, nous utiliserons la procédure *New*, comme ceci :

New (adr_bloc)

Lors de l'exécution, cette procédure crée un emplacement de type correspondant à *adr_bloc*(c'est-à-dire ayant le type des "entités" pointées par *adr_bloc*, donc ici *bloc*, ce qui correspond à un emplacement de 20 octets) ; en même temps, elle place son adresse dans la variable (statique) *adr_bloc*.

Pour l'instant, la zone ainsi créée est indéfinie. Apparemment, contrairement à ce qui se produirait pour une variable statique, elle ne porte pas d'identificateur. Mais elle peut être simplement désignée par :

224

adr_bloc ^

Cette fois, le symbole ^ doit être interprété comme "pointé". Plus précisément, *adr_bloc^* désigne "l'objet pointé par *adr_bloc*", c'est-à-dire le bloc que nous venons de créer. Voici un schéma illustrant la situation :

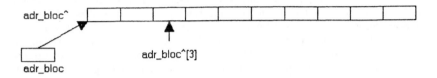

Ainsi, le troisième élément du bloc se désignera par :

```
adr_bloc^[3]
```

Voici, à titre indicatif, une instruction plaçant les valeurs 1 à 10 dans notre bloc :

```
for i := 1 to 10 do
    adr_bloc^[i] := i
```

Voici, toujours à titre indicatif, comment écrire le valeurs contenues dans notre bloc :

```
for i := 1 to 10 do
    write (adr_bloc^[i]:3)
```

Lorsque notre bloc est devenu inutile, nous pouvons "libérer" l'espace correspondant par :

dispose (adr_bloc)

Cette procédure libère l'espace mémoire pointé par le pointeur *adr_bloc*. Autrement dit, cet espace pourra être utilisé lorsque nous serons amenés à créer d'autres structures dynamiques à l'aide de la procédure *New*. Notez que la valeur du pointeur *adr_bloc* n'est pas affectée par la procédure *Dispose* (on aurait pu espérer qu'elle devienne indéfinie !)[2].

Maintenant que nous avons vu ce qu'était un pointeur et comment fonctionnaient les procédures *New* et *Dispose*, voyons deux exemples d'utilisation : la gestion des tableaux de dimension variable et celle des listes chaînées.

---

[2]. Dans la pratique, il sera prudent de placer la valeur nil dans ce pointeur. Nous y reviendrons un peu plus loin.

2 - POUR GERER DES TABLEAUX DE DIMENSION VARIABLE

Comme nous l'avons déjà évoqué en introduction de ce chapitre, il n'est pas possible de déclarer une structure de tableau dont le nombre d'éléments n'est pas connu lors de la compilation. Grâce aux pointeurs, nous pouvons envisager d'allouer des emplacements aux différents éléments d'un tableau au fur et à mesure des besoins. Toutefois, si l'on souhaite pouvoir accéder immédiatement à n'importe quel élément, il est nécessaire de conserver en mémoire statique chacun des pointeurs sur les différents éléments du tableau. Nous sommes ainsi amenés à utiliser un **tableau de pointeurs** qui doit, quant à lui, être réservé à la compilation et par conséquent "sur-dimensionné". Cette méthode présente toutefois un intérêt évident dès lors que la taille de chaque élément du tableau est importante.

Par exemple, supposez que nous souhaitions créer un nombre variable d'enregistrements du type *personne* défini ainsi :

```
type personne = record
                  nom :    string [20] ;
                  prenom : string [20]
                end ;
```

Si nous savons que nous n'aurons jamais besoin de plus de 1 000 de ces enregistrements, nous réserverons notre tableau de 1 000 pointeurs de cette manière :

```
var adr_pers : array [1..1000] of ^personne
```

Voici, à simple titre d'exemple, un programme de création de tels enregistrements à partir d'informations fournies au clavier (notez que pour présenter un quelconque intérêt, ce programme devrait être complété par une utilisation effective du tableau en question).

```
program Tableau_dynamique ;
type personne = record
                  nom    : string [20] ;
                  prenom : string [20]
                end ;
     adr_personne = array[1..1000] of ^personne ;
var adr_pers : adr_personne ;
    i        : integer ;
    nomlu    : string [20] ;
    prenomlu : string [20] ;

begin
    writeln ('pour finir, donnez un nom et un prénom vides') ;
    i := 0 ;
```

```
repeat
    write ('nom     : ') ; readln (nomlu) ;
    write ('prénom  : ') ; readln (prenomlu) ;
    if prenomlu <> '' then
        begin
        i := i + 1 ;
        new (adr_pers[i]) ;
        with adr_pers[i]^ do
            begin
            nom := nomlu ;
            prenom := prenomlu
            end
        end ;
    until (prenomlu = '') or (i>1000) ;
end
```

Création dynamique d'un tableau d'enregistrements

3 - INTRODUCTION AUX LISTES CHAINES

La méthode précédente qui réserve un tableau de pointeurs en mémoire statique peut être schématisée ainsi :

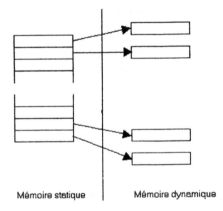

Mémoire statique | Mémoire dynamique

Il est naturellement possible d'utiliser beaucoup moins de place en mémoire statique, à condition de ne pas chercher à pouvoir accéder directement à chaque élément. Par exemple, le schéma ci-après correspond à ce que l'on appelle une "liste chaînée" des différents enregistrements.

227

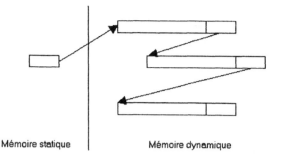

Mémoire statique | Mémoire dynamique

Un seul et unique pointeur désigne le "premier" enregistrement. En revanche, cette fois, chaque enregistrement comporte en son sein, un pointeur désignant l'enregistrement "suivant". Toutes les informations sont effectivement accessibles moyennant toutefois :

- un temps d'accès plus long,

- la présence d'un champ supplémentaire (de type pointeur) dans chaque enregistrement.

Voyons maintenant comment réaliser en Pascal une telle structure de liste chaînée.

4 - CREATION D'UNE LISTE CHAINEE

Si, donc, nous souhaitons créer une liste chaînée d'enregistrements, nous devons modifier le type de nos enregistrements afin que chacun d'entre eux contienne un pointeur sur le suivant. Ces pointeurs devront être du type ^personne (pointeurs sur des objets du type personne), ce qui nous conduit à ces déclarations :

```
type lien = ^personne ;
     personne = record
                 nom : string [20] ;
                 prenom : string [20] ;
                 suivant : lien
              end ;
```

Vous constatez que nous avons dû définir le type *lien* comme pointeur sur un type qui n'est défini qu'ultérieurement. Cela est accepté par Pascal ; il s'agit d'une exception qui n'est valable que pour le type pointeur.

Supposons que nous cherchions à constituer notre liste chaînée à partir d'informations fournies en donnée ; si nous ne cherchons pas à imposer un ordre particulier à notre liste, mais à nous laisser simplement guider par l'ordre des données, deux possibilités s'offrent à nous :

228

- ajouter un élément "courant" à la fin de la liste ; le parcours ultérieur de la liste se fera alors dans le même ordre que celui dans lequel les données ont été fournies,

- ajouter un élément courant au début de la liste ; le parcours ultérieur de la liste se fera alors dans l'ordre inverse de celui dans lequel les données ont été fournies.

Nous avons choisi ici la deuxième méthode pour laquelle la programmation s'avère légèrement plus simple que celle de la première.

Notez que le dernier élément de la liste (dans notre cas, ce sera donc le premier lu) ne pointera sur... rien. Or, lorsque nous chercherons ensuite à utiliser notre liste, il nous faudra être en mesure de **savoir où elle s'arrête**. Nous pourrions, certes, conserver, dans une variable de type *lien*, l'adresser du dernier élément mais il existe une autre solution plus élégante, à savoir faire appel à la constante prédéfinie : **nil**.

Cette dernière correspond à un pointeur ne pointant sur rien. Elle est compatible avec tous les types pointeur ; elle peut donc être affectée à n'importe quel pointeur et il est possible de savoir si un pointeur contient cette valeur (seules les comparaisons d'égalité et d'inégalité sont permises sur les pointeurs).

Bien entendu, la constitution d'une telle liste n'est souvent que le préalable à un traitement plus sophistiqué. En particulier, dans un cas réel, on pourrait être amené à réaliser des opérations telles que l'**insertion** d'un nouvel élément dans la liste ou la **suppression** d'un élément de la liste.

Ici, pour ne pas trop alourdir notre exemple, nous avons éliminé le champ *prenom* de nos enregistrements et nous nous contenterons de réaliser la création de la liste chaînée d'une part, de sa liste d'autre part. Chacune de ces opérations fait l'objet d'une procédure. La première fournit le pointeur sur le premier élément de la liste, à travers un paramètre transmis par adresse. La seconde utilise ce même pointeur à travers un paramètre transmis cette fois par valeur.

```
program Creation_liste_chainee ;
type lien = ^donnee ;
     donnee = record
                nom      : string[20] ;
                suivant  : lien
              end ;
var nomp  : string[20] ;
    debut : lien ;

procedure creation (var debut : lien) ;
     var courant : lien ;
     begin
          writeln ('---------- creation liste ----------') ;
          writeln (' donnez vos noms (nom vide pour finir)') ;
          debut := nil ;
```

```
      repeat
         readln (nomp) ;
         if length(nomp) <> 0 then
            begin
            new (courant) ;
            courant^.nom := nomp ;
            courant^.suivant := debut ;
            debut := courant
            end ;
      until length (nomp) = 0
   end ;  { creation }

procedure liste (debut : lien) ;
   var courant : lien ;
   begin
      writeln (' -------------- liste --------------') ;
      courant := debut ;
      while courant <> nil do
         begin
         writeln (courant^.nom) ;
         courant := courant^.suivant
         end ;
   end ;

begin
   creation (debut) ;
   liste (debut)
end.
```

```
---------- creation liste -----------
 donnez vos noms (nom vide pour finir)
jules
jim
vincent
francois
paul

 -------------- liste --------------
paul
francois
vincent
jim
jules
```

Création d'une liste chaînée

5 - LA GESTION DE LA MEMOIRE EN TURBO PASCAL

Tout ce que nous avons dit jusqu'ici s'applique au Pascal standard. Ici, nous allons vous en dire un peu plus sur la manière dont Turbo Pascal gère effectivement l'ensemble de la mémoire.

Il y a tout d'abord la partie **statique**. Celle-ci contient :

- l'ensemble des instructions exécutables du programme (y compris, éventuellement, celle des "unités"),

- les données statiques, c'est-à-dire celles qui correspondent aux variables globales du programme principal (et éventuellement des unités).

Notez, à titre indicatif, que, dans les versions antérieures à la 4.0, chacune des deux parties précédentes (instructions exécutables, données statiques) était limitée à 64 KO. Depuis la version 4.0, qui a introduit la compilation séparée (grâce à la notion d'unité), cette limitation ne pèse que sur chacun des "modules objet" ; l'ensemble du programme obtenu par la réunion de ces différents modules pouvant occuper toute la mémoire disponible.

Le **reste** de la mémoire disponible est utilisé de façon **dynamique**. Un programme Pascal peut faire appel à de la mémoire dynamique de deux façons totalement différentes :

- lors des appels de procédures : les variables locales aux procédures voient leurs emplacements alloués (uniquement) lors de l'appel et libérés lors du retour. Nous reviendrons plus avant sur ce point, lorsque nous parlerons de la récursivité (chapitre XVII),

- par des demandes explicites faites au sein du programme par les procédures *New* ou *Dispose*.

La mémoire disponible est partagée entre ces deux aspects :

- D'une part, on trouve la mémoire utilisée par les procédures, gérées sous forme d'une **"pile"** (stack en anglais) qui croît ou décroît suivant les besoins (elle croît à chaque entrée et elle décroît d'autant à chaque retour). Sa taille est fixée par défaut à 16 KO. Elle peut être modifiée par l'option de compilation $M, avec un minimum de 0 KO et un maximum de 64 KO.

- D'autre part, on trouve la mémoire utilisée dynamiquement par le programme, gérée à la manière d'un **"tas"** (heap en anglais). Celui-ci est géré au mieux, c'est-à-dire que Pascal n'utilise d'emplacements supplémentaires que s'il n'y trouve aucun espace de taille suffisante. Notez d'ailleurs que tant que l'on fait appel à *New*, sans utiliser *Dispose*, le tas ne fait que grandir à la manière d'une pile.

Voici un schéma illustrant la situation :

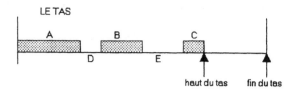

Ici, A, B et C correspondent à des parties occupées dans le tas, tandis que D et E correspondent à des parties disponibles. Si le programme demande une allocation de mémoire dont la taille ne dépasse pas celle du plus gros trou, celle-ci sera faite dans l'un des trous D ou E et l'adresse du "haut du tas" ne progressera pas. Dans le cas contraire, celle-ci sera faite "au bout" de C et l'adresse du haut du tas progressera d'autant.

Bien entendu, s'il n'y a plus suffisamment de place dans le tas, il y a erreur d'exécution. Vous pouvez cependant, à tout instant, avoir des informations concernant l'espace disponible grâce aux deux fonctions *MemAvail* et *MaxAvail* :

MemAvail fournit la taille (en octets) non encore utilisée. C'est donc la taille de l'espace s'étendant entre le haut de la pile et le haut du tas (et ceci, quelles que soient les tailles des éventuels trous du tas).

MaxAvail fournit la taille (en octets) du plus grand espace disponible dans le tas.

Remarques :

1) Sur notre précédent schéma, *MemAvail* et *MaxAvail* fourniraient la même valeur car le plus gros trou (E) est de taille inférieure à l'espace libre entre le haut du tas et la fin du tas.

2) Par défaut, la taille du tas est définie comme correspondant à toute la mémoire disponible[3]. La directive $M permet toutefois de fixer à la fois une taille minimum (le programme ne s'exécutera pas si cette taille n'est pas disponible) et une taille maximum (qui ne pourra donc pas être dépassée au cours de l'exécution).

6 - LES AUTRES TECHNIQUES DE GESTION DYNAMIQUE

La philosophie du Pascal standard consiste à laisser ignorer du programmeur le fonctionnement intime de la machine sur laquelle il travaille. Turbo Pascal, en revanche, se révèle être un langage très ouvert permettant d'accéder à toutes les possibilités offertes par

---

[3]. Aussi bien en mode réel (où la mémoire disponible n'excède pas 640 KO) qu'en mode protégé (où la mémoire disponible peut atteindre 16 MO -voyez le chapitre).

le "langage machine". En particulier, nous verrons, au chapitre XXII, qu'il est possible de s'allouer de l'espace mémoire dans le tas, sans avoir nécessairement besoin de l'associer à des variables précises et, par suite, s'affranchir en quelque sorte de la notion de type.

EXERCICES

1) Ajoutez au programme du paragraphe 2, une procédure effectuant la liste du "tableau" créé par ce programme.

2) Ajoutez, au programme du paragraphe 4, une procédure permettant de supprimer de la liste un élément dont le nom est fourni en argument. On prévoira également en argument, un indicateur booléen permettant de savoir si le nom a effectivement été trouvé ou non.

3) Réalisez un programme déterminant les n premiers nombres premiers, la valeur de n étant fournie en donnée. On constituera une liste chaînée des nombres premiers, au fur et à mesure de leur découverte.

MANIPULATIONS

1) Mettez en évidence les limitations du tas, en écrivant un programme qui crée indéfiniment de nouveaux objets par *New*. Choisissez, de préférence, des objets assez gros (1 000 octets par exemple) et affichez, avant chaque création, la taille mémoire disponible.

2) Déterminez la taille de la mémoire dynamique utilisée par le programme du paragraphe 2, en affichant la valeur de *MemAvail* avant et après la création du "tableau".

3) Voyez comment se comporte le programme du paragraphe 4, si l'on oublie d'initialiser à *nil* le pointeur *debut*.

Pascal autorise la récursivité des procédures et des fonctions. Autrement dit, une procédure ou une fonction peut s'appeler elle-même. c'est ce que l'on nomme la **récursivité directe**. Nous verrons également que l'on peut réaliser une **récursivité croisée**, c'est-à-dire que plusieurs procédures ou fonctions peuvent s'appeler mutuellement.

La mise en oeuvre de la récursivité en Pascal ne pose pas de problème majeur. Techniquement, nous n'introduirons guère de nouveaux outils dans ce chapitre. En revanche, la notion de récursivité n'est pas toujours bien connue ; c'est pourquoi nous commencerons par la présenter en soi.

1 - NOTION DE RECURSIVITE

La récursivité est une notion générale que l'on rencontre dans bien d'autres domaines que la programmation. On dit qu'il y a récursivité lorsque la définition d'un objet fait apparaître l'objet lui-même. C'est ainsi que nous avons eu l'occasion de constater qu'en Pascal la notion d'instruction devait être définie d'une manière récursive. Un autre exemple de définition récursive nous est fourni par la fonction "factorielle" qui peut se définir ainsi :

> *fac (1) = 1*
> *fac(n) = n.fac(n-1) pour n > 1*

La seconde ligne qui définit *fac(n)* pour *n > 1* comporte à son tour une référence à *fac*. Il y a bien récursivité. Bien entendu, une telle définition est cohérente et exploitable car, en l'appliquant **un nombre fini de fois**, elle permet d'aboutir à un résultat. Par exemple, pour n = 3, on trouvera d'abord :

fac(3) = 3.fac(2)

puis, en appliquant à nouveau la définition :

fac(3) = 3.2.fac(1)

Là, c'est la première ligne de notre définition qui intervient en arrêtant en quelque sorte le processus récursif et qui nous amène à :

fac(3) = 3.2.1

Une définition apparemment voisine telle que :

fac(1) = 1
fac(n) = fac(n + 1)/n pour n > 1

aurait, en revanche, été inexploitable. Intuitivement, on comprend que cette définition ne "se termine jamais". Nous n'aborderons pas ici les problèmes théoriques sous-jacents à ces problèmes de "terminaison d'un algorithme récursif".

2 - UN EXEMPLE PASCAL DE FONCTION RECURSIVE

Notre première définition de la fonction *fac* est directement utilisable en Pascal pour écrire une fonction de calcul de factorielle. Elle nous conduit simplement à ceci :

```
function fac ( n : integer ) : integer ;
begin
   if n = 1 then fac := 1
           else fac := n * fac(n-1)
end ;
```

Exemple de fonction récursive

Notez qu'au sein de notre fonction, le même symbole *fac* désigne deux choses différentes. A gauche d'une affectation, il représente la "pseudo variable" destinée à recevoir la valeur de la fonction ; dans ce cas, il ne peut pas être suivi de parenthèses. A droite d'une affectation, en revanche, il représente un appel de cette fonction ; dans ce cas, il doit absolument être suivi de parenthèses, entre lesquelles on trouve les arguments effectifs. Notez que ce problème ne se posera pas pour les procédures.

Pour bien mettre en évidence la manière dont se déroule l'exécution d'une telle fonction, ajoutons deux instructions d'écriture et incorporons le tout dans un programme principal :

236

```
program Test_fonction_recursive ;
function fac ( n : integer ) : integer ;
begin                                          voici mon calcul de fac(3)
    writeln ('*** entrée dans fac - n = ',n) ; *** entrée dans fac - n = 3
    if n = 1 then fac := 1                      *** entrée dans fac - n = 2
        else fac := n * fac(n-1) ;              *** entrée dans fac - n = 1
    writeln ('--- sortie de fac   - n = ',n) ; --- sortie de fac   - n = 1
end ;                                           --- sortie de fac   - n = 2
begin                                           --- sortie de fac   - n = 2
    writeln ('voici mon calcul de fac(3) ') ;  --- sortie de fac   - n = 3
    writeln ( fac(3) )                          6
end.
```

Déroulement de l'exécution d'une fonction récursive

Les messages affichés montrent clairement que l'on est entré à trois reprises dans *fac*, sans en sortir. Il y a eu, en quelque sorte, "empilement des appels". En même temps, il a été nécessaire de conserver les valeurs des variables internes de *fac* avant de procéder à un nouvel appel. C'est ce mécanisme que nous allons maintenant décrire.

3 - L'EMPILEMENT DES APPELS

Tout d'abord, le programme principal appelle *fac* avec, en argument, la valeur 3. Lors de l'entrée dans *fac*, il y a automatiquement une allocation de mémoire dynamique (dans la pile) pour les variables locales ; ici, ces dernières se réduisent à l'argument d'entrée n et à la valeur de retour que nous noterons *fac*. Nous pouvons schématiser ainsi la situation :

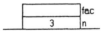

Notez bien que *fac* s'est vu allouer une place, mais pas encore de valeur. L'exécution de la fonction commence alors, provoquant l'affichage du message :

```
*** entrée dans fac - n = 3
```

L'instruction *if* suivante entraîne alors l'amorce de l'exécution de l'affectation :

```
fac := n * fac(n-1)
```

Celle-ci provoque un nouvel appel de *fac*, avec en argument la valeur 3[1]. On entre à nouveau, dans les instructions de *fac* (celles-ci ne sont pas recopiées[2]). Il y a de nouveau,

---

[1]. En toute rigueur, fac a besoin d'un emplacement dynamique pour ranger la valeur de l'expression n-1. Nous n'insisterons pas sur ce point qui n'apporterait rien de plus à la compréhension du mécanisme.

allocation de mémoire dynamique pour les variables locales, de sorte que la pile se présente maintenant ainsi :

appel 2		fac
	2	n
appel 1		fac
	3	n

Il y a de nouveau, affichage de la valeur de n puis appel de *fac* avec l'argument 1 :

appel 3		fac
	1	n
appel 2		fac
	2	n
appel 1		fac
	3	n

Cette troisième fois, après affichage du message d'entrée, l'instruction suivante conduit à affecter la valeur 1 à *fac* :

appel 3	1	fac
	1	n
appel 2		fac
	2	n
appel 1		fac
	3	n

Cette fois, l'exécution de la fonction se poursuit "jusqu'au bout", provoquant l'affichage du message :

```
--- sortie de fac - n = 1
```

Il y a retour dans la fonction appelante avec restitution du résultat (ici 1) et libération de l'espace associé aux variables internes. On se retrouve donc dans *fac*, dans l'instruction qui avait provoqué ce dernier appel, c'est-à-dire :

```
fac := n * fac(n-1)
```

La valeur de *fac(n-1)* est maintenant calculée (elle vaut 1). Le produit par n peut être réalisé. La pile se présente ainsi :

---

2. Ce serait inutile. Grâce à la séparation des instructions et des données (dynamiques), les mêmes instructions peuvent être réutilisées (on parle parfois, dans un tel cas, de programmes réentrants).

```
appel 2          2    fac
                 2    n
appel 1               fac
                 3    n
```

Là encore, la fonction s'exécute jusqu'au bout. Il y affichage d'un message de sortie, libération de l'espace associé aux variables locales et retour dans *fac* au niveau du premier appel, avec comme résultat la valeur 2. Cette valeur est alors multipliée par n (ici 3) et le résultat est rangé dans *fac* :

```
appel 1          6    fac
                 3    n
```

De nouveau, la fonction *fac* s'exécute jusqu'au bout. Elle fournit le résultat 6 au programme principal qui l'affiche.

4 - LA RECURSIVITE CROISEE

Il y a récursivité croisée lorsqu'une procédure appelle une seconde procédure qui, à son tour, appelle la première. Le mécanisme reste comparable à celui que nous avons étudié. Il y a allocation d'espace dynamique dans la pile pour les variables internes, tantôt de la première procédure, tantôt de la seconde.

Une difficulté apparaît toutefois au niveau de la déclaration des procédures en question. En effet, si l'on procède "classiquement", on se trouve en présence de déclarations de ce genre :

```
procedure a (...) ;
    begin
    ...
    b (...) ;
    ...
    end ;
procedure b (...) ;
    begin
    ...
    a (...) ;
    ...
    end ;
```

Ceci provoque un diagnostic de compilation lors de la rencontre de l'instruction d'appel de b (au sein de la définition de a) puisque à ce niveau, la procédure b n'est pas encore définie. Pour tourner la difficulté, il est nécessaire d'employer le mot-clé **forward**, de cette manière :

```
procedure b (...) ; forward ;      { en-tete complet de b }
procedure a (...) ;
   begin
     ...
   b (...) ;
     ...
   end ;
procedure b ;                       { en-tete restreint de b }
   begin
     ...
     a (...) ;
     ...
   end ;
```

Notez bien que les deux instructions :

```
procedure b (...) ; forward ;
```

décrivent l'en-tête de la procédure b et précisent que le corps de cette procédure sera fourni plus loin. La connaissance de cet en-tête assure une compilation correcte de la procédure a. Quant à la procédure b, on en fournit le corps, précédé d'un "en-tête restreint" spécifiant uniquement son nom, sans les arguments.

EXERCICES

1) Ecrire une fonction récursive calculant la "fonction d'Ackermann" A définie pour $m >= 0$ et $n >= 0$ par :

$$A (m, n) = A (m-1, A (m, n-1)) \text{ pour } m > 0 \text{ et } n > 0,$$
$$A (0, n) = n + 1 \text{ pour } n > 0$$
$$A (m, 0) = A (m-1, 1) \text{ pour } m > 0$$

2) Ecrire une fonction récursive permettant de calculer x^k pour x réel et k entier positif en utilisant les définitions suivantes :

$$x^k = x \text{ pour } k = 1$$
$$x^k = (x^{k/2})^2 \text{ pour } k \text{ pair}$$
$$x^k = x^{k-1} x \text{ pour } k \text{ impair}$$

XVIII. LES UNITES
ET LA COMPILATION SEPAREE

Jusqu'ici, nous n'avons considéré que des programmes source traduits en une seule fois, même si ceux-ci renfermaient des procédures ou des fonctions. Ceci est d'ailleurs conforme à la norme du Pascal standard et, jusqu'à la version 4.0 de Turbo Pascal, il n'existait pas de possibilité de "compilation séparée".

La version 4.0 a introduit la notion d'unité. Celle-ci permet de développer des "bibliothèques" de procédures ou de fonctions[1] qui pourront facilement être utilisées par différents programmes, allégeant d'autant la tâche de programmation.

Comme nous avons déjà eu l'occasion de le mentionner (chapitre XII), Turbo Pascal vous est livré avec un certain nombre d'unités prédéfinies (*System, Dos, Crt, Printer, Graph, Overlay*...). La première est automatiquement chargée en mémoire et consultée lors de la compilation de votre programme. Les autres ne sont employées que sur une demande explicite de votre part, effectuée à l'aide d'une instruction *uses*.

Vous allez apprendre ici à réaliser vos propres unités que vous utiliserez de la même manière que ces unités prédéfinies.

1. CREATION ET UTILISATION D'UNE UNITE

Commençons par un exemple que nous avons volontairement choisi très simpliste. Supposons que nous souhaitions conserver sous forme d'unité, la procédure suivante qui se contente de doubler la valeur de son unique argument de type entier (transmis par adresse) :

```
procedure double (var k : integer) ;
begin
  k := 2 * k
end ;
```

---

[1]. Nous verrons qu'en fait, une unité peut également contenir d'autres entités (constantes, variables, types...).

1.1 Création d'une unité

Nous commençons par créer, à l'aide de l'éditeur, le fichier suivant :

```
unit outil1 ;
interface
   procedure double (var k : integer) ;
implementation
   procedure double ;
   begin
    k := 2 * k ;
   end ;
end.
```

Définition d'une unité

Vous y notez la présence d'une première instruction :

```
unit outil1 ;
```

Celle-ci est analogue à une instruction *program* ; elle spécifie le nom (ici *outil1*) qui sera attribué à cette unité. D'ores et déjà, nous pouvons dire que c'est ce nom qui figurera en regard de l'instruction *uses* dans tout programme cherchant à utiliser cette unité.

Vous pouvez ensuite remarquer que le reste de l'unité se décompose en deux parties :

- L'une introduite par le mot *interface* (notez l'absence de point-virgule). Celle-ci doit comporter les déclarations des entités qui seront "visibles" depuis l'extérieur de l'unité. Nous aurons l'occasion de revenir plus en détail sur cet aspect "visibilité". Pour l'instant, notez simplement que nous trouvons ici l'en-tête complet de la procédure *double*.

- L'autre introduite par le mot *implementation* (là encore, sans point-virgule). Elle comporte, d'une part, d'éventuelles déclarations dont on souhaite qu'elles ne soient pas "visibles" de l'extérieur (ici, il n'y en a aucune !), d'autre part, la définition des procédures contenues dans l'unité. Pour l'instant, notre unité ne comporte qu'une seule procédure ; notez que sa définition comporte à nouveau un en-tête mais que, cette fois, celui-ci est écrit sous forme "restreinte" (Turbo Pascal accepterait toutefois que vous l'écriviez sous forme complète à condition qu'il soit identique à l'en-tête de la partie *interface*).

Enfin, le mot *end* suivi d'un point termine le tout.

Nous sauvegardons ensuite le fichier ainsi créé sous le nom *outil1* (il aura donc l'extension .PAS). Notez bien qu'ici, nous avons choisi d'attribuer le **même nom** au fichier et à l'unité qu'il contient. Cela n'est nullement une obligation mais, comme nous le verrons plus loin, l'utilisation d'une unité est un peu plus délicate lorsque cette condition n'est plus remplie.

1.2 Compilation d'une unité

Elle se fait classiquement à l'aide de la commande *Compile/Compile*. Toutefois, il est nécessaire de "stocker sur disque" le module objet résultant. Pour ce faire, il faut préciser la destination *Disk*, à l'aide de la commande *Compile/Destination* (Notez que cette commande agit "en bascule", c'est-à-dire que chacune de ses sélections fait alterner les 2 directions possibles : *Memory* et *Disk*[2]). Bien entendu, rien n'interdit, dans un premier temps, de vérifier la syntaxe d'une unité en effectuant une simple compilation en mémoire ; mais il faudra finalement la recompiler avec une sortie sur disque afin de pouvoir ultérieurement faire appel au module objet correspondant.

Le fichier ainsi créé par la compilation, porte le même nom que le fichier source, mais il possède l'extension .TPU (pour les environnements générant des programmes DOS en "mode réel") ou .TPP (pour les environnements générant des programmes DOS en "mode protégé")[3]. Dans notre cas, nous supposerons que la compilation de *outil1.PAS* nous a conduit à la création de *outil1.TPU*.

1.3 Utilisation d'une unité

Nous disposons donc maintenant d'une unité nommée *outil1*. Il nous est facile de l'utiliser comme si nous utilisions une unité prédéfinie, par exemple :

```
program Utilisation_d_une_unite ;
uses outil1 ;
var n : integer ;
begin
  n := 3 ;
  writeln ('avant : ', n) ;
  double (n) ;
  writeln ('apres : ', n) ;
end.
```

Utilisation d'une unité

---

[2]. Attention, dès validation, la commande est exécutée, de sorte qu'on a l'impression de n'avoir rien fait. Pour vérifier quelle est la destination en vigueur, il vous suffit toutefois de lancer cette commande Compile/Destination, puis de l'annuler (par "Échap").

[3]. Rappelons qu'ici, nous ne parlons pas de la possibilité de réaliser des programmes destinés à être exécutés dans l'environnement Windows (l'unité porterait l'extension .TPW). Ceci n'exlut nullement la possibilité d'utiliser un "environnement intégré" sous Windows, mais en se limitant à l'écriture de programmes destinés à fonctionner sous DOS.

Ce programme est classique. On y note la présence d'une instruction :

```
uses outil1 ;
```

Elle demande au compilateur d'incorporer le code objet situé dans l'unité *outil1* (donc dans le fichier *outil1.TPU* - d'où l'intérêt de donner le même nom au fichier et à l'unité !). Il est alors possible d'utiliser la procédure *double*, comme si elle avait été définie au sein du programme.

2 - LE ROLE DE LA PARTIE INTERFACE

Comme nous l'avons évoqué, la partie *interface* d'une unité définit les "entités" qui seront visibles de l'extérieur et qui pourront donc être nommées dans tout programme utilisant l'unité (nous parlerons souvent des "entités **publiques**" de l'unité). Notre exemple du paragraphe précédent était en fait quelque peu particulier, dans la mesure où l'unité ne comportait qu'une seule procédure et que le seul objet défini dans la partie *interface* était cette procédure. Voyons deux exemples un peu plus généraux.

2.1 Unité comportant plusieurs procédures

```
unit outil2 ;
interface
procedure truc (...) ;          { en-tete complet }
procedure chose (...) ;         { en-tete complet }
implementation
   procedure truc ;             { en-tete reduit }
   begin
      ...
   end ;
   procedure machin (...) ;     { en-tete complet }
   begin
      ...
   end ;
   procedure chose ;            { en-tete reduit }
   begin
      ...
   end ;
end.
```

Cette fois, la partie *interface* spécifie les en-têtes (complets) de deux procédures *truc* et *chose*. Dans la partie *implementation*, on trouve, bien sûr, la définition de ces deux procédures mais aussi celle d'une troisième, nommée *machin*. Cette dernière, n'étant pas déclarée dans la partie *interface*, ne sera pas visible de l'extérieur ; en revanche, elle est utilisable par les procédures *truc* et *chose* (nous dirons souvent qu'une telle procédure est une "procédure **privée**" de l'unité).

Remarque :

Dans une unité, comme dans un programme, il est possible de définir des procédures imbriquées les unes dans les autres. Dans ce cas, il est nécessaire de respecter les règles relatives à la "hiérarchie" des appels, telles que nous les avons exposées dans le chapitre XII (une procédure ne peut être appelée que depuis une procédure de même niveau ou d'un niveau supérieur l'englobant). Pour ce faire, il suffit de considérer que, pour les procédures définies dans une unité, tout se passe comme si elles se trouvaient incorporées dans le programme **au premier niveau**. En outre, il ne faut pas perdre de vue que seules les procédures déclarées dans la partie *interface*, seront réellement accessibles. Compte tenu de la règle de hiérarchie des appels, vous voyez que seules les procédures de premier niveau pourront être visibles de l'extérieur, et donc éventuellement déclarées dans l'*interface*. C'est ce qui explique que rien ne soit prévu dans l'*interface* par Turbo Pascal, pour déclarer des procédures imbriquées.

2.2 Les déclarations de la partie interface

Voici maintenant un exemple d'unité dans lequel la partie *interface* contient des déclarations d'entités autres que des procédures :

```
unit outil3 ;
interface
    type jour = (lun, mar, mer, jeu, ven, sam, dim) ;
    const nbmax = 500 ;
    ...
implementation
    ...
end.
```

Les entités déclarées dans la partie *interface* (le type *jour* et la constante *nbmax*) sont, bien sûr, utilisables dans les procédures définies dans la partie *implementation*. Mais, de plus, elles sont visibles depuis tout programme faisant appel à cette unité, au même titre, en quelque sorte, que si ces déclarations figuraient dans le programme principal. En voici un exemple d'utilisation :

```
program exemple ;
uses outil3 ;
var t : array [1..nbmax] of jour ;
    ...
```

Remarque :

Les unités prédéfinies contiennent beaucoup de constantes symboliques définies de cette manière dans leur *interface*.

3 - CONTENU DE LA PARTIE IMPLEMENTATION

Comme le montrent les exemples précédents, la partie *implementation* contient à la fois :

- les définitions des fonctions et procédures publiques (c'est-à-dire déclarées dans la partie *interface*),

- les définitions des fonctions et procédures privées (c'est-à-dire non déclarées dans la partie *interface* et donc inaccessibles en dehors de l'unité).

Mais la partie *implementation* peut également contenir des déclarations d'autres entités : constantes, variables et types. Bien entendu, ces dernières seront privées et donc utilisables uniquement par les procédures et fonctions de l'unité. Voyez cet exemple :

```
unit outil4 ;
interface
   const nbmax = 500 ;
   type jour = ( lun, mar, mer, jeu, ven, sam, dim) ;
   ...
implementation
   const limit = 100 ;
   type petit_entier = 1..nbmax ;
```

La constante *nbmax* et le type *jour* sont publics. En revanche, la constante *limit* et le type *petit_entier* sont privés.

4 - EN CAS DE CONFLIT ENTRE ENTITES GLOBALES

Les entités définies dans la partie *interface* d'une unité jouent finalement un rôle comparable à celui des entités globales définies dans le programme faisant appel à cette unité. Dans ces conditions, certains conflits apparents peuvent surgir. C'est le cas dans cet exemple d'utilisation de l'unité *outil3* définie dans le paragraphe 2 :

```
program conflit ;
uses outil3 ;
type jour = (mon, twe, wed, thu, fri, sat, sun) ;
var nbmax : real ;
   ...
```

Dans ces conditions, l'identificateur *jour*, tel qu'il est défini dans le programme, a priorité sur celui défini dans l'unité (notez bien qu'une telle situation n'aboutit nullement à une erreur de programmation). Ainsi, dans la suite de notre programme, *jour* désignera le type tel qu'il y est redéfini et *nbmax* désignera une variable de type réel.

Il reste cependant possible d'accéder aux entités *jour* et *nbmax* définies dans l'unité *outil3* . Il suffit pour cela de "préfixer" leur nom par le nom de l'unité, par exemple :

```
program conflit2 ;
uses outil3 ;
type jour = (mon, twe, wed, thu, fri, sat, sun) ;
var nbmax : real ;
    ..
var ja, jb : jour ;
    jc : outil3.jour ;
    ...
begin
    nbmax := 0.0 ;
    ...
    for i := 1 to outil3.nbmax
        ...
end.
```

Les variables *ja* et *jb* sont du type *jour* tel qu'il est défini dans le programme ; en revanche, la variable *jc* est du type *jour* tel qu'il est défini dans l'unité *outil3*. De même, dans le corps du programme, *nbmax* désigne une variable de type réel ; en revanche, la notation *outil3.nbmax* fait référence à la constante *nbmax* telle qu'elle est définie dans l'unité *outil3*.

5 - INITIALISATION D'UNE UNITE

Il se peut que l'emploi d'une unité nécessite un "traitement préliminaire", par exemple :

- initaliser certaines structures définies dans l'unité (que celles-ci soient déclarées dans la partie *interface* ou dans la partie *implementation*),

- réaliser une ouverture préalable de fichiers qui seront utilisés ultérieurement par certaines procédures de l'unité.

Un tel traitement préliminaire ne peut généralement pas être intégré dans l'une des procédures de l'unité car, alors, il serait réalisé à chaque appel de la dite procédure. Turbo Pascal vous autorise à introduire, dans une unité, une sorte de programme principal placé à la suite de la partie *implementation* et introduit par le mot *begin*, par exemple :

```
unit outil4 ;
interface
    ...
implementation
    const max = 1000 ;
    var i : integer ;
    var zone : array [1..max] of integer ;
    ...
begin
    zone[1] := max ;
    for i := 2 to max do
        zone[i] := 0 ;
end.
```

Lorsqu'un programme fera appel à l'unité *outil4*, les instructions d'initialisation (celles figurant à la suite du *begin*) seront exécutées avant le programme lui-même.

Remarque :

La partie initialisation d'une unité ne peut pas contenir de déclarations qui lui soient propres. Elle peut, en revanche, utiliser toutes les entités définies dans la partie *interface* et dans la partie *implementation*.

6 - LORSQU'UNE UNITE UTILISE UNE AUTRE UNITE

Lorsqu'une unité utilise des objets d'une autre unité, il est nécessaire qu'une instruction *uses* le spécifie, comme dans cet exemple dans lequel *outila* utilise *outilb* :

```
unit outila ;                    unit outilb ;
interface                           ...
   uses outilb ;                    ...
   ...                              ...
implementation                   end.
   ...
end.
```

Mais, de plus, tout programme (ou unité) faisant appel à *outila*, doit obligatoirement mentionner *outilb* et dans l'ordre inverse de leur appel, c'est-à-dire comme ceci :

```
uses outilb, outila ;
```

C'est à partir de cette instruction *uses* que le compilateur définira l'ordre d'exécution des éventuelles "initialisations" des différentes unités (ici l'initialisation de *outilb* serait exécutée avant celle de *outila*).

7 - LORSQUE L'UNITE ET LE FICHIER CORRESPONDANT NE PORTENT PAS LE MEME NOM

Jusqu'ici, nous avions pris soin de ranger nos unités dans un fichier portant le même nom (d'extension .TPU ou .TPP). Il ne s'agit toutefois pas d'une obligation. Il est en effet possible, au niveau de l'instruction *uses*, de mentionner le nom du fichier contenant l'unité concernée ; il suffit de placer ce dernier dans une directive $U avant le nom d'unité ; par exemple :

```
uses {$Ufich.uti} outil
```

demande d'aller chercher l'unité *outil* dans le fichier nommé *fich.uti*.

Chaque nom d'unité peut, si besoin est, être ainsi précédé d'un nom de fichier pouvant, éventuellement, comporter une indication de chemin.

8 - LOCALISATION DES UNITES

Nous avons vu qu'il était possible de préciser le fichier dans lequel était située une unité. Lorsque nous ne le faisons pas, il faut savoir que Turbo Pascal recherche tout d'abord cette unité dans un fichier nommé TURBO.TPL[4] ou TPP.TPL[5] (ce fichier, fourni avec le logiciel Turbo Pascal, est d'ailleurs chargé en permanence en mémoire). Ce n'est pas lorsque cette recherche n'aboutit pas que Turbo Pascal cherche un fichier d'extension TPU (ou TPP) ayant le même nom que l'unité. Cette recherche s'effectue, par défaut, dans le "répertoire courant". Mais, grâce à la commande *Options/Directories/Unit Directories*, vous pouvez, le cas échéant, spécifier un ou plusieurs répertoires particuliers dans lesquels vous voulez que Turbo Pascal aille puiser.

Si vous le souhaitez, vous pouvez recopier certaines de vos unités (de préférence les plus utilisées) dans le fichier TURBO.TPL (ou TPP.TPL). Il vous suffit de faire appel au programme utilitaire nommé TPUMOVER. Dans ce cas, vous accélérerez quelque peu la compilation de vos programmes mais, en contrepartie, vous vous pénaliserez en taille mémoire disponible sous l'environnement intégré.

En revanche, en ce qui concerne la taille du programme exécutable ainsi obtenu, sachez que vous ne serez nullement pénalisé puisque, de toute manière, le compilateur Turbo Pascal n'extrait des unités que les sous-programmes réellement utilisés. Cette remarque s'applique aussi bien aux unités prédéfinies qu'aux vôtres. Il ne faut donc pas hésiter, le cas échéant, à créer une unité contenant de nombreux sous-programmes, plutôt que de chercher à tout prix à la scinder en plusieurs petites unités. La seule contrainte que vous aurez à supporter, réside dans le fait qu'une unité mentionnée dans *uses* est recopiée, intégralement en mémoire pendant la durée de la compilation.

9 GROS PROGRAMMES ET UNITES

Les unités se révèlent très pratiques pour regrouper des routines d'intérêt général, relatives à un thème donné. Dans ce cas, l'unité contiendra naturellement également les constantes et les types nécessaires à l'utilisation de ces routines.

Mais, indépendamment de ce point, vous pouvez également être amené à développer une ou plusieurs unités, dès lors que votre programme atteint une certaine taille. En effet, le code généré en une fois par le compilateur, ne peut excéder 64 KO. Pour pouvoir créer des

---

[4]. Pour les programmes destinés à fonctionner en mode réel sous DOS.

[5]. Pour les programmes destinés à fonctionner en mode protégé sous DOS

programmes exécutables plus importants, vous n'avez pas d'autre ressource que de scinder votre programme en plusieurs morceaux :

- un fichier source (ordinaire) contenant au moins le programme principal,

- une ou plusieurs unités utilisées par le fichier source précédent.

Bien entendu, la mise en oeuvre de l'ensemble du programme se fait exactement comme nous avons déjà appris à le faire précédemment. Seul l'objectif en soi, est différent : on exploite ici la notion d'unité pour les possibilités de compilation séparée qu'elle offre, et non plus pour son aspect bibliothèque de routines.

Dans une telle situation, on aura généralement intérêt à regrouper au sein d'une unité[6], tout ou une partie des définitions globales du programme (constantes, variables et types[7]).

Remarque :

Aucune contrainte de taille ne pèse sur le programme exécutable lui-même, si ce n'est celle de la mémoire dont vous disposerez au moment de son exécution (et non de sa compilation, du moins, dès lors que celle-ci est faite avec la destination *disk*). Rappelons que cette mémoire disponible est plus importante lorsque vous cherchez à lancer un programme depuis le système (ce programme doit naturellement avoir été stocké sur disque, c'est-à-dire compilé avec la destination *Disk*), que lorsque vous le lancez depuis l'environnement intégré du Turbo Pascal (puisque ce dernier occupe, lui aussi, de l'espace mémoire).

10 - LES PROBLEMES POSES PAR LA COMPILATION SEPAREE - LA COMMANDE COMPILE/MAKE

Supposez qu'un programme contienne la déclaration :

```
uses outil ;
```

Lors de sa traduction, le compilateur va incorporer dans le programme exécutable qu'il est en train de créer, le code objet de l'unité demandée, trouvé dans *outil.TPU* (ou *outil.TPP*). Mais, supposez que vous ayez modifié le source *outil.PAS* de cette unité, sans l'avoir recompilé. Dans ce cas, la compilation précédente va incorporer à votre programme un code objet (*outil.TPU* ou *outil.TPP*) qui n'aura **pas convenablement été actualisé**.

Certes, dans une telle situation, vous pouvez toujours effectuer d'abord une compilation de *outil.PAS*, avant de procéder à celle de votre programme. Mais, la commande

---

[6]. Suivant l'importance du programme, on pourra réserver l'unité à ce seul usage ou au contraire, y prévoir des procédures et des fonctions.

[7]. N'oubliez pas que l'utilisation d'arguments de type différent d'un type simple, exclut l'emploi de types anonymes, ce qui impose de mentionner un nom de type déjà défini de manière globale.

Compile/Make vous offre en fait une solution plus confortable. Comme *Compile/Compile*, elle réalise une compilation mais, de plus, dans notre exemple, elle va s'assurer que *outil.TPU* est bien "à jour" par rapport à *outil.PAS* (pour ce faire, elle examine leurs dates respectives de création). Si ce n'est pas le cas, *outil.PAS* est recompilé et c'est le nouveau module *outil.TPU* (ou *outil.TPP*) qui est incorporé dans le programme exécutable.

Un autre type de problème peut se poser lorsqu'un programme utilise plusieurs unités. Par exemple, supposons qu'on ait la déclaration :

    uses a, b ;

et que, de plus, l'unité b utilise l'unité a. Si, alors que a et b ont déjà été compilées, vous modifiez l'interface de a, il est nécessaire, non seulement de recompiler a, mais aussi b (car l'ancienne version *b.TPU* (ou *b.TPP*) est basée sur l'ancienne interface de a).

Là encore, la commande *Compile/Make* vous facilite la tâche puisqu'elle recompile automatiquement toutes les unités[8] faisant appel à une unité dont l'interface a été modifiée.

Signalons enfin que la commande *Compile/Build* réalise le même travail que *Compile/Make*, avec cette différence que toutes les compilations nécessaires sont réalisées, que les modules correspondants soient à jour ou non.

Remarque :

Aucun problème ne se pose lorsque vous utilisez la commande *Run/Run* dont le rôle est identique à celui de *Compile/Make* suivi d'une exécution.

---

[8]. Parmi celles utilisées par le programme que l'on compile.

XIX. LES TYPES OBJET

Depuis la version 5.5, Turbo Pascal dispose de possibilités de "Programmation Orientée Objets". Ce chapitre, ainsi que les deux suivants lui sont consacrés. Notez bien qu'il est tout à fait possible d'employer Turbo Pascal sans faire de Programmation Orientée Objets. D'autre part, comme nous l'avons signalé dans l'avant-propos, il est vivement conseillé de n'aborder ces possibilités qu'après avoir acquis une maîtrise suffisante de la "programmation structurée classique" en Turbo Pascal.

1 - LES CONCEPTS DE BASE DE LA PROGRAMMATION ORIENTEE OBJETS

La Programmation Orientée Objets (en abrégé P.O.O.) est un ensemble de concepts de programmation visant un objectif commun : le développement de logiciels ou, plus précisément, de modules, *réutilisables*. On parle d'ailleurs souvent de "composants logiciels", par analogie avec les composants électroniques (qui, quant à eux, sont parfaitement réutilisables) ; l'espoir ultime étant de parvenir à bâtir un nouveau produit logiciel à partir d'un "catalogue" de composants élémentaires.

D'une manière générale, la POO est basée sur le concept de **type objet**[1]. Un type objet est, en quelque sorte, la généralisation de la notion de type enregistrement. Ce type contiendra des champs, analogues à ceux d'un enregistrement, dont on dira qu'ils constituent les **données**. Mais, en outre, il contiendra ce que l'on nomme des **méthodes**, c'est-à-dire des sous-programmes (fonctions ou procédures). Après avoir défini un tel type, on pourra déclarer des "variables" de ce type, qu'on qualifiera d'objets.

Un objet est donc formé de la réunion de deux sortes de choses : des **données** et des **méthodes**. En POO "pure", seules les méthodes d'un objet peuvent accéder aux données correspondantes. Les méthodes constituent, en quelque sorte, l'interface obligatoire entre le monde extérieur à l'objet et l'objet lui-même. Les données de l'objet se trouvent ainsi "protégées" contre une modification plus ou moins volontaire ; en particulier, on se trouve à l'abri de tout phénomène "d'effet de bord" tel que ceux auxquels peuvent conduire l'emploi de variables globales[2].

On parle alors d'**encapsulation** pour décrire cette situation dans laquelle l'accès aux données ne peut se faire que par les méthodes de l'objet. L'encapsulation apporte une grande souplesse dans l'emploi de modules existants. En particulier, rien n'empêche au concepteur d'un module de le modifier (par exemple pour le rendre plus performant), quitte à modifier sa structure de données, pour peu que l'interface avec l'extérieur conserve le même aspect (c'est-à-dire que les méthodes restent les mêmes, avec les mêmes paramètres). L'utilisateur de ce module n'aura, quant à lui, aucune modification à apporter à ses programmes.

Mais, comme nous le verrons, Turbo Pascal n'impose pas l'encapsulation stricte des données. Plus précisément, rien n'empêche d'accéder directement aux données d'une classe comme l'on accède aux champs d'un enregistrement ! Toutefois, il est généralement déconseillé de le faire, sous peine de perdre tout l'intérêt de l'encapsulation[3].

Un autre concept important en POO est celui d'**héritage**. Il permet de définir un nouveau type d'objet à partir d'un type existant auquel on adjoint de nouveaux champs de données et de nouvelles méthodes. La conception d'un nouveau type objet (qui "hérite" ainsi des propriétés et des aptitudes de l'ancien type) peut alors s'appuyer sur des réalisations antérieures que l'on spécialise à son gré. On retrouve là le même processus que celui de l'héritage humain, à savoir une part *d'inné* à laquelle se superpose un certain *acquis*. Bien entendu, l'héritage facilite grandement la réutilisation de produits existants.

Nous vous proposons d'aborder très progressivement les possibilités de POO du Turbo Pascal et les nouveaux concepts qu'elle met en jeu : objet, méthode, héritage... En effet, bien qu'il s'agisse de concepts simples, ils correspondent, pour la plupart d'entre vous, à de nouveaux modes de pensée.

---

[1]. Dans d'autres langages sorientés objets, on parle plutôt de "classe".

[2]. En POO pure, la notion de variable globale n'existe plus.

[3]. Nous verrons cependant que la "privatisation" de certains champs d'un objet (introduite par la version 6) constitue une certaine forme d'encapsulation.

Ce premier chapitre introduit la notion de type objet ; le chapitre XX étudiera l'héritage ; enfin, le chapitre XXI abordera les procédures virtuelles dont on verra qu'elles élargissent les possibilités de réutilisation d'objets existants, notamment grâce à la notion de "polymorphisme".

2 - LES OBJETS EN TURBO PASCAL

Nous allons commencer par introduire la notion de type objet en considérant tout d'abord des objets ne comportant que des données (donc pas de méthodes). Bien entendu, en pratique, de tels objets n'auront guère d'intérêt (un simple type enregistrement ferait l'affaire !) ; en POO pure, il serait même impossible d'employer un tel objet puisqu'il serait impossible d'accéder à ses données ! En fait, ici, cette présentation nous servira uniquement à vous montrer comment définir un type objet et comment déclarer des "variables" (objets) de ce type.

Voyez la déclaration :

```
type position = object
                abscisse : real ;
                ordonnee : real
                end ;
```

Elle ressemble à la déclaration d'un type enregistrement : le mot *record* a simplement été remplacé par le mot *object*. Elle définit un type d'objet nommé ici *position*. Elle précise que les objets que l'on déclarera de ce type posséderont deux champs de données nommés *abscisse* et *ordonnee* et que ceux-ci seront de type *real*.

Pour déclarer des "variables " de type *position* (nous parlerons généralement d'objets pour désigner des variables d'un type objet), nous procéderons de manière classique, comme dans cet exemple :

```
var point, endroit : position
```

Comme nous l'avons déjà mentionné, Turbo Pascal vous autorise à accéder directement aux champs d'un objet. Il utilise pour cela la même notation que pour les enregistrements (y compris l'instruction *with*). Ainsi, avec les deux déclarations précédentes, nous pourrions "parler" de *point.abscisse, point.ordonnee, endroit.abscisse...* Ne voulant pas vous encourager à employer cette possibilité (peu orthodoxe en vraie POO !), nous ne donnerons pas ici d'exemple de programme complet.

3 - LES METHODES ASSOCIEES A UN TYPE OBJET

Le type objet *position* défini précédemment, n'avait aucun intérêt en POO. Nous vous proposons ici de définir un type comportant les mêmes champs (*abscisse* et *ordonnee*) mais disposant également de "méthodes" permettant de "manipuler" les données. Nous prévoyons trois méthodes :

- une procédure nommée *init*, permettant d'attribuer des valeurs aux champs *abscisse* et *ordonnee*. Une telle procédure est indispensable à partir du moment où l'on se refuse à accéder directement aux champs d'un objet ;

- une procédure nommée *deplace*, effectuant une modification des valeurs des champs *abscisse* et *ordonnee* ;

- une procédure nommée *situe*, affichant à l'écran les valeurs des champs *abscisse* et *ordonnee*.

Cette fois, nous devons donc apprendre :

- à définir un type objet comportant des méthodes,

- à écrire les méthodes associées à un type objet,

- à employer, au sein du programme, les méthodes d'objets déclarés comme étant du type en question.

3.1 Définition d'un type objet comportant des méthodes

Choisissons d'appeler *emplacement* (pour le distinguer du type *position* précédent) le type que nous voulons définir. Voici ce que pourrait être sa définition :

```
type emplacement = objet
            abscisse : real ;
            ordonnee : real ;
            procedure init (x, y : real) ;
            procedure deplace (dx, dy : real) ;
            procedure situe ;
            end ;
```

Cette fois, dans la définition de notre type objet, nous trouvons, outre une description classique de champs, trois **en-têtes** de sous-programmes (ici procédures). Nous précisons donc là :

- les noms des "méthodes" associées aux objets du type *emplacement*,

- le nombre et le type des arguments correspondants.

Notez bien que la "définition" même des méthodes ne figure pas dans la définition du type. Elle sera faite ultérieurement, comme nous le verrons plus bas.

Ici, **nous avons** prévu que la méthode *init* recevra, en argument, deux valeurs de type *real*. Notez bien qu'à ce niveau, rien ne dit l'usage qui sera fait de ces deux valeurs. En ce qui nous concerne, nous avons écrit l'en-tête de *init* en ayant déjà à l'esprit l'idée que cette méthode affecterait aux champs *abscisse* et *ordonnee* les deux valeurs reçues en arguments.

256

De même, nous avons prévu que la méthode *deplace* recevra, en argument, deux valeurs de type *real* (qui serviront à "modifier" les valeurs des champs *abscisse* et *ordonnee*. Enfin, nous n'avons prévu aucun argument pour la méthode *situe* (qui se contentera d'afficher à l'écran les valeurs des champs *abscisse* et *ordonnee*).

Remarque :

> A ce niveau, vous êtes peut-être surpris de ne pas trouver, pour chaque méthode, un argument supplémentaire précisant l'objet sur lequel elle doit s'appliquer (puisqu'un même type objet pourra donner naissance à autant d'objets que vous le souhaiterez). En fait, nous verrons que cette information sera automatiquement fournie à la méthode lors de son appel.

3.2 Définition des méthodes associées à un type objet

Elle se fait par une définition (presque) classique de sous-programme. Voici, par exemple, celle de *init* :

```
procedure emplacement.init (x, y : real) ;
begin
   abscisse := x ;
   ordonnee := y
end ;
```

En ce qui concerne l'en-tête de notre procédure, notez que nous avons "préfixé le nom de la procédure par le type d'objet (*emplacement*) auquel elle correspond. Ceci est indispensable pour que le compilateur puisse associer convenablement cette procédure à l'en-tête *init* figurant dans la définition du type *emplacement*. En effet, nous verrons plus tard que plusieurs types objet différents pourront posséder des méthodes de même nom. Cette situation sera d'ailleurs particulièrement fréquente dans le cas de l'héritage. Qui plus est, en Turbo Pascal, il serait tout à fait possible de définir une procédure "ordinaire' nommée *init*, indépendante de la méthode *init* (celle-ci ne serait alors, bien sûr, associée à aucun type objet).

Par ailleurs, en ce qui concerne le corps de la procédure *init*, vous constatez que nous avons employé simplement les symboles *abscisse* et *ordonnee*. A ce niveau, le compilateur sait associer ces symboles au type *emplacement*. Notez bien qu'ici, ces symboles désignent des **champs d'un type objet** et non encore des **champs d'un objet** : on ne peut pas véritablement les assimiler à des noms de variables. Nous verrons plus loin comment, lors de l'appel effectif de la procédure *init*, ces noms correspondront effectivement aux champs d'un objet de type *emplacement* (objet qui sera précisé lors de l'appel).

La définition des deux autres procédures se fait de manière analogue. Voici, en définitive, ce que pourrait être la définition complète du type *emplacement* et de ses méthodes :

```
type
   emplacement = object
      abscisse : real ;
      ordonnee : real ;
      procedure init (x, y : real) ;
      procedure deplace (dx, dy : real) ;
      procedure situe ;
   end ;

procedure emplacement.init (x, y :real) ;
begin
   abscisse := x ;
   ordonnee := y ;
end ;
procedure emplacement.deplace (dx, dy : real) ;
begin
   abscisse := abscisse + dx ;
   ordonnee := ordonnee + dy ;
end ;
procedure emplacement.situe ;
begin
   writeln (' coordonnées : ', abscisse:5:1, '  ', ordonnee:5:1) ;
end ;
```

Définition du type emplacement

Remarques

1) Ici, les déclarations du type *emplacement* et les définitions des procédures correspondantes sont consécutives. Si cela est conseillé, il ne s'agit toutefois pas d'une obligation.

2) L'en-tête d'une méthode doit posséder les mêmes noms d'arguments (muets) dans la définition du type et dans la définition de la méthode, et ceci, bien qu'ils ne servent à rien dans le premier cas. En revanche, et comme dans le cas des unités, il est possible d'omettre les arguments (en totalité) dans la définition de la méthode

3.3. Utilisation d'un type objet

Jusqu'ici, nous nous sommes contentés de fabriquer un type objet nommé *emplacement*, en décrivant les méthodes correspondantes. Nous pouvons "créer" (classiquement !) autant de variables de ce type objet que nous souhaitons à l'aide d'une instruction *var*. Par exemple :

```
var pt1, pt2 : emplacement ;
```

définit deux objets nommées *pt1* et *pt2* du type *emplacement*. Chacun d'entre eux possèdera des champs *abscisse* et *ordonnee* et pourra utiliser les méthodes *init*, *deplace* et *situe*. L'appel d'une méthode pour un objet donné se présente comme dans cet exemple :

```
pt1.init (1.0, 0.0)
```

On y appelle la méthode *init* de l'objet *pt1*, en lui transmettant en argument effectif, les valeurs 1 et 0. Si l'on fait abstraction du "préfixe" *pt1*, cet appel est analogue à un appel classique. Bien entendu, le préfixe sert à spécifier à quel objet doit être appliquée la méthode appelée. On peut considérer, dans une certaine mesure, qu'il correspond à une troisième information qui sera transmise à la méthode *init*.

Suite à cet appel, la méthode *init* placera donc les valeurs 1 et 0 dans les champs *abscisse* et *ordonnee* de l'objet *pt1*. Notez, dans ce cas précis, que le même résultat serait obtenu par les affectations suivantes (non conformes à l'esprit de la POO) :

```
pt1.abscisse := 1.0 ;   { ou, commpte tenu de compatibilite :  abscisse := 1 }
pt1.ordonnee ;= 0.0
```

Voici un exemple de programme complet utilisant les objets *pt1* et *pt2*, accompagné du résultat fourni par son exécution :

```
program Mon_Premier_Progamme_Oriente_Objets ;
      { --------- Le type objet : emplacement ---------- }
type
    emplacement = object
        abscisse : real ;
        ordonnee : real ;
        procedure init (x, y : real) ;
        procedure deplace (dx, dy : real) ;
        procedure situe ;
    end ;
      { --------------- Ses méthodes ----------------- }
procedure emplacement.init (x, y :real) ;
begin
    abscisse := x ;
    ordonnee := y ;
end ;
procedure emplacement.deplace (dx, dy : real) ;
begin
    abscisse := abscisse + dx ;
    ordonnee := ordonnee + dy ;
end ;
procedure emplacement.situe ;
begin
    writeln (' coordonnées : ', abscisse:5:1, ' ', ordonnee:5:1) ;
end ;
```

```
        { ------------ Le programme principal ---------- }
var pos1, pos2 : emplacement ;
begin
    pos1.init (1.0, 0.0) ;    { ou, compte tenu de compatibilite :  pos1.init (1, 0) }
    pos2.init (2.0, 3.0) ;    { ou                              :  pos2.init (2, 3) }
    write ('pos1 après init : ') ; pos1.situe ;
    write ('pos2 après init : ') ; pos2.situe ;
    pos1.deplace (2, 3) ;
    pos2.deplace (4, -6) ;
    write ('pos1 en fin    : ') ; pos1.situe ;
    write ('pos2 en fin    : '); pos2.situe ;
end.

pos1 après init :  coordonnées :   1.0    0.0
pos2 après init :  coordonnées :   2.0    3.0
pos1 en fin     :  coordonnées :   3.0    3.0
pos2 en fin     :  coordonnées :   6.0   -3.0
```

Exemple d'utilisation du type emplacement

Remarques :

1) En ce qui concerne la manière dont Turbo Pascal gère les objets, il faut savoir que si chaque objet se voit réserver un emplacement mémoire correspondant à ses différents champs (comme pour un enregistrement classique), il n'en va (heureusement !) pas de même pour les méthodes : il n'y a qu'un seul jeu de méthodes pour tous les objets d'un même type.

2) L'instruction *with* peut s'utiliser avec un objet, de façon totalement comparable à ce qui se fait avec un enregistrement. Le "préfixe" cité s'applique alors aussi bien aux noms de champs qu'aux noms de méthodes.

4 - LES OBJETS ET LES UNITES

Vous pouvez toujours définir un type objet comme n'importe quel autre type dans un programme[4]. Mais il est évident qu'il sera plus facile à réutiliser (ou même à adapter si nécessaire) s'il est placé dans une unité séparée, éventuellement en compagnie d'autres objets. Cet aspect deviendra encore plus flagrant lorsque nous aurons appris à mettre en oeuvre l'héritage.

Mettre un type objet (ou plusieurs) dans une unité, ne présente aucune difficulté particulière. Il suffit, en effet, de placer :

---

[4]. Nous verrons toutefois, dans le paragraphe suivant, qu'un type objet ne peut être défini qu'au niveau le plus externe d'un programme ou d'une unité.

- la définition du type objet dans la partie *interface* (on a cependant le droit de la placer dans la partie *implementation* mais, dans ce cas, les méthodes ne seront pas accessibles à l'utilisateur de l'unité),

- la définition des méthodes dans la partie *implementation*.

A titre d'exemple, voici comment créer une unité nommée *OBJETS1* contenant le type objet *emplacement* défini dans le paragraphe 3 :

```
{ ------ exemple de type objet défini dans une unité ----- }
unit objets1 ;
interface
            { ----- le type objet : emplacement ----- }
    type
        emplacement = object
            abscisse : real ;
            ordonnee : real ;
            procedure init (x, y : real) ;
            procedure deplace (dx, dy : real) ;
            procedure situe ;
        end ;

implementation
        { ----- les méthodes du type objet emplacement ----- }
    procedure emplacement.init (x, y :real) ;
    begin
        abscisse := x ;
        ordonnee := y ;
    end ;

    procedure emplacement.deplace (dx, dy : real) ;
    begin
        abscisse := abscisse + dx ;
        ordonnee := ordonnee + dy ;
    end ;

    procedure emplacement.situe ;
    begin
        writeln (' coordonnées : ', abscisse:5:1, ' ', ordonnee:5:1) ;
    end ;
end.
```

Création d'une unité contenant le type objet **emplacement**

Voici un exemple d'utilisation de cette unité : il réalise la même chose que l'exemple du paragraphe 3.2 (nous n'avons pas rappelé les résultats produits) :

261

```
program Utilisation_d_un_objet_d_une_unite ;
uses objets1 ;
var pt1, pt2 : emplacement ;
begin
   pt1.init (1, 0) ;
   pt2.init (2, 3) ;
   write ('pt1 après init : ') ; pt1.situe ;
   write ('pt2 après init : ') ; pt2.situe ;
   pt1.deplace (2, 3) ;
   pt2.deplace (4, -6) ;
   write ('pt1 en fin    : ') ; pt1.situe ;
   write ('pt2 en fin    : '); pt2.situe ;
end.
```

Exemple d'utilisation de l'unité OBJETS1

Remarques :

1) Bien entendu, une même unité pourra contenir les définitions de plusieurs types objet.

2) Il ne faut pas craindre de prévoir trop de méthodes pour un même type objet. En effet, les méthodes non utilisées par un programme donné, ne sont pas incorporées au programme exécutable. On retrouve là le même mécanisme que celui utilisé pour les sous-programmes d'une unité.

3) A priori, rien n'interdit qu'un unité formée exclusivement d'objets contienne dans sa partie implémentation, des sous-programmes non mentionnés dans la partie interface. Il s'agirait alors de sous-programmes "classiques" (non attachés à un type objet particulier) ; par exemple, on pourrait prévoir des "routines" de service utilisables par différentes méthodes des objets de l'unité. Certes, nous n'aurions plus à faire à de la POO pure, en ce qui concerne la réalisation même de l'unité. En revanche, cela ne serait nullement visible de l'utilisateur de l'unité.

5 - PRIVATION DE CHAMPS OU DE METHODES D'UN OBJET

Depuis la version 6, il est possible de "privatiser" certains champs et certaines méthodes d'un objet, en utilisant le mot clé **private** de la façon suivante :

```
type ... = object
            ...    { champs et méthodes publics }
         private
            ...    { champs et méthodes privés }
      end ;
```

Les champs et méthodes privés ne sont alors accessibles que depuis l'unité ou le programme source où l'objet est défini. On notera que cette privatisation n'a aucun intérêt dans le cas d'un objet défini dans un programme source puisque, dans ce cas, l'objet ne pourrait être utilisé "de l'extérieur" ; autrement dit, ses champs et ses méthodes, qu'ils soient privatisés ou non, resteraient toujours incessibles.

En revanche, utilisée au sein d'une unité, cette possibilité de privatisation permet de mettre en place une "encapsulation relative" des données d'un objet : nous disons "relative" puisque cette encapsulation n'est effective que depuis l'extérieur de l'unité. Dans la suite, nous parlerons d'encapsulation des données d'un objet au sein d'une unité.

C'est ainsi que nous pourrions encapsuler les données de notre type *emplacement* défini (dans le paragraphe 4) dans l'unité *OBJETS1* :

```
unit objets1 ;
interface
   type emplacement = object
        procedure init (x, y : real ) ;
        procedure deplace (dx, dy : real) ;
        procedure situe ;
      private
        abscisse : real ;
        ordonnee : real ;
   end ;
implementation
   ..... { définition des méthodes }
end.
```

Dans ces conditions, un programme définissant un objet de ce type :

```
uses objets1 ;
   .....
var pos : emplacement ;
```

ne serait plus autorisé à utiliser des instructions telles que :

```
pos.abscisse := ...       { interdit }
readln (pos.ordonnee) ;   { interdit }
```

Remarques

1) Beaucoup de "langages orientés objets" prévoient une privatisation au niveau de l'objet. Cela signifie alors que seules les méthodes d'un objet peuvent accéder à ses champs ou méthodes privés. Turbo Pascal adopte une philosophie moins restrictive qui ne devient équivalente à la précédente que dans le cas (rare) où une unité ne contient qu'un seul objet.

2) Nous avons insisté sur la privatisation de données (champs). Mais il va de soi que cette technique s'applique de la même manière aux méthodes que l'on souhaite "cacher" au sein d'une unité.

6 - LES OBJETS D'UNE MANIERE GENERALE

Pour Turbo Pascal, un type objet est presque un type comme un autre. A ce titre, il est possible de l'employer la plupart du temps comme n'importe quel type structuré (tel que l'enregistrement). Voyons plus précisément ce qui est possible et les restrictions dont souffrent les objets.

6.1 Affectations d'objets

Lorsque deux variables sont d'un **même type objet**, elles sont compatibles entre elles. Ainsi, si vous avez déclaré :

```
var pos1, pos2 : emplacement
```

L'affectation :

```
pos1 := pos2
```

est autorisée. Elle revient simplement à transférer les contenus des champs (données) de *pos2* dans les champs correspondants de *pos1* (exactement comme cela se passerait avec un enregistrement).

6.2 Tableaux d'objets

Comme n'importe quel autre type, un type objet peut être employé dans la définition d'un autre type, par exemple enregistrement ou tableau. Ainsi, avec le type *emplacement* défini précédemment, nous pouvons créer un type *courbe* formé d'un tableau de 50 éléments de type *emplacement* :

```
type courbe = array [1..50] of emplacement ;
```

Si nous déclarons :

```
var c1 : courbe
```

nous accéderons à une méthode d'un élément de *c1* par une instruction telle que (i étant une variable entière) :

```
c1[i].init (...)
```

Remarque :

Ici, *courbe* n'est pas un type objet. Nous n'avons donc plus vraiment affaire à une "Programmation Orientée Objets", mais à ce que l'on pourrait qualifer de "programmation hybride". D'une manière générale, d'ailleurs, les tableaux d'objets ne se prêteront guère à ce que l'on nomme le "polymorphisme", notion sur laquelle nous reviendrons plus tard, à propos des "méthodes virtuelles".

6.3 Objets d'objets

Un type objet peut apparaître dans la définition d'un autre objet, par exemple :

```
type objx = object
          .....
        end;
    objy = object
          .....
          a : objx ;
          .....
        end ;
```

On peut aussi rencontrer un objet dont l'un des champs est lui-même d'un type structuré basé sur des objets. Par exemple, disposant du type *emplacement* précédent, nous pouvons définir le type *graphe* suivant :

```
type graphe = object
             points : array [1..50] of emplacement ;
             .....
           end ;
```

Celui-ci pourrait, naturellement, disposer des méthodes nécessaires à son utilisation (par exemple : création, affichage, effacement...).

6.4 Allocation dynamique d'objets

Nous avons appris (chapitre XVI) comment, par le biais d'un pointeur approprié, allouer de l'espace à une variable d'un type quelconque. Cette démarche s'applique également à un type objet. Par exemple, toujours avec le même type *emplacement*, avec ces déclarations :

```
type p_emplacement = ^emplacement ;
var  adr : p_emplacement ;
```

l'appel :

```
new (adr)
```

permettra d'allouer de l'espace pour un objet de type *emplacement*, c'est-à-dire en fait, l'espace mémoire nécessaire pour y représenter ses champs (données).

L'appel d'une méthode de l'objet ainsi créé, se fera de cette façon :

```
adr.init (3, 0)
```

Remarques :

1) Les variables objet globales (c'est-à-dire définies dans un programme principal) sont statiques comme n'importe quelle autre variable globale. Bien entendu, les objets alloués par *new*, sont dynamiques (et les objets locaux à une fonction verront leur emplacement alloué sur la pile).

2) On prendra bien soin de ne pas confondre les deux situations suivantes :

   - un objet est alloué dynamiquement par *new*,
   - un objet (statique[5]) s'alloue dynamiquement de l'espace mémoire pour ses besoins propres (c'est-à-dire pour les besoins de ses méthodes). Ce serait le cas, par exemple, d'un type objet *liste* permettant la manipulation d'une liste chaînée, comportant des méthodes d'initialisation, d'insertion, de suppression, de recherche... La méthode *insertion*, par exemple, y serait amenée à allouer de l'espace mémoire pour un nouvel élément de la liste.

6.5 Lorsqu'une méthode travaille sur plusieurs objets de même type

Dans les exemples rencontrés jusqu'ici, les méthodes d'un objet ne travaillaient que sur un seul objet à la fois : celui ayant appelé la méthode. Mais il est fréquent qu'une méthode doive effectuer un travail portant sur plusieurs objets. Supposez, par exemple, que nous ayons défini un type *vecteur* par :

```
type vecteur = object
                x : real ;
                y : real ;
                procedure initialise (...) ;
              end ;
```

Supposez que nous souhaitions pouvoir calculer la somme de 2 vecteurs. Dans ce cas, il n'est pas dans l'esprit de la POO d'employer une procédure comportant 3 arguments de type *vecteur* : les 2 vecteurs dont on veut la somme et le résultat (transmis par valeur). En effet, dans ce cas, elle ne serait associée à aucun objet (lequel, rappelons-le, joue le rôle d'argument supplémentaire implicite). Il faut prévoir d'associer la méthode

---

5. Ou, éventuellement local.

correspondante à l'un des 3 objets concernés : nous pouvons, par exemple, choisir le vecteur résultat. Si ce dernier se nomme *v3*, si la méthode s'appelle *somme* et si *v1* et *v2* désignent les deux vecteurs à additioner, un appel de la méthode se présentera ainsi :

```
v3.somme (v1, v2)
```

La définition de la procédure *somme* pourrait être :

```
procedure vecteur.somme (a, b : vecteur) ;
begin
    x := a.x + b.x ;
    y := a.y + b.y
end ;
```

Voici un exemple de programme complet utilisant le type *vecteur* ainsi défini :

```
program tst_simulation_operateur_de_vecteurs ;
type vecteur = object
        x, y : real ;
        procedure init (x0, y0 : real);
        procedure somme (a, b: vecteur) ;
        procedure affiche ;
        end ;
procedure vecteur.init (x0, y0 : real);
begin
    x := x0 ;
    y := y0 ;
end ;
procedure vecteur.somme (a, b: vecteur) ;
begin
    x := a.x + b.x ;
    y := a.y + b.y ;
end ;
procedure vecteur.affiche ;
begin
    writeln ('coordonnées : ', x:5:, y:5:1)
end ;

var v1, v2, v3 : vecteur ;
begin
    v1.init(1,2) ;
    v1.affiche ;
    v2.init(1,4) ;
    v2.affiche ;
    v3.somme(v1,v2) ;
    v3.affiche
end.
```

```
coordonnées :    1.0    2.0
coordonnées :    1.0    4.0
coordonnées :    2.0    6.0
```

Un type objet vecteur muni d'une opération d'addition

Remarque :

Le fait qu'une méthode puisse accéder à plusieurs objets n'est aucunement contraire à l'idée d'encapsulation de la POO. Il suffit, en effet, d'admettre que c'est le type objet (la classe) qui est protégé d'accès étrangers, non chaque objet du type.

7 - INITIALISATION DES OBJETS

Il est possible d'initialiser les champs[6] d'un objet lors de sa déclaration comme on le fait pour un enregistrement, c'est-à-dire en utilisant une forme particulière de la déclaration *const*. Par exemple, avec le type *point* du paragraphe 4, nous pourrons écrire :

```
const p : point = (1.5, 2.0) ;
```

Toutefois, si un objet contient des champs privés, il n'est plus possible de l'initialiser ainsi (si Turbo Pascal vous autorisait à le faire, cela constituerait une façon de violer le principe d'encapsulation). Notez qu'il n'est pas possible d'initisaliser ainsi les seuls champs publics (s'il y en a) car vous ne pouvez omettre aucun champ.

D'une manière générale, cette possibilité d'initialisation ne sera guère utilisée, dans la mesure où un objet véritable encapsulera tout ou une partie de ses données. On aura plutôt tendance à prévoir une méthode particulière destinée à initialiser un objet (ce sera précisément le rôle du "constructeur").

---

[6]. L'initialisation des méthodes d'un objet n'aurait aucun sens.

XX. L'HERITAGE ENTRE TYPES OBJET

En Turbo Pascal, lorsque vous avez défini un type objet (avec ses champs et ses méthodes), il vous est toujours possible de définir un nouveau type "héritant" du précédent. Ce dernier possédera d'emblée les mêmes champs et les mêmes méthodes, auxquels vous pourrez adjoindre les champs et les méthodes supplémentaires de votre choix. Eventuellement, si cela s'avère nécessaire, vous pourrez même "redéfinir" certaines des méthodes ainsi héritées (cela ne sera, en revanche, pas possible pour les champs).

Cette notion d'héritage est une des pièces maîtressses de la POO. Elle facilite grandement la réutilisation de logiciels existants (ou plutôt de parties de logiciels - par exemple des unités). Il est en effet possible de tirer profit d'objets déjà au point, même s'ils ne sont que partiellement adaptés à l'usage qu'on veut en faire, et ceci sans qu'il ne soit aucunement nécessaire de les remettre en cause[1]. D'autre part, l'héritage s'avère très utile pour structurer et développer un logiciel, même en dehors de sa réutilisation potentielle.

Avant d'étudier ce concept d'héritage d'une manière générale, nous vous proposons de l'introduire sur deux exemples, le second faisant appel à une redéfinition de méthode.

1 - UN PREMIER EXEMPLE D'HERITAGE

Supposez que nous disposions du type objet *emplacement* (avec ses champs et ses méthodes) défini dans le précédent chapitre, se présentant ainsi :

---

[1]. Comme cela se produirait en programmation classique : l'adaptation d'un module existant oblige généralement à le "casser".

```
type
   emplacement = object
      abscisse : real ;
      ordonnee : real ;
      procedure init (x, y : real) ;
      procedure deplace (dx, dy : real) ;
      procedure situe ;
   end ;

procedure emplacement.init (x, y :real) ;
begin
   abscisse := x ;
   ordonnee := y ;
end ;
procedure emplacement.deplace (dx, dy : real) ;
begin
   abscisse := abscisse + dx ;
   ordonnee := ordonnee + dy ;
end ;
procedure emplacement.situe ; :
begin
   writeln (' coordonnées : ', abscisse:5:1, ' ', ordonnee:5:1) ;
end ;
```

Le type emplacement

Supposez que nous ayons besoin de définir un nouveau type d'objet nommé *point* destiné à manipuler des points colorés dans un plan. Un tel point peut être défini par ses coordonnées (comme l'était un objet du type *emplacement*), auxquelles on adjoint une information de couleur (par exemple de type *byte*).

En ce qui concerne les méthodes de notre type *point*, nous pouvons conserver celles définies pour le type *emplacement* et leur adjoindre (il ne s'agit là que d'une possibilité !) une méthode nommée *colore* permettant de définir la couleur d'un point.

Bien entendu, nous pourrions "créer de toutes pièces" notre nouveau type *point*, en procédant ainsi :

```
type
   point = object
      abscisse : real ;
      ordonnee : real ;
      couleur  : byte ;
```

```
      procedure init (x, y : real) ;
      procedure deplace (dx, dy : real) ;
      procedure situe ;
      procedure colore (c : byte)
   end ;

procedure point.init (x, y :real) ;
begin
   abscisse := x ;
   ordonnee := y ;
end ;
procedure point.deplace (dx, dy : real) ;
begin
   abscisse := abscisse + dx ;
   ordonnee := ordonnee + dy ;
end ;
procedure point.situe ;
begin
   writeln (' coordonnées : ', abscisse:5:1, ' ', ordonnee:5:1) ;
end ;
procedure point.colore (c : byte) ;
begin
   couleur := c ;
end ;
```

Le type point, obtenu sans faire appel à l'héritage

Mais, nous pouvons également "profiter" du travail déjà effectué pour définir (et mettre au point !) le type *emplacement*. Pour ce faire, il nous suffit de procéder ainsi :

```
type
   point = object (emplacement)
      couleur  : byte ;
      procedure colore (c : byte)
   end ;

procedure point.colore (c : byte) ;
begin
   couleur := c ;
end ;
```

Le type point, héritant du type emplacement

Notez que :

```
type point = object (emplacement)
```

précise à Turbo Pascal que le type *point* est un type objet **héritant** du type *emplacement*. Nous n'avons eu à spécifier que les champs (ici *couleur*) et les méthodes (ici *colore*) spécifiques au type *point*.

La déclaration et l'utilisation de variables de type *point* se font alors de manière parfaitement classique. En fait, ce nouveau type, défini comme héritant du type *emplacement*, s'utilise exactement comme s'il avait été défini de manière indépendante. Ainsi, en déclarant :

```
var pt1, pt2 : point ;
```

nous pourrons effectuer des appels tels que :

```
pt1.init (5, 3)
pt2.deplace (4, 0)
pt1.colore (12)
    ...
```

Un peu de vocabulaire :

Nous dirons que le type point **hérite** du type *emplacement* ou encore que *point* est un **descendant** de *emplacement*. De même, nous dirons que *emplacement* est un **ancêtre** ou un **ascendant** de *point*.

Remarque importante :

Bien entendu, lorsque Turbo Pascal compile les instructions définissant le type *point*, le type *emplacement* doit être déjà connu. Ceci signifie que :

- soit le type *emplacement* est fourni auparavant, au sein du même programme,

- soit le type *emplacement* est défini dans une unité (appelée par *uses*...).

L'aspect "réutilisation" de produits existants sera naturellement beaucoup plus flagrant dans le second cas.

2 - PRIVATISATION ET HERITAGE

Nous avons vu que la version 6 de Turbo Pascal avait introduit la possibilité de "privatiser" des champs ou des méthodes d'un objet, c'est-à-dire d'en limiter l'accès à l'unité dans laquelle l'objet est défini. **De tels champs ou méthodes privés restent privés en cas d'héritage.** Ceci a des conséquences plus ou moins évidentes. Pour ‹ fixer les idées, considérons la situation suivante dans laquelle une unité Ub hérite d'un objet A défini dans une unité Ua :

```
type A = object              type B = object (A)
  .....                        .....
  private                      private
    x : ... ;                    y : ...
    procedure p (...) ;          procedure q (...) ;
end ;                        end ;

        Unité Ua                     Unité Ub
```

Si l'on définit un objet de type B en dehors de l'unité Ub, on trouvera certainement normal de ne pouvoir accéder :

- ni à ses méthodes et champs privés (ici q et y),

- ni aux méthodes et champs hérités de A (ici p et x).

En revanche, si l'on considère plus particulièrement les **méthodes de B** (elles seront donc définies dans l'unité Ub), on constate :

- qu'elles **auront accès aux méthodes et champs privés de B** (ici q et y),

- qu'elles **n'auront pas accès aux méthodes et champs privés de A** (ici p et x).

3 - UN EXEMPLE D'HERITAGE AVEC REDEFINITION DE METHODE

Supposez que nous disposions du type objet *emplacement* (défini dans le précédent chapitre) mais que sa méthode *situe* ne nous convienne pas ; par exemple, nous pourrions souhaiter qu'elle nous fournisse simplement (dans des arguments transmis par adresse) les valeurs des coordonnées, au lieu de les afficher à l'écran.

Certes, nous pourrions (là encore !) définir entièrement un nouveau type objet s'inspirant en grande partie du type *emplacement*. Nous obtiendrions un résultat de ce genre (notre nouveau type se nommant ici *emplacement1*) :

```
type
  emplacement1 = object
    abscisse : real ;
    ordonnee : real ;
    procedure init (x, y : real) ;
    procedure deplace (dx, dy : real) ;
    procedure situe (var x, y : real) ;
  end ;
```

```
procedure emplacement1.init (x, y :real) ;
begin
    abscisse := x ;
    ordonnee := y ;
end ;
procedure emplacement1.deplace (dx, dy : real) ;
begin
    abscisse := abscisse + dx ;
    ordonnee := ordonnee + dy ;
end ;
procedure emplacement1.situe (var x, y : real) ;
begin
    x := abscisse ;
    y := ordonnee
end ;
```

Un nouveau type emplacement1, défini de manière indépendante

Mais nous pouvons là encore, faire appel à l'héritage pour "profiter" du travail déjà effectué pour créer le type *emplacement*. Pour ce faire, nous procédons ainsi :

```
uses objets1 ;

type
    emplacement1 = object (emplacement)
        procedure situe (var x, y : real) ;
    end ;

procedure emplacement1.situe (var x, y : real) ;
    begin
        x := abscisse ;
        y := ordonnee
    end ;
```

Le type emplacement1, défini comme héritant du type emplacement

Cette fois, aucun champ supplémentaire, ni aucune méthode supplémentaire ne figure dans *emplacement1*. En revanche, nous avons dû préciser le nouvel en-tête de la procédure *situe* et nous en avons fourni la nouvelle définition. Notez, à ce propos, que rien ne précise (au lecteur) que *situe* est une procédure venant en remplacement de l'ancienne[2]. Certes, le compilateur, quant à lui, s'en aperçoit sans problème !

---

[2]. Certains autres langages orientés objets prévoient une déclaration particulière à cet effet.

Là encore, la déclaration et l'utilisation de variables du type *emplacement1* se feront de façon classique. Il faudra simplement veiller à appeler la méthode *situe* avec les arguments correspondant au type de l'objet concerné. Par exemple, avec cette déclaration :

```
var pos  : emplacement ;
    pos1 : emplacement1 ;
```

vous pourrez effectuer les appels de procédures suivants (*abs* et *ord* étant des variables réelles) :

```
pos.situe
pos1.situe (abs, ord)
```

En revanche, le compilateur refusera :

```
pos1.situe              { incorrect }
pos.situe (abs, ord)    { incorrect }
```

Voici un exemple d'utilisation de ce type *emplacement1* (nous supposons, ici encore, que la définition du type *emplacement* figure dans l'unité *objets1*) :

```
uses objets1 ;
type
    emplacement1 = object (emplacement)
        procedure situe (var x, y : real) ;
    end ;
procedure emplacement1.situe (var x, y : real) ;
    begin
        x := abscisse ;
        y := ordonnee
    end ;
var pos  : emplacement ;
    pos1 : emplacement1 ;
    abs, ord : real ;
begin
    { ----- manipulations de l'objet pos1 de type emplacement1 ----- }
    pos1.init (3, 2) ;
    pos1.situe (abs, ord) ;
    writeln ('pos1 avant : ', abs:5:1, ' ', ord:5:1) ;
    pos1.deplace (2, 3) ;
    pos1.situe (abs, ord) ;
    writeln ('pos1 après : ', abs:5:1, ' ', ord:5:1) ;
    { ----- affectation entre un objet et un descendant ----- }
    pos := pos1 ;
    write ('situation de pos1, via pos : ') ; pos.situe ;

end.
```

```
pos1 avant :    3.0    2.0
pos1 après :    5.0    5.0
situation de pos1, via pos :   coordonnées :    5.0    5.0
```

Exemple d'utilisation du type emplacement1

Remarque :

Si les données du type *emplacement* avaient été "encapsulées" (en les déclarant privées à l'aide de *private*), nous n'aurions pas pu redéfinir la méthode *situe*, dans le type *emplacement1*, comme nous l'avons fait. Pour que ce soit possible, il aurait absolument fallu que le type *emplacement* lui-même, dispose déjà de méthodes d'accès (publiques) à ses coordonnées. Une telle remarque ne doit pas, pour autant, vous inciter à conclure que, dans une telle situation, il est préférable de laisser publiques les coordonnées de *emplacement* ; en effet, leur encapsulation, malgré les inconvénients évoqués, aura le grand mérite de préserver une éventuelle modification de leur nature ; on peut par exemple, sans modifier les méthodes publiques, décider de définir un point, non plus par ses coordonnées cartésiennes, mais par ses coordonnées polaires.

4 - L'HERITAGE EN GENERAL

4.1 Héritage simple

En Turbo Pascal, vous pouvez faire appel à l'héritage, autant de fois que vous le souhaitez. En particulier, A peut hériter de B qui peut, lui-même, hériter de C... Toutefois, vous êtes limité à l'**héritage simple**, c'est-à-dire qu'un type objet ne peut hériter en même temps de deux types différents[3]. Autrement dit, si l'on représente les différents descendants d'un type objet par un graphe, ce dernier est obligatoirement un **arbre**. En voici un exemple :

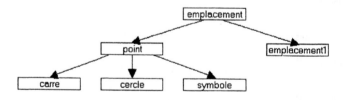

Bien entendu, cela montre tout l'intérêt qu'il y a d'effectuer un choix judicieux de types ayant un intérêt suffisamment général pour pouvoir être réutilisés dans différents

---

[3]. D'ailleurs, la syntaxe même de la définition d'un type objet ne permet pas de lui attribuer plusieurs ancêtres (directs).

descendants. Au fur et à mesure que l'on descend dans l'arborescence, on y rencontre des types de plus en plus "spécialisés".

Vocabulaire :

Nous dirons encore que *cercle* est un descendant de *emplacement* et que *emplacement* est un ancêtre ou un ascendant de *cercle*. Lorsque nous souhaiterons être plus précis, nous parlerons de descendant direct de *emplacement* ; *cercle* n'en est pas un.

4.2 Redéfinition de méthodes

Le processus de redéfinition, comme l'héritage, n'est pas limité. Ainsi, *cercle* peut redéfinir une méthode *situe*, elle-même redéfinie dans *emplacement*. Bien entendu, *cercle* peut redéfinir une méthode telle que *init*, bien qu'elle n'ait pas été redéfinie dans son ascendant direct.

Lorsqu'un objet fait appel à une méthode et que celle-ci n'est pas définie dans le type concerné (soit directement, soit par redéfinition), le compilateur recherche, dans la hiérarchie des ancêtres, la première méthode ayant le nom voulu. Par exemple, si *carre* ne redéfinit, ni *init*, ni *situe*, lorsqu'un objet de type *carre* fera appel à la méthode *situe*, il s'agira de celle de *point* (puisque *point* a redéfini *situe*) ; en revanche, lorsqu'un objet de type *carre* fera appel à la méthode *init*, il s'agira de celle de *emplacement*.

4.3 Appel d'une méthode d'un ancêtre

Dans la définition (ou la redéfinition) d'une méthode d'un type objet obtenu par héritage, il est possible de faire appel à une méthode définie dans un de ses ancêtres[4].

Par exemple, si nous souhaitons redéfinir la procédure *init* de *point* (qui hérite de *emplacement*), afin qu'elle puisse également affecter une valeur au champ *couleur*, nous pourrions :

- soit la redéfinir intégralement de cette manière (à condition que les champs x et y de *emplacement* soient publics ou que *point* soit défini dans la même unité que *emplacement*) :

```
procedure point.init (x, y : real ; c : byte) ;
begin
    abscisse := x;
    ordonnee := y ;
    couleur := c
end ;
```

---

[4]. A condition, bien sûr, qu'elle soit publique ou définie dans la même unité.

- soit faire appel à la procédure *init* déjà définie dans le type *emplacement*, en complétant par les aspects spécifiques au type *point* :

```
procedure point.init (x, y : real ; c : byte) ;
begin
    emplacement.init (x, y) ;
    couleur := c
end ;
```

Bien entendu, dans les deux cas, nous aurons prévu l'en-tête nécessaire dans la définition du type *point* :

```
type point = object (emplacement)
    .....
    procedure init (x, y : real ; c : byte) ;
end ;
```

4.4 Compatibilité entre types objet

a) Ce qu'est la compatibilité entre types objet et ce qu'elle n'est pas

Nous avons déjà vu que des variables d'un même type objet étaient compatibles entre elles et que l'affectation entre objets de même type se résumait à une recopie de valeurs de champs. Mais, que se passe-t'il pour des types descendants les uns des autres ?

Ici, Turbo Pascal rejoint les règles habituelles en POO, à savoir que là où l'on attend un objet d'un certain type, un objet d'un type descendant peut faire l'affaire (pour utiliser une analogie, on peut dire, en supposant que "rose" hérite de "fleur" : là où l'on attend une fleur, une rose peut faire l'affaire). Autrement dit, on peut toujours affecter à une variable objet une valeur d'un type descendant du sien. Par exemple, avec :

```
var pos : emplacement ;
    pt  : point ;
```

Vous pourrez utiliser :

```
pos := pt
```

Cette instruction recopiera en fait les valeurs des champs de *pt* (de type *point*) dans ceux de *pos* (de type *emplacement*), et ceci pour les **champs communs** à ces deux types (donc en fait, ceux du type *emplacement*). Il est très important de noter que cette affectation ne concerne que les champs donnée (et seulement certains) des objets et en aucun cas les méthodes. En particulier, après l'affectation précédente, un appel tel que *pos.situe* fera toujours appel à la méthode *situe* du type *emplacement* (qui est le type de l'objet *pos*), même si celle-ci avait été redéfinie dans le type *point*.

Notez bien, par ailleurs, que la compatibilité n'a lieu que dans le sens objet - > ancêtre. Ici, par exemple, nous ne pourrions pas écrire :

```
pt := pos    { incorrect }
```

D'ailleurs, si cela était possible, cette instruction laisserait indéfinis certains champs de *pt* (ici *couleur*).

b) Conséquences de cette compatibilité

Cette compatibilité entre types objet s'applique également aux arguments transmis à un sous-programme : l'argument effectif peut être d'un type quelconque, descendant du type de l'argument muet correspondant.

Elle s'applique également aux objets pointés. Ainsi, avec les déclarations suivantes (*emplacement* et *point* étant les types définis précédemment) :

```
var ademp : ^emplacement ;
    adpt  : ^point ;
```

l'affectation suivante sera possible :

```
ademp^ := adpt^
```

(bien sûr, il aurait fallu, au préalable, allouer des emplacements par *new (ademp)* et *new (adpt)*)

Là encore, il faut bien remarquer qu'un appel tel que :

```
ademp^.situe
```

se référera toujours à *emplacement.situe*.

c) Cas des pointeurs : exemple de mauvais polymorphisme

Un dernier cas de compatibilité réside dans celui des pointeurs sur des types objet descendants. Ainsi, avec les déclarations précédentes :

```
var ademp : ^emplacement ;
    adpt  : ^point ;
```

il est possible d'écire :

```
ademp := adpt
```

Cette fois, aucun transfert d'informations n'a lieu d'un champ à un autre. Simplement, *ademp* pointera dorénavant sur un objet de type *point* ; notez, cependant, que pour le compilateur, *ademp* reste un pointeur sur un objet de type *emplacement*. Certes, vous pourriez accéder aux champs *abscisse* et *ordonnee* définis dans le type ancêtre (c'est-à-dire *ademp^.abscisse* et *ademp^.ordonnee*), mais pas au champ *couleur* défini seulement dans le type descendant. De même un appel tel que :

```
ademp^.situe
```

appellera toujours la méthode *situe* du type *emplacement*, et ceci bien que l'objet pointé par *ademp* soit du type *point*.

Il s'agit là d'une restriction apparemment très sévère. En effet, supposons que nous souhaitions constituer une liste chaînée d'objets pouvant être de types différents (mais parents, c'est-à-dire héritant tous d'un type commun que nous nommerons l'ancêtre). Certes, nous pourrions toujours parcourir la liste à l'aide d'un pointeur courant du type "pointeur sur l'ancêtre". Mais, d'après ce que nous venons de voir, il ne serait pas possible de faire appel, par le biais de ce simple pointeur, à une méthode donnée, à partir du moment où elle est redéfinie dans certains de ses descendants.

Or, l'un des avantages de la POO réside dans le "polymorphisme" : ce terme signifie que l'on attribue un même nom à une méthode qui s'adapte au type d'objet concerné. L'héritage, associé à la redéfinition de méthodes, permet effectivement le polymorphisme, dans le cas d'objets dont le type est défini à la compilation (objets globaux ou objets locaux à une fonction) ; en revanche, comme nous venons de le voir, les objets dynamiques dont l'emplacement est alloué par *new* peuvent, dans certains cas[5], s'avérer incompatibles avec le polymorphisme. Nous verrons, dans le prochain chapitre, comment les **méthodes virtuelles** apportent une solution à ce problème.

4.5 Distinction entre héritage et objets d'objets

Dans le chapitre précédent, nous avons vu comment (à l'image des autres types), un type objet pouvait, à son tour, être employé dans la définition d'un autre type, en particulier d'un type objet. Cette notion ne doit pas être confondue avec celle d'héritage que nous venons d'étudier, même si, dans certains cas, un même type peut être défini de ces deux manières. C'est ainsi qu'ici, nous aurions pu envisager de définir le type point comme ceci :

```
type point = object
                position : emplacement ;
                couleur : byte ;
                procedure colore (c : byte)
            end ;
procedure point.colore (c : byte) ;
begin
    couleur := c
end ;
```

---

[5]. Le problème ne se pose que lorsqu'un même pointeur doit pouvoir désigner des objets de type différent. Tant que chaque type d'objet fait appel à un type pointeur spécifique, aucun problème n'apparaît, même s'il y a redéfinition de méthode.

Cependant, l'emploi de ce type aurait été moins aisé que précédemment. En effet, si *pt* était une variable de ce type, les appels des méthodes *init* et *deplace* auraient pris cette forme :

```
pt.position.init (3, 5)6
pt.position.deplace (2, -1)
```

tandis que celui de *colore* aurait conservé une forme usuelle :

```
pt.colore (12)
```

D'autre part, nous verrons, dans le prochain chapitre, que l'existence des procédures virtuelles confère à l'héritage, des possibilités qu'il serait vain d'espérer avec des objets d'objets.

Enfin, et d'une manière générale, disons que l'emploi des objets d'objets[7] doit plutôt être réservé à des relations du type "a un" (c'est-à-dire "possède un"), alors que l'héritage doit plutôt être réservé à des relations du type "est un". Ainsi, dans l'exemple précédent, on peut dire qu'un *point* est un *emplacement* (coloré) et non pas qu'un *point* possède un *emplacement*.

4.6 A propos du choix des types objet

En POO, il est souvent difficile de définir les différentes "classes" (type objet) à employer pour résoudre un problème. Il est encore plus difficile de mettre correctement en oeuvre l'héritage en choisissant une bonne "arborescence" de classes. Bien qu'il soit difficile de donner des règles générales sur ce sujet, nous vous proposons ici quelques réflexions.

Il faut tout d'abord bien voir que l'héritage possède une double vocation :

- dans un premier temps, simplifier l'organisation et la réalisation d'un produit que l'on réalise,

- dans un deuxième temps, faciliter la réutilisation de classes existantes.

Les deux aspects nécessitent beaucoup de réflexion et de soin pour définir les classes. En outre, le second aspect requiert un certain pouvoir d'abstraction et de généralisation du problème à résoudre.

Dans tous les cas, le débutant en POO devra veiller à ne pas (trop) se laisser influencer par certains concepts connus paraissant proches du concept de classe. Le cas le plus flagrant est celui des figures géométriques. Un "matheux" classique pourrait, par exemple, trouver naturel qu'un carré hérite d'un rectangle, lui-même héritant d'un quadrilatère ! Or, si vous

---

[6]. Notez bien que pt.position.init doit être interprété comme (pt.position).init, c'est-à-dire comme l'appel de la méthode init de l'objet pt.position, lequel correspond au "sous-objet" position de l'objet pt.

[7]. Nous faisons ici l'abus de langage, classique, qui consiste à parler d'objet au lieu de type objet.

cherchez à réaliser de telles classes, vous découvrirez qu'une telle hiérarchie peut se révéler difficile à mettre en oeuvre (à moins de prévoir dans une classe donnée des champs non utilisés dans ses descendants !). Il se peut qu'après reflexion, vous découvriez que, si héritage il y a, il doit être prévu dans l'autre sens.

Par ailleurs, on cherchera à réfléchir **a priori** aux champs et aux méthodes que l'on souhaite encapsuler, en ne perdant pas de vue que les méthodes d'une éventuelle classe descendante n'auront généralement pas accès[8] à ces éléments privés. Il faudra donc, le cas échéant, prévoir des méthodes publiques supplémentaires réalisant cet accès.

Enfin, on cherchera à définir un type objet, plus par ses **fonctionnalités** (ce qui revient à dire par les méthodes publiques) que par sa **structure** (c'est-à-dire par les champs - de préférence privés - qui le constituent). Les types ainsi définis seront plus facilement adaptables, sans que leur utilisation ne change (on pourra en modifier l'implémentation, sans que l'utilisateur n'en soit conscient).

---

[8]. Sauf dans le cas, rare, où le type descendant est défini dans la même unité.

XXI. LES METHODES VIRTUELLES

Dans tous les exemples que nous avons rencontrés jusqu'ici, les méthodes d'un objet étaient parfaitement définies lors de la compilation du type correspondant : on parle alors, dans un tel cas, de "méthodes statiques". On pourrait certes penser qu'il s'agit là d'une règle générale et que, donc, toutes les méthodes d'un objet sont toujours statiques. Or, en fait, il n'en est rien !

En effet, à partir du moment où l'on dispose de la notion d'héritage, on ne sait pas toujours, lorsque l'on conçoit un type objet, quels seront tous ses descendants éventuels et leurs méthodes. Dans ces conditions, on peut imaginer une situation dans laquelle on souhaite définir une méthode pour un objet, alors même que celle-ci comporte certains points qui ne pourront être spécifiés que dans certaines méthodes de ses descendants. Nous allons voir que cette situation typique conduit alors à une ambiguïté lors de la compilation et que celle-ci se résout, en Turbo Pascal, en faisant appel aux **méthodes virtuelles**. Nous verrons ensuite que ces dernières apportent également une solution au besoin de ploymorphisme évoqué dans le paragraphe 3.4.c du chapitre précédent.

1 - EXEMPLE DE SITUATION NECESSITANT UNE METHODE VIRTUELLE

Supposez que nous souhaitions créer un type objet comparable au type *emplacement* défini dans le paragraphe 3.3 du chaptire XIX (avec, en particulier, sa méthode *situe* dont le rôle est d'afficher les coordonnées). Mais cette fois, nous savons que ce type risque d'avoir des descendants et il nous semble souhaitable que la procédure *situe* affiche, en plus des coordonnées de l'objet, une information plus spécifique à l'objet concerné ; par exemple, il pourrait s'agir du nom du type lui-même (nous le connaissons pas lorsque nous écrivons *situe*), d'une indication de couleur pour des descendants en comportant une, d'un rayon pour un cercle... Bien entendu (et c'est un des intérêts de l'héritage !), nous ne savons pas, en écrivant *emplacement*, ce que seront précisément ces informations spécifiques à ses éventuels descendants. En revanche, nous savons que, dans tous les cas (qu'il s'agisse d'un objet de type *emplacement* ou d'un de ses descendants), il faudra en afficher les coordonnées.

Bien sûr, nous pourrions nous contenter de laisser notre type *emplacement* tel quel, en laissant chacun de ses descendants redéfinir *situe*, en y prévoyant à la fois l'affichage des coordonnées de l'objet et l'affichage des informations spécifiques. Mais, nous pouvons préférer mettre, dès maintenant, dans la méthode *situe*, ce que nous en connaissons de façon certaine, de façon à éviter aux descendants du type *emplacement* d'écrire à nouveau les instructions correspondantes[1] ; pour ce faire, nous pouvons penser à définir la méthode *situe* de façon à ce que :

- d'une part, elle affiche les coordonnées de l'objet (qui seront celles d'un objet de type *emplacement* ou d'un type descendant dans le cas où celui-ci héritera de *situe*- c'est-à-dire dans le cas où celle-ci n'est pas redéfinie) ;

- d'autre part, elle fasse appel à une autre méthode (nommée, par exemple, *identifie*) ayant pour vocation d'afficher les informations spécifiques à chaque objet. Bien entendu, ce faisant, nous supposons que chaque descendant de *emplacement* redéfinira *identifie* d'une façon appropriée à sa nature spécifique (mais il n'aura plus à prendre en charge l'affichage des coordonées, réalisé dans *situe*).

Cette démarche a, en outre, le mérite de rester utilisable dans le cas (fréquent en pratique) où les coordonnées de *emplacement* seraient encapsulées. Elle nous conduit (semble-t-il) à définir notre type (que nous nommerons dorénavant *emplacement0*, pour éviter les confusions avec les précédents chapitres) de cette manière :

```
type emplacement0 = object
     abscisse : real ;
     ordonnee : real ;
     procedure init (x, y : real) ;
     procedure deplace (dx, dy : real) ;
     procedure situe  ;          { méthode générale }
     procedure identifie         { méthode spécifique à chaque type }
     end ;

procedure emplacement0.init (x, y : real) ;
begin
  abscisse := x ;
  ordonnee := y
end ;
```

---

[1]. Bien entendu, ici, l'enjeu est limité (une seule instruction writeln !) mais il pourra être beaucoup plus important dans un cas réel.

```
procedure emplacement0.deplace (dx, dy : real) ;
begin
  abscisse := abscisse + dx ;
  ordonnee := ordonnee + dy
end ;
procedure emplacement0.situe ;
begin
  writeln ('Je me situe en : ', abscisse:5:1, ' ', ordonnee:5:1) ;
  identifie
end ;
procedure emplacement0.identifie ;
begin
  writeln ('   je suis un objet du type emplacement0 ')
end ;
```

Le type emplacement0

Certes, vous pouvez objecter que nous n'avons rien fait de véritablement nouveau (quoique, en toute rigueur, nous n'ayons pas rencontré auparavant d'exemple de méthode faisant appel à une autre méthode !). Effectivement, si nous définissons un objet du type *emplacement0*, son utilisation conduit aux résultats escomptés. En voici un exemple, dans lequel, pour simplifier, nous avons supposé que notre type *emplacement0* avait été compilé sous forme d'une unité nommée *place0* :

```
uses place0 ;

var pos : emplacement0 ;
begin
    pos.init (1, 3) ;
    pos.situe ;
end.

Je me situe en :   1.0   3.0
    je suis un objet du type emplacement0
```

Un exemple satisfaisant d'utilisation du type emplacement0

Encouragé par ce premier résultat, nous pouvons alors chercher à définir un type descendant de *emplacement0*, par exemple *point0*, comportant :

- un champ *couleur*,

- une méthode *identifie*, redéfinie de manière à afficher le type de l'objet et sa couleur.

Voici la définition de *point0* et un exemple d'utilisation :

```
uses place0 ;
type point0 = object(emplacement0)
      couleur : byte ;
      procedure colore (c: byte) ;
      procedure identifie
    end ;
procedure point0.colore ;
begin
   couleur := c ;
end ;
procedure point0.identifie ;
begin
   writeln ('    je suis un objet de type point0 de code couleur ', couleur)
end ;

var pos : emplacement0 ;
    pt  : point0 ;
begin
    pos.init (1, 3) ;
    pos.situe ;
    pt.init (2, 5) ;
    pt.colore(13) ;
    pt.situe
end.
```

```
Je me situe en :  1.0   3.0
   je suis un objet du type emplacement0
Je me situe en :  2.0   5.0
   je suis un objet du type emplacement0
```

Un exemple peu satisfaisant d'utilisation du type enregistrement0

Cet exemple s'avère peu satisfaisant. En effet, si nous obtenons effectivement les coordonnées de l'objet *pt* (de type *point0*), nous n'obtenons pas l'information de couleur et de type, attendue pour un objet de type *point0* ; au contraire, nous obtenons même une information précisant que notre objet est du type *emplacement0* !

Que s'est-il passé ? En fait, les choses ne s'expliquent vraiment que lorsque l'on sait comment Turbo Pascal met en oeuvre les méthodes associées à un objet. Sans trop entrer (pour l'instant) dans les détails, disons que le problème vient de ce que, en Turbo Pascal, les méthodes sont, par défaut, statiques ; cela signifie que, lors de la compilation d'un appel de méthode, le compilateur décide quelle est exactement la méthode à appeler.

Certes, dans de nombreux cas (tels que ceux rencontrés dans les précédents chapitres), cette démarche ne pose aucun problème. En revanche, dans notre exemple précédent, lorsqu'il a compilé les méthodes du type *emplacement0*, Turbo Pascal a considéré que

286

l'appel de *identifie*, réalisé dans la méthode *emplacement0.situe*, correspondait à la méthode *identifie* du type *emplacement0*. Cet appel a été figé définitivement dans le module objet *place0.tpu* (notez, d'ailleurs, que cette démarche peut paraître naturelle à celui qui n'aurait pas prévu que *identifie* puisse être redéfinie dans un descendant de *emplacement0*, sans que *situe* le soit !). Lorsqu'ensuite, nous avons compilé notre *point0* et ses méthodes, la méthode *point0.situe* est, certes, traduite en langage machine, mais aucun appel n'en est mis en place[2].

Nous allons voir comment l'emploi de méthodes virtuelles permet d'obtenir une solution à notre problème.

2 - DEFINITION ET UTILISATION DE METHODES VIRTUELLES

2.1 Les règles

En définitive, pour que les choses se déroulent comme nous l'aurions souhaité, il faudrait :

a) que, lors de la compilation de la méthode *emplacement0.situe*, le compilateur ne fige pas définitivement l'appel de la méthode *identifie* , c'est-à-dire, en quelque sorte, qu'il le laisse "en blanc",

b) que la méthode réellement appelée par *situe* soit déterminée en fonction du type de l'objet ayant appelé *situe* ; par exemple, dans notre cas, il s'agirait de *emplacement0.identifie* pour un objet de type *emplacement0* et de *point0.identifie* pour un objet de type *point0* ; on parle parfois de "ligature dynamique" pour traduire cette particularité.

Ce comportement peut être effectivement obtenu en faisant appel à la notion de **méthode virtuelle**. L'utilisation d'une méthode virtuelle passe par une double contrainte :

1 - Les méthodes dont l'appel ne peut pas être défini au moment de la compilation des méthodes les appelant (comme c'était le cas de notre procédure *identifie*) doivent être **déclarées virtuelles** (mot clé **virtual**) **à tous les niveaux** (c'est-à-dire à la fois dans leur première définition et dans leurs redéfinitions). Notez que c'est cette déclaration qui permet au compilateur de sastifaire au point a précédent.

2 - Tout type objet comportant au moins une méthode virtuelle doit contenir (au moins) une procédure dite **constructeur** (mot clé **constructor**). Ce constructeur doit obligatoirement être appelé par toute variable objet de ce type avant qu'elle ne fasse

---

[2]. En toute rigueur, d'ailleurs, cette méthode sera supprimée du programme exécutable réalisé, compte tenu, justement, de ce qu'elle n'est pas utilisée.

appel à une quelconque méthode virtuelle. C'est cet appel du constructeur qui permet à Turbo Pascal de répondre au point b précédent[3].

2.2 Exemple de définition d'un type objet comportant une méthode virtuelle

L'exemple suivant vous montre comment nous avons appliqué les règles précédentes (a et b) à la définition de notre type *emplacement0* :

```
type emplacement0 = object
      abscisse : real ;
      ordonnee : real ;
      constructor init (x, y : real) ;        { <----- règle b }
      procedure deplace (dx, dy : real) ;
      procedure situe  ;
      procedure identifie ; virtual ;          { <----- règle a }
    end ;

constructor emplacement0.init (x, y : real) ;   { <----- règle b }
begin
  abscisse := x ;
  ordonnee := y
end ;
procedure emplacement0.deplace (dx, dy : real) ;
begin
  abscisse := abscisse + dx ;
  ordonnee := ordonnee + dy
end ;
procedure emplacement0.situe ;
begin
  writeln ('Je me situe en : ', abscisse:5:1, ' ', ordonnee:5:1) ;
  identifie
end ;
procedure emplacement0.identifie ;
begin
  writeln ('    je suis un objet du type emplacement0 ')
end ;
```

Exemple de définition d'un type comportant une méthode virtuelle et un constructeur

---

[3]. La compréhension du rôle exact du constructeur passe par la connaissance de la "Table des Méthodes Virtuelles" (TMV) que nous évoquerons plus loin. Cette connaissance n'est toutefois pas indispensalbe pour faire un bon usage des méthodes virtuelles (pour peu que l'on veuille bien admettre la règle d'appel d'un constructeur), du moins tant que l'on n'utilise pas d'objets pointés.

Comme vous pouvez le constater :

- Nous avons ajouté le mot *virtual* (suivi d'un point-virgule) à la suite de l'en-tête de la méthode *identifie*.

- Nous avons fait de la méthode *init* un constructeur, en remplaçant, dans son en-tête, le mot *procedure* par le mot *constructor*. Notez bien qu'il s'agit là d'un choix relativement arbitraire dans la mesure où nous aurions pu, par exemple, créer une nouvelle méthode destinée à jouer le rôle de constructeur (elle n'aurait alors rien fait d'autre et son corps aurait été vide !). En revanche, il n'aurait pas été judicieux de transformer en constructeur une procédure telle que *deplace*, dans la mesure où nous savons que le **constructeur devra être appelé avant toute méthode virtuelle.**

2.3 Exemple d'utilisation d'un type objet comportant une méthode virtuelle

L'exemple suivant vous montre comment nous avons adapté le dernier programme du paragraphe 1, pour qu'il fasse appel au type *emplacement0*, nouvellement défini (supposé placé, là encore, dans l'unité nommée *place0*) :

```
uses place0 ;
type point0 = object(emplacement0)
       couleur : byte ;
       procedure colore (c: byte) ;
       procedure identifie ; virtual          { <---- règle a }
     end ;
procedure point0.colore ;
begin
   couleur := c ;
end ;
procedure point0.identifie ;
begin
   writeln ('    je suis un objet de type point0 de code couleur ', couleur)
end ;

var pos : emplacement0 ;
    pt  : point0 ;
begin
   pos.init (1, 3) ;
   pos.situe ;
   pt.init (2, 5) ;
   pt.colore(13) ;
   pt.situe
end.
```

```
Je me situe en :   1.0   3.0
     je suis un objet du type emplacement0
Je me situe en :   2.0   5.0
     je suis un objet de type point0 de code couleur 13
```

Exemple d'utilisation d'un objet comportant une méthode virtuelle

Nous n'avons eu, en fait, qu'à ajouter le mot *virtual* dans l'en-tête de la redéfinition de la méthode *identifie*. En effet, nous n'avons pas eu à prévoir de nouvel appel pour le constructeur *init*, dans la mesure où cette méthode était déjà la première appelée pour l'objet *pt*.

3 - LES METHODES VIRTUELLES D'UNE MANIERE GENERALE

Les règles énoncées dans le paragraphe 2.1 doivent être complétées par quelques remarques et commentaires.

3.1 Définition d'une méthode virtuelle

Notez bien que le mot *virtual* n'apparaît que dans l'en-tête de la méthode, au niveau de la définition du type objet ; il ne doit pas être répété lors de la définition même de la méthode.

Le choix entre méthode statique ou méthode virtuelle doit obligatoirement être fait dans la "première génération" où apparaît la méthode. Il n'est pas possible de déclarer virtuelle une méthode héritée, au moment de sa redéfinition, si la méthode ainsi redéfinie n'a pas elle-même été déclarée virtuelle.

Lorsqu'une méthode virtuelle est redéfinie, elle doit obligatoirement comporter les mêmes arguments (nombre et type) que la méthode redéfinie et, s'il s'agit d'une fonction, fournir un résultat de même type. Notez bien que cette règle ne s'appliquait pas aux méthodes statiques. Ici, elle sert, en quelque sorte, à simplifier le travail du compilateur lorsqu'il doit laisser un appel en blanc (seule, la méthode à appeler est inconnue, les arguments, quant à eux, le sont...).

3.2 A propos des constructeurs

a) Quelques règles

Un même type peut disposer de plusieurs constructeurs.

Un constructeur ne peut pas être une fonction (le mot *constructor* remplace uniquement le mot *procedure*).

Un constructeur peut être vide. Cela ne l'empêche pas d'effectuer son travail de "ligature dynamique" au moment de son appel.

Un constructeur ne peut pas être virtuel.

Un constructeur peut faire appel à une méthode virtuelle. Notez bien que cela n'est pas incompatible avec la règle disant qu'un constructeur doit être appelé avant toute méthode virtuelle ; en effet, la ligature dynamique que réalise le constructeur s'effectue dès l'entrée dans le constructeur et, donc, avant sa première instruction exécutable[4].

b) L'instruction Fail

Au sein d'un constructeur (et uniquement là !), il est possible d'employer l'instruction **Fail**. Celle-ci n'a d'intérêt que si le constructeur doit réaliser des opérations dont on n'est pas certain, a priori, qu'elles pourront aboutir : le cas le plus usuel est celui où le constructeur doit effectuer une allocation dynamique de mémoire.

L'instruction *Fail* joue le même rôle que *Exit*, c'est-à-dire qu'elle interrompt l'exécution du constructeur. En revanche, elle possède sur *exit*, l'avantage que le programme ayant appelé le constructeur peut savoir si celui-ci s'est terminé normalement ou, au contraire, par *Fail*. Il suffit pour cela, d'appeler le constructeur comme une fonction, sachant que la valeur fournie est de type booléen : elle vaudra *true* si le constructeur s'est terminé normalement, *false* s'il s'est terminé par *Fail*.

Exemple : un constructeur tel que :

```
constructor creation (...) ;
begin
    .....
    if (MaxAvail...) then Fail
end ;
```

pourra être exploité ainsi :

---

[4]. Ecrite en Pascal ! Car naturellement, la ligature dynamique est, elle aussi, réalisée par des instructions exécutables (en langage machine) ; ces dernières, toutefois, vous échappent totalement.

```
if objet.creation (...) then ...
                   else ...
```

4 - LA TABLE DES METHODES VIRTUELLES (TMV)

Jusqu'ici, nous vous avons montré comment mettre en oeuvre des méthodes virtuelles pour résoudre un certain type de problèmes. Néanmoins, nous nous sommes contentés de vous fournir un certain nombre de règles qui, en définitive, peuvent vous paraître relativement arbitraires. Ce paragraphe vous fournit quelques indications sur la manière dont Turbo Pascal gère les méthodes virtuelles à l'aide de tables, dites "tables des méthodes virtuelles". Muni de ces connaissances, nous pourrons alors vous montrer, dans le paragraphe suivant, comment résoudre le problème de polymorphisme évoqué dans le paragraphe 3.4.c du précédent chapitre.

Voyons donc comment Turbo Pascal met en oeuvre la "ligature dynamique" nécessaire au bon fonctionnement des méthodes virtuelles.

Lorsqu'un type objet comporte au moins une procédure virtuelle, le compilateur crée, dans le programme exécutable correspondant (ou dans l'unité correspondante) une table nommée Table des Méthodes Virtuelles (en abrégé TMV). Cette table contient les adresses des méthodes virtuelles du type[5]. Par exemple, lors de la compilation de notre type *emplacement0* précédent, le compilateur aura créé une TMV telle que celle-ci (il n'y a ici qu'une seule méthode virtuelle : *identifie*)

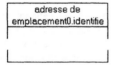

TMV du type emplacement0

Ultérieurement, la compilation du type descendant *point0* aura conduit à la création de :

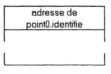

TMV du type point0

---

[5]. En toute riguer, la TMV contient également la taille du type objet correspondant.

Notez bien que ces tables sont parfaitement définies à la compilation. Jusque là, il n'y a rien de "dynamique" ! Mais, voyons la suite.

En effet, par ailleurs, toute variable objet d'un type comportant des méthodes virtuelles se voit attribuer par le compilateur, outre l'emplacement mémoire nécessaire à la représentation de ses champs, un emplacement supplémentaire destiné à contenir une adresse. Cette adresse[6] servira, lors de l'exécution, à désigner la TMV correspondant au type de l'objet. Elle n'est pas définie lors de la compilation.

Par exemple, après compilation du programme du paragraphe 2.3, nous obtenons, pour nos 2 variables objet *pos* et *pt* (le point d'interrogation représentant le pointeur sur la TMV, de valeur non encore définie) :

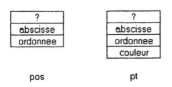

C'est effectivement le constructeur de chaque type qui viendra placer la bonne adresse de TMV au moment de son appel. Ce constructeur comporte des instructions introduites automatiquement par le compilateur, avant celles correspondant à son corps, dont le but est uniquement de placer dans la variable (objet) l'ayant appelé l'adresse de la TMV correspondante. On peut dire, en quelque sorte, que c'est le constructeur qui, sur votre initiative, donne son identité définitive à l'objet correspondant.

Ainsi, après exécution de l'appel *pos.init* du programme du paragraphe 2.3, nous aboutissons à cette situation :

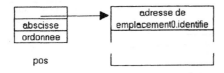

TMV de emplacement0

Bien entendu, après l'appel de *pt.init*, nous aboutissons à une situation comparable avec *pt* et la TMV du ty pe *point0*.

Jusque là, il ne semble pas y avoir encore de phénomène de ligature dynamique. Effectivement, il faut maintenant en venir à la manière dont a été compilée la méthode *emplacement0.situe* et, plus précisément, l'appel de *identifie* qu'elle contient. Nous avions

---

[6]. Nommée "pointeur sur la TMV", et donc, parfois en abrégé (francisé) PTMV

dit qu'il était laissé "en blanc", de manière à n'être décicé qu'au moment de l'exécution. En fait, pour pouvoir le laisser ainsi en blanc, le compilateur a placé des instructions destinées à examiner la TMV de l'objet ayant appelé la méthode *situe*, afin de décider de la "bonne méthode" *identifie* à appeler.

Le schéma ci-après récapitule la situation

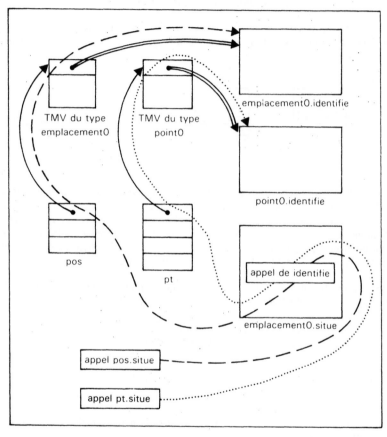

Légende :

➡ Liens réalisés à la compilation

→ Liens établis par un constructeur

--▶ ⎫
      ⎬ Liens établis lors de l'exécution
·····▶ ⎭

294

5 - OBJETS DYNAMIQUES ET POLYMORPHISME

5.1 L'apport des méthodes virtuelles

Nous avons déjà parlé d'objets dynamiques : dans le chapitre XIX, nous avons vu comment allouer de l'espace pour un objet (pour ses champs) au même titre que pour n'importe quel type. Dans le chapitre XX, nous avons vu des exemples d'objets dynamiques de différents types descendants les uns des autres ; nous avons vu qu'alors, l'affectation d'un objet à un de ses ascendants était possible, mais nous avions alors émis le regret de ne pas pouvoir utiliser un même pointeur pour décrire des objets de types descendants d'un même ancêtre (paragraphe 3.3 c).

En fait, nous avions raisonné sur des objets (dynamiques certes !) ne comportant que des méthodes statiques. L'existence des méthodes virtuelles et la gestion qu'en fait le Turbo Pascal apporte un éclairage nouveau à notre problème.

Considérons, par exemple, les déclarations suivantes (où *emplacement0* et *point0* sont les types définis dans ce chapitre) :

```
var ademp : ^emplacement0 ;
    adpt  : ^point0 ;
```

Une affectation telle que :

```
^ademp := ^adpt
```

joue toujours le rôle habituel de recopie des valeurs des (seuls) champs *abscisse* et *ordonnee* de l'objet *^adpt* (de type *point0*) dans l'objet *^ademp* (de type *emplacement0*). L'existence de TMV ne change rien.

En revanche, si l'on considère une affectation telle que :

```
ademp := adpt
```

l'existence de TMV apporte quelque chose de neuf, par rapport à ce qui se passait dans le cas de méthodes statiques. Supposons, en effet, qu'à un instant donné, *ademp* et *adpt* pointent respectivement sur des objets (alloués dynamiquement) de type *emplacement0* et *point0* comme l'indique ce schéma :

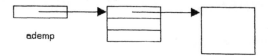

TMV du type emplacement0

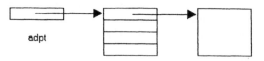

TMV du type point0

Après l'affectation *ademp := adpt*, la situation est la suivante :

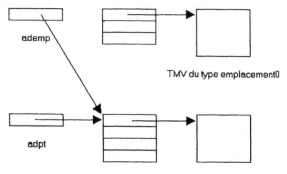

TMV du type emplacement0

TMV du type point0

Dans ces conditions, un appel tel que :

```
ademp^.situe
```

fera bien référence (par le biais de la TMV) à la méthode *point0.situe* et non plus à la méthode *emplacement0.situe* et ceci, bien que *ademp* soit a priori (pour le compilateur) un pointeur sur des objets du type *emplacement0*.

On voit donc que la TMV offre une solution aux besoins de polymorphisme dans le cas d'objets dynamiques. Bien entendu, il est nécessaire de rendre virtuelle toute méthode que l'on souhaite voir déterminée automatiquement en fonction du type de l'objet l'ayant appelée.

Sans entrer dans les détails de réalisation, disons simplement qu'il est maintenant possible de fabriquer une liste chaînée d'objets de types différents (ayant un ancêtre commun) et d'appliquer une méthode (suppression, affichage...) à un des objets sans avoir besoin d'en spécifier le type. Par exemple, on pourra afficher toute la liste en répétant une instruction telle que (*ptr* étant un "pointeur courant") :

```
ptr^.affiche
```

en se contentant de faire évoluer la valeur de *ptr*. La méthode *affiche* réellement appelée, s'adaptera alors automatiquement à chaque type d'objet à afficher.

5.2 Les destructeurs

Lorsqu'un objet a été alloué dynamiquement par *new*, on peut songer à libérer l'espace mémoire correspondant par *dispose*. Ainsi, si *ademp* est du type ^*emplacement0*, à un :

```
new (ademp)
```

pourrait répondre un :

```
dispose (ademp)
```

En fait, cela ne fonctionne que si l'objet désigné par *ademp*, au moment où l'on appelle *dispose*, possède effectivement le type *emplacement0*. Or, le paragraphe précédent vous a montré comment la mise en oeuvre du polymorphisme conduisait à des situations où cette condition n'était plus vérifiée. Dans ce cas, la libération de l'espace mémoire ne peut plus se faire convenablement par un appel classique de *dispose*.

Pour résoudre ce problème, Turbo Pascal a prévu un type particulier de méthode, nommée **destructeur** (mot clé **destructor**). Nous n'entrerons pas ici dans le détail du fonctionnement d'un destructeur ; nous nous contenterons de vous préciser comment l'employer. Tout d'abord, il faudra prévoir, parmi les méthodes des types objet concernés, un destructeur. Par exemple, nous pouvons adapter comme suit notre type *emplacement0* :

```
type emplacement0 = object
                    ...
                    constructor init (...) ;
                    destructor fini (...) ; virtual ;
                    ...
                end ;
    ...
detructor emplacement0.fini (...) ;
begin
    ...
end ;
```

Le corps même du destructeur peut éventuellement être vide (ce qui ne l'empêche pas de "faire son travail" - on retrouve là, la même remarque que pour les constructeurs). En revanche, notez qu'un destructeur peut être virtuel.

Naturellement, nous pouvons définir notre type *point0* comme héritant de *emplacement0*, de la même façon qu'auparavant nous pouvions, à notre gré, redéfinir ou ne pas redéfinir le destructeur.

Si *ademp* est toujours un pointeur susceptible de désigner, tantôt des objets de type *emplacement0*, tantôt des objets de type *point0*, la libération (correcte) d'un emplacement désigné par *ademp* se fera alors par (*fini* étant le nom de notre destructeur) :

```
dispose (ademp, fini)
```

Il s'agit là d'une nouvelle syntaxe de la procédure *dispose* adaptée au polymorphisme. Elle garantit une libération correcte de la mémoire correspondante, quel que soit le type d'objet pointé par *ademp*.

Remarques :

1) Si le destructeur n'est pas virtuel, il n'est plus possible de faire du polymorphisme d'objets dynamiques.

2) Si *adr* est un pointeur sur un objet sans méthode virtuelle, l'instruction suivante (dans laquelle *fini* désigne un destructeur) :

```
dispose (adr, fini)
```

est équivalente à :

```
adr^.fini ;
dispose (adr)
```

3) De même que la syntaxe de *dispose* a été élargie, celle de *new* l'a été également. C'est ainsi qu'il est possible d'allouer dynamiquement de l'espace pour un objet et d'appler son constructeur en un seul appel. Ainsi (avec les mêmes types et variables que précédemment) :

```
new (ademp, init (1, 3) )
```

est équivalente à :

```
new (ademp) ;
init (1, 3)
```

Cependant, contrairement à *dispose* dont la nécessité d'une nouvelle syntaxe était évidente, il ne s'agit, dans le cas de *new*, que d'une commodité d'écriture. Celle-ci, employée de manière systématique, peut vous éviter de courir le risque d'oublier d'appeler le constructeur d'un objet avant de l'initialiser.

XXII. GESTION AVANCEE DE LA MEMOIRE

En principe, la Pascal standard est un langage dans lequel les variables sont systématiquement "typées". Il en va de même en Turbo Pascal jusqu'à un certain point. En effet, ce dernier autorise, dans certaines circonstances, la manipulation d'entités dont on ne précise pas le type. Nous en avons déjà rencontré un exemple avec les procédures BlockRead et *BlockWrite*. Nous allons en examiner d'autres ici, à savoir :

- la possibilité d'employer des **arguments sans type** dans les procédures,

- l'instruction **absolute**,

- la possibilité de gérer dynamiquement des zones non typées avec les procédures **GetMem** et **FreeMem**,

- certaines possibilités d'"'accès direct" à la mémoire.

Toutefois, la bonne utilisation de certaines de ces possibilités, nécessite quelques connaissances sur la manière dont la mémoire est "adressée" et en particulier, de distinguer le "mode réel" du "mode protégé" ; c'est pourquoi, nous commencerons par ce point.

1 - MODE REEL ET MODE PROTEGE

1.1 Le mode réel

Les microprocesseurs de la famille 80x86, antérieurs au 80286, fonctionnaient tous en mode dit réel. Dans ce mode, chaque octet de la mémoire est repéré par une adresse exprimée sur 20 bits, ce qui autorise un maximum de 1 MO.

Chaque adresse est exprimée par un couple de deux entiers (16 bits) nommés **segment** et **déplacement** (en anglais, segment et offset). L'adresse effective (20 bits) est obtenue en multipliant la valeur *segment* par 16 et en lui ajoutant le déplacement. Avec une valeur de *segment* donnée, on peut, en jouant simplement sur la valeur du déplacement, décrire une zone d'au maximum 64 KO. Cette particularité est pleinement exploitée par les microprocesseurs et les logiciels qui expriment des adresses sur 16 bits, en se référant à une valeur fixe (ou ne variant pas trop souvent) de *segment* placée dans un "registre" (il existe d'ailleurs des registres spécialisés pour : le segment de pile, le segment de donnée, le segment de code...).

1.2 Le mode protégé

Le 80286 a introduit le mode dit "protégé". Dans ce mode d'une part, les adresses sont exprimées sur 24 bits, ce qui autorise jusqu'à 16 MO de mémoire, d'autre part, la représentation de ces adresses est basée sur une philosophie totalement différente de celle du mode réel (on aurait pu s'attendre, par exemple, à multiplier la valeur de *segment* par 256 au lieu de 16 !).

Plus précisément, une adresse est toujours obtenue par un couple de deux entiers ; si le second, nommé toujours **déplacement**, joue le même rôle qu'en mode réel, le premier, nommé **sélecteur**, désigne un emplacement dans un tableau d'adresses (à 24 bits). L'adresse effective s'obtient en ajoutant la valeur figurant à cet emplacement et la valeur du déplacement.

On voit donc qu'en mode protégé, la connaissance des deux entiers représentant une adresse (selecteur et déplacement) ne suffit plus pour définir l'adresse exacte correspondante. Il faut faire intervenir la valeur du tableau de sélecteurs correspondant. C'est précisément cette particularité qui permet au processeur de mieux gérer la mémoire : notamment, il peut "déplacer" un bloc mémoire, en se contentant d'agir sur l'élément correspondant du tableau de sélecteurs, sans avoir à modifier les instructions du programme agissant sur le bloc déplacé. En mode réel, une telle opération était totalement inconcevable.

1.3 En définitive

Outre la possibilité de gérer d'avantage de mémoire, le mode protégé possède de nombreux avantages sur le mode réel. Citons, notamment :

- la possibilité de manipuler un "espace logique" de mémoire supérieur à l'"espace physique" dont on dispose ; autrement dit, vous pouvez "faire comme si" vous disposiez de 16 Mo, alors qu'en réalité vous n'en possédez que 8 ; le microprocesseur utilisera un emplacement disque en assurant les échanges nécessaires avec la mémoire ;

- l'indépendance entre les différents programmes chargés en mémoire à un moment donné ; un programme donné ne risque plus d'aller "écraser" des instructions ou des données d'un autre programme.

En contrepartie, vous ne pouvez plus, en mode protégé, manipuler des adresses de façon totalement explicite (sécurité oblige !).

Par défaut, les différents Environnements intégrés Turbo Pascal ou Borland Pascal génèrent des programmes fonctionnant en mode réel. Pour exploiter le mode protégé, il suffit de faire appel à la commande *Options/Compiler/Compiler Settings for* et de choisir *Protected-mode* par la commande *Compile/Target*.

2 - LES PARAMETRES SANS TYPE

En Pascal standard, tous les paramètres formels d'une procédure (ou fonction) doivent se voir attribuer un type. Cette contrainte permet en particulier au compilateur de déceler une "incompatibilité de type" entre arguments effectifs et arguments formels. Turbo Pascal accepte que l'on ne précise pas le type d'arguments formels transmis par adresse (donc introduits par *var*). Bien entendu, encore faut-il que les manipulations qui seront faites avec ces arguments, ne nécessitent pas la connaissance de leur type. Ainsi, si un en-tête de procédure se présente comme ceci :

```
procedure essai (var n) ;
```

n sera effectivement un paramètre sans type. Il ne sera pas question d'effectuer des calculs sur n. En revanche, une opération ne nécessitant que l'adresse de n sera possible ; par exemple, n pourra être transmis comme argument effectif dans l'appel d'une autre procédure ou fonction.

Nous allons voir, dans le paragraphe suivant, l'exploitation de cette possibilité, associée à l'instruction *absolute*.

3 - L'INSTRUCTION ABSOLUTE

En fait, cette instruction présente deux aspects. D'une part, elle permet de faire coïncider les adresses de deux variables de noms différents ; d'autre part, elle permet d'imposer une adresse (absolue) donnée à une variable ; c'est cette seconde fonction (utilisable uniquement en mode réel) qui justifie son nom.

3.1 Pour faire coïncider deux variables

Premier exemple

Soient les déclarations :

```
var chaine   : string [8] ;
    longueur : byte absolute chaine
```

La seconde déclare une variable nommée *longueur*, de type *byte*, dont l'adresse doit coïncider avec celle de *chaine* (pour être plus précis, il faudrait dire l'adresse de début de *chaine*). Ainsi, *chaine[0]* et *longueur* désignent **le même octet**, avec ici, cette différence que *chaine[0]* est de type caractère, tandis que *longueur* est de type numérique (0 à 255). Dans cet exemple, *length(chaine)* et *longueur* fournissent la même valeur.

Second exemple

Les déclarations :

```
var car : array [1..10] of char ;
    val : array [1..10] of byte absolute a ;
```

fournissent deux façons d'accéder au ième octet de notre tableau de 10 éléments. Nous pouvons dire que *val(i)* fournit la valeur décimale du code du caractère *car(i)*.

Troisième exemple

Voici une procédure qui "met à zéro" une zone de mémoire dont on lui fournit l'adresse et la longueur en octets[1] :

```
procedure raz (var ad_zone ; long : integer) ;
var i    : integer ;
    zone : array[1..500] of byte absolute ad_zone ;
begin
    for i := 1 to long do
        zone [i] := 0 ;
end ;   { raz }
```

Une procédure de "remise à zéro" d'une zone

L'argument muet *ad_zone* n'a pas de type. Par ailleurs, *zone* est un tableau d'octets dont l'adresse de début coïncidera avec l'adresse *ad_zone*. La zone à mettre à zéro pourra être de n'importe quel type (tableau d'entiers, de réels, variable scalaire, enregistrement...). Il suffira d'en fournir la longueur en octets lors de l'appel.

Notez que la taille de 500 octets que nous avons prévue est relativement **fictive** puisqu'elle n'a pas de lien avec la véritable longueur de la zone concernée. Elle peut s'interpréter comme une valeur maximum bien, qu'en toute rigueur, elle puisse être transgresssée si l'on s'abstient d'employer l'option R + .

3.2 Pour imposer une adresse à une variable (en mode réel)

La plupart du temps, vous n'avez pas à vous préoccuper de l'emplacement exact auquel Turbo Pascal implante des variables en mémoire. Cependant, dans certaines circonstances, vous pouvez être amené à échanger de l'information avec le système, par le biais d'emplacements bien définis. Lorsque vous travaillez **en mode réel**, l'instruction *absolute*

---

[1]. Nous verrons, au chapitre XX, qu'il existe une procédure standard (FillChar) effectuant le même travail.

vous permet de décrire de tels emplacements à l'aide de variables Pascal. Plus précisément, elle vous permet de spécifier à quelle adresse exacte vous souhaitez que soit implantée une variable.

Bien entendu, un tel usage nécessite la connaissance de ces "bonnes adresses". Par exemple, à l'adresse hexadécimale 0040:0049, on trouve un octet contenant le mode d'affichage utilisé à un instant donné. En Turbo Pascal, une telle adresse se notera **$0040:$0049**, les deux-points séparant l'adresse de segment de l'offset. Ainsi, en incorporant cette déclaration dans un programme :

```
var modec : byte absolute $0040:$0049
```

vous serez en mesure d'accéder à la valeur du mode d'affichage par l'intermédiaire de la variable *modec*. Notez bien qu'ici, vous pouvez également modifier cette valeur, ce qui peut avoir des conséquences désastreuses.

4 - L'ALLOCATION DYNAMIQUE DE ZONES

Les procédures *GetMem* et *FreeMem* permettent d'allouer dans le tas et de libérer des zones mémoire non typées de longueur quelconque. En voici un exemple :

```
program Allocation_dynamique ;
const long = 50 ;
type tableau = array [1..long] of integer ;
var adresse : ^byte ;        { on pourrait aussi utiliser le type pointer }
procedure remplit (var adr_zone) ;
    var zone : tableau absolute adr_zone ;
        i    : integer ;
    begin
        for i := 1 to long do zone [i] := i ;
    end ;      { remplit }
procedure affiche (var adr_zone) ;
    var zone : tableau absolute adr_zone ;
        i    : integer ;
    begin
        for i := 1 to long do
            write (zone[i]:4)
    end ;      { affiche }
begin
    GetMem (adresse, 2*long) ;
    remplit (adresse) ;
    affiche (adresse)
end.
```

```
 1   2   3   4   5   6   7   8   9  10  11  12  13  14  15  16  17  18  19  20  21
22  23  24  25  26  27  28  29  30  31  32  33  34  35  36  37  38  39  40  41  42
43  44  45  46  47  48  49  50
```

Allocation dynamique de mémoire par GetMem

Le programme principal s'alloue une zone de 100 octets par *GetMem (adresse, 2*long)*. Notez qu'on fournit à *GetMem* la longueur voulue en octets et que l'on récupère en retour son adresse dans le tas, sous forme d'un pointeur (qui peut pointer sur un type quelconque).

La procédure nommée *remplit* considère cette zone comme un tableau de 50 entiers et y place des valeurs de ce type. La procédure nommée *affiche* considère toujours cette zone comme un tableau de 50 entiers et en affiche les valeurs. Notez bien que rien n'aurait empêché (si ce n'est le bon sens !) de considérer la zone comme formée de 100 octets ou de 16 réels ou...

La zone ainsi allouée pourrait être libérée par :

```
FreeMem (adresse, 2 * long)
```

Notez bien, qu'en principe, on fournit ici la même longueur que lors de l'allocation par *GetMem*. Cependant, Turbo Pascal n'effectue aucun contrôle à ce niveau.

5- ACCES DIRECT A LA MEMOIRE

Il est possible de lire ou d'écrire directement en mémoire à l'aide de ce que l'on nomme des **tableaux prédéfinis**. Ceux-ci comportent un nom et on en désigne, entre crochets, un élément par un indice particulier qui représente une adresse mémoire (sous la forme segment + déplacement pour le mode réel ou sélecteur + déplacement pour le mode protégé). Plus précisément, il existe trois tableaux prédéfinis correspondant à trois types d'éléments (les types *word* et *longint* seront étudiés dans le chapitre $$$$) :

Mem : éléments de type *byte*, donc d'un octet,

MemW : éléments de type *word*, donc de deux octets,

MemL : éléments de type *longint*, donc de quatre octets.

Par exemple, si b est de type *byte* et n de type *word* :

```
b := Mem [$0123:$89AB] ;    { acces a un octet, qu'on range dans b }
n := MemW [$0040:$45a8] ;   { acces'un mot qu'on range dans n}
Mem [$B800:$0020] := $93 ;  { modification d'un octet }
```

XXIII. CE QUE PERMET ENCORE TURBO PASCAL

Turbo Pascal est un langage à la fois très riche en procédures prédéfinies et très "ouvert", en ce sens qu'il permet d'accéder à des possibilités traditionnellement réservées au langage machine. Au cours des précédents chapitres, nous avons cherché à concilier l'aspect pédagogique avec la multitude des potentialités du Turbo Pascal. Ce chapitre se propose d'étudier les quelques points, pour la plupart fort techniques, qui n'ont pas été abordés jusqu'ici. Notez cependant que nous n'y parlerons pas des possibilités graphiques dont la richesse justifierait qu'on leur consacre tout un ouvrage.

1. LES DIFFERENTS TYPES ENTIERS

Le Pascal standard ne dispose que du type *integer*. Le Turbo Pascal a d'abord introduit le type *byte*. La version 4.0 a introduit de nouveaux types entiers *shortint*, *word* et *longint*. En voici les caractéristiques (à titre indicatif, nous avons rappelé celles des deux autres).

Type	Domaine	Taille (octets)
shortint	-127 à 128	1
byte	0 à 255	1
integer	-32 768 à 32 767	2
word	0 à 65535	2
longint	-2 147 483 648 à 2 147 483 647	4

L'existence de plusieurs types entiers impose un certain nombre de règles nouvelles.

a) Evaluation des expressions arithmétiques

En fait, il faut considérer que *shortint* et *byte* sont des intervalles du type hôte *integer* et que *word* est un intervalle du type hôte *longint*. Autrement dit, tout se passe comme s'il n'existait **que deux types entiers différents** (et trois types intervalle prédéfinis).

Comme le prévoit le Pascal standard, un type intervalle autorise tous les calculs autorisés sur le type hôte (sans préjuger de l'usage qui sera fait du résultat). Par exemple, si n est de type *byte*, l'expression *sqr(n)* sera évaluée en *integer*. On voit donc qu'elle sera correcte pour des valeurs de n dont le carré n'est pas supérieur à 32 767 (la même restriction pèserait sur n s'il était entier).

Autrement dit, les fonctions dont l'argument est de type *integer*, ou intervalle du type *integer*, produisent un résultat de type *integer*. Celles dont l'argument est de type *longint* ou intervalle du type *longint* fournissent un résultat de type *longint*. Il en va de même pour les opérateurs unaires (à un seul opérande).

En ce qui concerne les opérateurs binaires (à deux opérandes), les mixages de types hôtes (qui ne peuvent donc être que *integer* et *longint*) sont autorisés ; dans ce cas, le résultat est de type *longint*. Par exemple, avec ces déclarations :

```
shortint sh ;
integer n ;
word w ;
```

l'expression :

```
(n + sh) * w
```

est évaluée comme suit :

- il y a tout d'abord calcul de la somme *n + sh* en *integer*

- le résultat est ensuite converti en *longint*, avant d'être ajouté à la valeur de w pour fournir un résultat de ltype *longint*.

b) Tous les types entiers sont compatibles entre eux

D'une part, comme le prévoit d'ailleurs le Pascal standard, tous les types intervalle sont compatibles avec le type hôte correspondant et réciproquement (dans la mesure où les valeurs considérées appartiennent au domaine voulu). Il est donc normal que *shortint*, *byte* et *integer*, d'une part, soient compatibles entre eux et que *word* et *longint*, d'autre part, le soient également. De plus, Turbo Pascal considère que *integer* et *longint* sont compatibles entre eux.

En pratique, cela signifie que :

- A la compilation, Turbo Pascal acceptera toute affectation d'une expression entière à une variable d'un type entier quelconque.

- Lors de l'exécution, si la valeur de l'expression est supérieure à la capacité du type de la variable réceptrice, le comportement de Turbo Pascal sera le suivant :

* si la directive R + est active, on obtiendra une erreur d'exécution,

* dans le cas contraire, la valeur obtenue sera fantaisiste ; en général, elle sera obtenue en ne prenant en compte que les bits les moins significatifs du résultat (phénomène de "modulo") ou par simple transfert des bits (dans le cas d'affectation à une variable de type *word* d'une valeur de type *integer*).

c) Cas des constantes entières

Les constantes entières apparaissant dans un programme, sont toujours représentées dans le type entier permettant d'utiliser le moins d'octets possibles. Ceci n'a, en général, guère de conséquences. Néanmoins, certaines situations particulières peuvent surprendre. Par exemple, si i et j sont de type *integer*, on s'attend à ce que ces instructions fournissent une valeur "aberrante, et ceci que la directive R + soit active ou non :

```
i := 2000 ;
j := 2 * i ;
writeln (j) ;
```

C'est bien ce qui se produit (on obtient -25 536). En revanche, les instructions suivantes conduisent à des résultats plus surprenants :

```
i := 20000 ;
j := 135000 + i ;
writeln (j) ;
```

En effet, en l'absence de directive, R +, on obtient une valeur fantaisiste (23928) due à ce que le compilateur a représenté la constante 135000 sous forme d'un *longint*. L'évaluation de l'expression *135000+i* a été faite par conversion de la valeur de i en *longint*, ce qui a conduit à un résultat de ce type. Enfin, ce résultat a été (brutalement !) converti dans le type *integer*, d'où le phénomène constaté. En revanche, avec la directive R +, ces mêmes instructions conduiraient bien à une erreur lors de la tentative d'affectation de la valeur 155000 à la variable i.

d) Lecture d'entiers par read ou readln

Depuis la version 4.0, tout se passe comme si une valeur entière était **tout d'abord lue dans une variable** (interne) de type *longint* avant d'être affectée à la variable concernée. Dans ces conditions, on comprend qu'il soit possible de lire des valeurs sortant du domaine d'un *integer*, alors que la variable réceptrice est effectivement du type *integer*. Le résultlat final est, bien entendu, fantaisiste (comme vous avez pu le constater si vous avez effectuer certaines des manipulations proposées précédemment - et comme nous l'expliquons dans le paragraphe précédent).

Il faut noter, à ce propos, qu'il n'est alors pas possible de détecter cette anomalie, dans le cadre des entrées-sorties, en faisant appel à la directive I. Néanmoins, la directive R + permet de détecter ce type d'incident (qui se transforme alors en une erreur d'exécution).

La lecture de valeurs dans des variables de type *longint* ne pose, quant à elle, pas de problème particulier. Notez qu'elle peut d'ailleurs constituer un remède à l'anomalie précédent, dans la mesure où il est alors possible de vérifier au sein du programme que les valeurs ainsi (convenablement) lues, appartiennent bien au domaine voulu.

2 - LES TYPES REELS LIES AU COPROCESSEUR ARITHMETIQUE

Turbo Pascal a introduit trois nouveaux types réels (*single*, *double* et *extended*), adaptés au "format" des nombres gérés par le coprocessuer 80x87. Voici leurs caractéristiques (à titre de comparaison, nous avons rappelé celles du type *real*).

Type	Domaine (approximatif)	Précision[1]	Taille (octets)
real	10^{-38} à 10^{38}	11	6
single	$1,5.10^{-45}$ à $3,4.10^{38}$	7	4
double	5.10^{-324} à $1,7.10^{308}$	15	8
extended	$1,9.10^{-4951}$ à $1,1.10^{4932}$	19	10

De plus, le type *comp*, considéré par Turbo Pascal comme un type réel, permet en fait, de traiter (de manière exacte) des entiers compris entre -9.10^{18} et 9.10^{18} (soit près de 19 chiffres !).

Depuis la version 6.0, vous pouvez employer ces différents types, même si vous ne disposez pas de coprocesseur arithmétique : Turbo Pascal possède, en effet, une bibliothèque de routines "émulant[2]" ses opérations. Ceci peut vous permettre de mettre au point un programme destiné ultérieurement à utiliser un 80x87, alors que vous n'en disposez pas sur la machine avec laquelle vous travaillez actuellement.

Pour pouvoir utiliser ces différents types réels dans un programme, il vous faut, tout d'abord, faire appel à la directive de compilation $N + (où à son équivalent, c'est-à-dire de cocher la case *8087/80287*) de la commande *Options/Compiler/Numeric Processing*). D'autre part, la directive $E (ou la case *Emulation* de la commande *Options/Compiler/Numeric Processing*) vous permet de choisir entre l'émulation ($E +) des instructions du coprocesseur s'il est absent (attention, s'il est présent **lors de l'exécution,**

---

[1]. Approximative, en nombre de chiffres significatifs.

[2]. Ce qui signifie que les différentes opérations sont réalisées par un logiciel (soft) au lieu d'être réalisées par des circuits électroniques (hard). Bien entendu, cela se traduit par une augmentation du temps de calcul.

ses instructions seront utilisées[3]) ou l'utilisation effective des instructions du coprocesseur ($E-).

Tant que vous ne faites pas appel à la directive $N+, le compilateur n'accepte que le seul type *real*. A partir du moment où vous faites appel à $N+ (quel que soit le choix effectué pour l'émulation) :

* Tous les calculs sont effectués en *extended*, même si l'opération ne porte que sur des valeurs de type *real* ; dans ce dernier cas, cela implique donc des conversions préalables et donc une perte de temps. On aura donc souvent intérêt à éviter le type *real*, dès lors qu'on voudra utiliser le coprocesseur arithmétique.

* Toutes les routines mathématiques (à résultat réel) fournissent un résultat de type *extended*.

* L'affichage d'une valeur réelle par *write* ou *writeln* ou la création d'une chaîne par *str* se fait avec un exposant de 4 chiffres.

* Tous les types réels sont compatibles entre eux, avec, là encore, les mêmes réserves que pour les types entiers, en cas d'affectation à une variable de valeurs situées en dehors de son domaine, à savoir : erreur d'exécution si la directive $R+ est active, valeur aberrante dans le cas contraire.

En revanche, il faut signaler que Turbo Pascal souffre d'une limitation inhérente à la taille de la "pile" du coprocesseur (limitée à 8 valeurs). En effet, cette pile est utilisée pour conserver des résultats intermédiaires (lors de l'évaluation d'expressions) ainsi que les valeurs d'arguments transmis aux procédures ou fonctions. En cas de "débordement" de cette mini-pile, vous obtenez une erreur d'exécution (aucune anomalie n'est détectée en compilation). En pratique, un tel risque existe surtout lors de l'utilisation de procédures récursives.

3 - LES OPERATEURS DE MANIPULATION DE BITS

Ils donnent directement accès aux manipulations binaires existant en langage machine. Ils opèrent tous sur des entiers.

shr : Décalage à droite. L'expression figurant à gauche de l'opérateur voit sa représentation binaire décalée vers la droite d'un nombre de bits égal à la valeur de l'expresssion entière figurant à droite de cet opérateur (le bit de signe n'est pas propagé).

shl : Décalage à gauche. Fonctionne de manière analogue à *shr*.

---

[3]. Il n'en allait pas ainsi dans les versions 5 et 5.5 dans lesquelles il restait possible d'émuler les instructions du coprocesseur, même si ce dernier était présent lors de l'exécution.

and : Et logique. Le résultat s'obtient en réalisant l'opération **et** entre chacun des bits de même position de chacun des opérandes (sachant que 1 correspond à vrai et donc que *1 and 1* vaut 1 et que les 3 autres combinaisons valent 0).

or : Ou logique. Semblable à *and*, en réalisant l'opération ou (seule *0 or 0* vaut 0, les autres combinaisons valent 1).

xor   **Ou exclusif.** (*1 xor 0* et *0 xor 1* valent 1, les autres combinaisons valent 0).

not : Négation logique. Opérateur unaire qui inverse tous les bits de son opérande (0 devient 1, 1 devient 0).

Quelques exemples

Si n et p sont deux entiers contenant respectivement 1 390 et 947, leur repréesntation binaire est la suivante :

```
n :       0000010101101110
p :       0000001110110011
```

Voici les représentations bianires de quelques expressions et la valeur décimale correspondante :

```
n and p   0000000100100010   290
n or p    0000011111111111   2047
n xor p   0000011011011101   1757
n shr 4   0000000001010110   102
n shl 2   0001010110111000   5560
```

Remarque :

Depuis la version 4.0, ces opérateurs peuvent s'appliquer à n'importe lequel des types entiers (ou intervalles d'un type entier). Ils suivent alors les règles de "mixage" exposés dans le paragraphe 1. Une exception a lieu pour les opérateurs de décalage qui fournissent un résultat ayant le type de leur premier opérande (ce qui est logique !).

4 - LES ROUTINES DE GESTION D'ECRAN

Turbo Pascal vous offre un jeu très riche de procédures et de fonctions figurant dans l'unité *Crt*[4].

(P) ClrEol : efface la fin de la ligne courante.

(P) ClrScr : efface l'écran.

(P) DelLine : supprime la ligne courante.

---

[4]. La mention P devant le nom signifie Procédure, la mention F signifie Fonction.

(P) InsLine : insère une ligne vierge à la position courante.

(P) NormVideo : affichage normal (à partir de l'appel).

(P) LowVideo : affichage en intensité réduite (à partir de l'appel).

(P) HighVideo : affichage en surbrillance (à partir de la version 4.0) ou normal (dans les autres versions).

(P) GotoXY (x, y) positionne le curseur en colonne x, ligne y (x et y entiers).

(F) WhereX : fournit le numéro (entier) de la colonne courante.

(F) WhereY : fournit le numéro (entier) de la ligne courante.

(P) TextBackground (numéro) : fixe la couleur du fond par un nombre entier compris entre 0 et 7.

(P) TextColor (numéro) : fixe la couleur du texte par un nombre entier compris entre 0 et 15.

(P) AssignCrt (nom_fich) : associe le nom de fichier (interne) à l'écran, ce qui permet d'obtenir des entrées-sorties plus rapides qu'en utilisant l'entrée ou la sortie standards.

N.B. Outre ces procédures, il existe un jeu très complet de procédures graphiques.

5 - ACCES A LA MEMOIRE

5.1 Procédures de manipulation de zones (unité standard)

(P) FillChar (variable, lg, n) : place la valeur entière n (comprise entre 0 et 255) dans *lg* octets consécutifs à partir de l'adresse de début de la variable indiquée (*lg* peut être différent de la taille de la variable).

(P) Move (source, des, lg) : recopie les valeurs de *lg* octets consécutifs, à partir de l'adresse de début de la variable *source* dans *lg* octets consécutifs, à partir de l'adresse de début de la variable *dest.*

5.2 Fonctions d'accès à un des deux octets d'un mot de 16 bits (unité standard)

(F) Hi (variable entière) : fournit, sous forme d'entier (*byte*) la valeur de l'octet de poids fort de la variable mentionnée (de type *integer* ou *word*).

(F) Lo (variable entière) : fournit, sous forme d'entier (*byte*), la valeur de l'octet de poids faible de la variable entière mentionnée (de type *integer* ou *word*).

5.3 Fonctions fournissant la taille des objets manipulés (unité standard)

(F) SizeOf (variable) : fournit sous forme d'entier (*word*) la taille de la variable mentionnée, en octets (il peut s'agir d'une variable de type objet).

(F) SizeOf (type) : fournit sous forme d'entier (*word*) la taille des entités du type mentionné, en octets (il peut s'agir d'un type objet).

5.4 Fonctions de manipulation d'adresse (unité standard)

(F) Addr (variable) : fournit l'adresse de la variable indiquée sous forme d'un pointeur (de type *pointer*).

(F) Seg (variable) : fournit un entier (*word*) contenant l'adresse de segment de la variable.

(F) Ofs (variable) : fournit un entier (*word*) contenant le déplacement (offset) de l'adresse de la variable.

(F) Ptr (segment, offset) : fournit le pointeur (de type *pointer*) correspondant à l'adresse (segment, offset) mentionnée.

(F) CSeg : fournit sous forme d'entier (*word*) l'adresse (segment) du segment de code.

(F) DSeg : fournit sous forme d'entier (*word*) l'adresse (segment) du segment de donnée.

(F) SSeg : fournit sous forme d'entier (*word*) l'adresse (segment) du segment de pile.

(F) Sptr : fournit sous forme d'entier (*word*) l'offset du pointeur de pile (par rapport à l'adresse du segment de pile).

6 - PROCEDURES DE GESTION DES REPERTOIRES

Dans l'unité standard, un certain nombre de procédures donnent "accès" par programme à des possibilités de gestion des répertoires.

(P) ChDir (répertoire) : remplace le répertoire courant par celui spécifié sous forme de chaîne. Correspond à la commande DOS : cd.

(P) MkDir (répertoire) : crée le nouveau répertoire spécifié sous forme de chaîne. Correspond à la commande DOS : md.

(P) RmDir (répertoire) : efface le sous-répertoire spécifié sous forme de chaîne. Correspond à la commande DOS : rd.

(P) GetDir (unité, repert) : fournit, dans la chaîne *repert* le répertoire courant de l'unité mentionnée. Unité est une valeur entière définie ainsi : **0** : unité courante, **1**: unité A, **2** : unité B, et ainsi de suite.

7 - PROCEDURES DE GESTION DE FICHIERS

Les fonctions et procédures mentionnées dans le chapitre consacré aux fichiers sont complétées par les quelques routines suivantes figurant dans l'unité standard.

(P) Append (nom_fich) permet d'étendre un fichier texte en l'ouvrant en écriture et en plaçant le pointeur en fin de fichier.

(P) :Erase (nom_fich) : efface le fichier ayant le nom (interne) mentionné.

(P) Flush (nom_fich) : vide le tampon (buffer) associé au fichier texte ayant le nom (interne) spécifié ; ce dernier est supposé être ouvert en écriture.

(P) Rename (nom_fich, nom_externe) : remplace le nom externe actuel du fichier (de nom interne *nom_fich*) par le *nom_externe* fourni sous forme d'une chaîne.

(F) SeekEof (nom_fich) : cette fonction joue un rôle analogue à *Eof* avec cette différence qu'avant de l'évaluer, Turbo Pascal "saute" les espaces et tabulations éventuelles.

(F) SeekEoln (nom_fich) : cette fonction joue un rôle analogue à *Eoln* avec cette différence qu'avant de l'évaluer, Turbo Pascal "saute" les espaces et tabulation éventuels.

(P) SetTextBuf (nom_fich, tampon, taille) : permet de définir son propre tampon (buffer) pour un fichier de type texte ; la *taille* (argument de type *word*) est exprimée en octets ; elle peut être omise (Turbo Pascal lui attribue alors la valeur 128 par défaut).

(P) Truncate (nom_fich) : tronque le fichier mentionné en plaçant une marque de fin de fichier à l'emplacement désigné par le pointeur.

D'autre part, l'unité DOS contient des procédures permettant d'effectuer des manipulations basées :

- sur les noms des fichiers, au sens du DOS, c'est-à-dire : chemin, nom, extension,

- sur leurs attributs DOS (lecture seule, caché...).

Il s'agit des procédures **FindFirst, FindNext, GetFattr, SetFAttr, FSplit** et des fonctions **FExpand** et **FSearch**.

Par ailleurs, il est possible de connaître ou de modifier la date et l'heure de la dernière modification d'un fichier en faisant appel à **GetFTime** et **SetFTime** : ces procédures travaillent sur des "dates compactées" ; la conversion en "dates en clair" (année, mois, jour, heure, minutes, secondes) étant asurée par la procédure **PackTime,** la conversion réciproque par **UnPackTime** (ces deux procédures emploient un type enregistrement *DateTime* prédéfini dans l'sunité DOS).

Enfin, deux fonctions permettent d'obtenir de l'information sur l'espace disque(tte) disponible :

(F) DiskFree (disque) : fournit la taille disponible (*longint*) sur l'unité spécifiée par l'entier *disque* (de type *word*) : 0 pour l'unité courante,1 pour l'unité A, 2 pour B, etc. Fournit la valeur -1 lorsque le numéro spécifié n'est pas valide.

(F) DiskSize (disque) : fournit la taille (*longint*) en octets de l'unité spécifiée par l'entier *disque* (de type *word*) : 0 pour l'unité courante,1 pour l'unité A, 2 pour B, etc. Fournit la valeur -1 lorsque le numéro spécifié n'est pas valide.

8 - PROCEDURES LIEES AU SYSTEME UNITE DOS°

8.1 Les appels système

L'emploi des 4 procédures suivantes nécessite une bonne connaissance des possibilités du système DOS.

(P) Intr (numéro, registres) : appelle l'"interruption" de numéro spécifié (*byte*) ; avant l'appel, les registres du 80x86 sont chargés avec les valeurs spécifiées dans un enregistrement de type *register* (type prédéfini dans l'unité DOS). Au retour, les contenus des registres (y compris celui des indicateurs *flags*) sont recopiés dans l'enregistrement.

(P) MsDos (registres) joue le même rôle que *Intr (21, registres)*.

(P) SetIntVec (numéro, adreses) : place l'*adresse* indiquée (de type *pointer*) dans le vecteur d'interruption de *numéro* spécifié (*byte*).

(P) GetIntVec (numéro, adresse) : fournit dans la variable *adresse* (de type *pointer*) l'adresse contenue dans le vecteur d'intrruption de *numéro* spécifié.

8.2 Autres

Il est possible de connaître ou de modifier la date et l'heure courante, à l'aide des procédures **GetDate**, **GetTime**, **SetDate** et **SetTime**.

Vous pouvez obtenir des informations concernant l'"environnement système" à l'aide des fonctions **EnvCount**, **EnvStr** et **GetEnv**.

La procédure **Exec (chemin, ligne_de_commande)** vous permet de lancer l'exécution du programme indiqué par la chaîne *chemin* en lui transmettant la *ligne_de_commande* spécifiée également sour forme d'une chaîne.

Les procédures **GetCBreak** et **SetCBreak** permettent de connaître ou de modifier le mécanisme de gestion des interruptions clavier (Ctrl/Break).

La procédure **Halt** permet d'interrompre un programme en cours d'exécution en rendant le contrôle au système. Elle possède un argument facultatif (*word*) correspondant à un "code de sortie".

La procédure **RunError** (numéro) interrompt l'exécution du programme en générant une erreur d'exécution de *numéro* spécifié (*word*).

La procédure **DosExitCode** permet de connaître le code de sortie d'un sous-programme.

9- AUTRES PROCEDURES ET FONCTIONS

Hasard (unité standard)

(**F**) **Random** : fournit un nombre réel entre 0 et 1.

(**F**) **Random (nombre)** : fournit un entier compris dans l'intervalle [0, nombre[.

(**P**) **Randomize** : initialise le processus de génération de nombres (pseudo) aléatoires.

Sons (unité Crt)

(**P**) **Sound(fréquence)** : émet un son de *fréquence* indiquée (entier) ; ce son ne sera interrompu que lors de l'appel de *NoSound*.

(**P**) **NoSound** : interrompt le son.

Autres (unité Crt)

(**P**) **Delay (durée)** : interrompt le programme pendant la *durée* spécifiée (entier) en millisecondes.

10 - GESTION DE PARTIELS

Turbo Pascal (depuis la version 5) vous permet de faire appel au mécanisme de recouvrement (Overlay). Depuis la version 7, celui-ci n'a en fait d'intérêt, que lorsque l'on travaille en mode réel (puisque ce n'est que dans ce cas que les limitations de taille mémoire se font vraiment sentir).

Ce mécanisme consiste à faire se succéder, en un même emplacement mémoire (nommé "tampon de recouvrement"), différentes parties de programmes qu'on nomme alors des "partiels". Pour le mettre en oeuvre, il suffit :

- de compiler les unités susceptibles d'être employées comme partiels avec les directives $O+ et $F+ (mais ces unités restent utilisables normalement, si on le souhaite),

- de spécifier l'unité *Overlay* dans le programme concerné par :

```
uses Overlay ;
```

- de mentionner les unités qu'on souhaite voir participer au mécanisme de recouvrement par une directive $O, comme dans :

```
{$O unit_par1}
{$O unit_par2}
```

- d'initialiser le mécanisme de recouvrement par l'appel en début de programme de la procédure *OvrInit* ; par exemple :

```
OvrInit ('RECOUV.OVR')
```

RECOUV.OVR étant le nom du "fichier de recouvrement" créé lors de la compilation du programme source. Il porte le même nom que lui et l'extension OVR. Il contient les différents partiels.

11 - L'INSTRUCTION GOTO ET LA DECLARATION D'ETIQUETTES

En théorie, les structures de choix et de répétition proposées par Pascal sont suffisantes pour traduire toutes les situations possibles. Cependant, Pascal dispose également d'une instruction de branchement incondionnel **goto**. En voici un exemple :

```
          .....
          if (erreur) then goto cas_erreur
.....
cas_erreur : .....
          .....
```

La variable *erreur* est supposée booléenne. L'exécution de l'instruction *if* provoque un "branchement" à l'instruction précédée de l'"étiquette" *cas_erreur*, lorsque *erreur* a la valeur *vrai*.

Les étiquettees ainsi utilisées doivent obligatoirement être déclarées dans une instruction *label* figurant dans la partie déclaration, soit dans notre cas :

```
label cas_erreur
```

Ces étiquettes sont formées soit comme un identificateur, soit d'un nombre de 1 à 4 chiffres. La "portée" d'un *goto* est limitée au propramme principal ou à la procédure ou fonction dans laquelle il figure.

12 - LA COMPILATION CONDITIONNELLE

Depuis la version 4, Turbo Pascal dispose de directives de compilation conditionnelle. Elles permettent d'incorporer ou d'exclure des portions de programme source et ceci en fonction :

- de l'existence ou de l'inexistence de "symboles". Un symbole peut être défini ou rendu indéfini par des directives de compilation ; de plus, quelques symboles (dépendant de la version de Turbo Pascal sont toujours définis (voyez l'annexe A) ;

- des options de compilation actives.

En voici deux exemples :

Exemple 1

```
{$DEFINE mise_au_point}
   .....
{$IFDEF mise_au_point}
   .....                    { instructions 1 }
{$ELSE}
   .....                    { instructions 2 }
{$ENDIF}
```

Ici, les "*instructions 1*" seront compilées, tandis que les "*instructions 2*" ne le seront pas. En revanche, si l'on supprime la directive {*$DEFINE mise_au_point*}, ou si l'on introduit, avant *IFDEF*, la directive {*$UNDEF mise_au_point*}, ces sont les "*instructions 2*" qui seront compilées.

Ceci peut servir, par exemple, à incorporer dans un programme des instructions de mise au point qu'on pourra activer ou inhiber en agissant simplement sur la définition d'un seul symbole. On peut également adapter ainsi un programme à différents environnements en incorporant de façon conditionnelle les instructions adaptées à chaque cas (chaque environnement possible se voyant associer un symbole donné).

Exemple

```
{$IFOPT N+}
   .....        { instructions 1 }
{$ELSE}
   .....        { instructions 2 }
{$ENDIF}
```

Ici, on compilera les "*instructions 1*" si l'option de compilation est active (soit parce qu'on a introduit N+, soit parce qu'on l'a activée par la commande *Options/Compiler...* de l'environnement intégré. En revanche, si cette option est inactive, on compilera les *"instructions 2"*.

Remarques :

1) La directive {$ELSE} est facultative. Quand elle est absente, on a un seul ensemble d'instructions qui est compilé, lorsque la condition est vraie.

2) Les directives conditionnelles peuvent être imbriquées.

3) La liste complète des directives condionnelles et celle des symboles prédéfinis figurent dans l'annexe A.

ANNEXE A : LES DIRECTIVES DE COMPILATION

Nous vous proposons ici la liste complète des directives de compilation[1]. Pour chacune d'entre elles, nous précisons brièvement son rôle. Nous avons classé les directives en 3 catégories :

- directives "à bascule" : elles permettent un choix entre deux possibilités notées + ou -. Pour chacune d'entre elles, nous avons précisé si elle était globale (G) ou locale (L). D'autre part, la *valeur par défaut* (+ ou -) figure entre parenthèses, à la suite de la directive. Enfin, nous avons mentionné (en italiques) la commande correspondante de l'environnement intégré (le fait de cocher la "case" indiquée correspondant toujours au choix +)

- directives "à paramètres" : elles offrent un choix plus large, exprimé par un "paramètre". Là encore, nous mentionnons la commande correspondante de l'environnement intégré.

- directives de compilation conditionnelle;

1) Directives "à bascule"

(G) **$A** (+) : Alignement de données (+ : word, - : byte)
Options/Compiler/Code generation (Word align data)

(L) **$B** (-) : Evaluation des expressions booléennes (+ : totale, - : partielle)
Options/Compiler/Syntax Options(Complete boolean eval)

(G) **$D** (+) : Génération d'informations de mise au point (+ : active, - : inactive)
Options/Compiler/Debugging (Debug information)

(G) **$E** (+) : Emulation des opérations du 80x87 lorsqu'il est absent (+ : oui, - : non)
Options/Compiler/Numeric Processing (Emulation)

(L) **$F** (-) : Appels des sous-programmes (+ : inter-segments, - : choisis par le compilateur)
Options/Compiler/Code generation (Force far calls)

(L) **$G** (-) : Génération d'instructions 80286 (+ : oui, - : non)
Options/Compiler/Code generation (286 instructions)

---

[1]. A l'exception de celles qui ne sont utilisables que lors de la réalisation de programmes Windows.

(L) **$I (+)** : Vérification des entrées-sorties (+ : active, - : inactive)
Options/Compiler/Run-time Errors (I/O Checking)

(G) **$L (+)** : Génération d'informations concernant les "symboles locaux" (+ : active, - : inactive)
Options/Compiler/Debugging (Local symbols)

(G) **$N (-)** : Utilisation des types du 80x87 (+ : oui, - : non)
Options/Compiler/Numeric Processing (8087/80287)

(G) **$O (-)** : Compilation pour emploi d'une unité comme partiel (+ : ouit, - : non)
Options/Compiler/Code generation (Overlays allowed)

(G) **$P (-)** : Les arguments déclarés sous la forme *string* peuvent être "ouverts" (+ : oui, - : non)

(L) **$R (-)** : Contrôle des affectations (+ : active, - : inactive)
Options/Compiler/Run-time Errors (Range Checking)

(L) **$S (-)** : Contrôle de débordement de la pile (+ : actif, - : inactif)
Options/Compiler/Run-time Errors (Stack checking)

(L) **$V (+)** : Vérification stricte du type des chaînes transmises en argument (+ : oui, - : non)
Options/Compiler/Syntax Options (Strict var-strings)

(G) **$X (-)** : Utilisation d'une fonction comme une procédure (+ : oui, - : non)
Options/Compiler/Syntax Options (Extended syntax)

2) Directives "à paramètres"

(L) **$I nom_fichier** : inclusion du fichier mentionné (extension par défaut PAS) à l'emplacement de la directive. Ce fichier est tout d'abord recherché dans le répertoire courant, puis dans les répertoires mentionnés par la commande *Options/Directorires/Include directories.*

(L) **$L nom_fichier** : incorpore le fichier spécifié (extension par défaut OBJ) au programme exécutable (ou unité) lors de l'édition de liens. Ce fichier est d'abord recherché dans le répertoire courant, puis dans les répertoires mentionnés par la commande *Options/Directories/Object Directories.*

(G) **$M n1, n2, n3** : permet de spécifier : la taille maximum de la pile (n1), la taille minimale du tas (n2) et la taille maximale du tas (n3). Ces diverses tailles sont exprimées en octets.

(L) **$O nom_fichier** : spécifie le nom d'une unité à utiliser comme partiel.

3) Directives de compilation conditionnelle

$DEFINE symbole : définit le symbole indiqué.

$UNDEF sybole : annule la définition du symbole indiqué (s'il était défini). Dans tous les cas, le symbole devient indéfini.

**$IFDEF symbole** : les instructions suivantes (jusqu'à {$ENDIF} ou {$ELSE}) ne seront compilées que si le symbole mentionné est défini.

**$IFNDEF symbole** : les instructions suivantes (jusqu'à {$ENDIF} ou {$ELSE}) ne seront compilées que si le symbole mentionné n'est pas défini.

**$IFOPT x+** : les instructions suivantes (jusqu'à {$ENDIF} ou {$ELSE}) ne seront compilées que si la directive x est active.

**$IFOPT x-** : les instructions suivantes (jusqu'à {$ENDIF} ou {$ELSE}) ne seront compilées que si la directive x est inactive.

$ELSE

$ENDIF

4) Liste des symboles prédéfinis

VER70 : défini en version 7.0 ; on trouve VER60 pour la version 6.0, VER55 pour la version 5.5, VER50 pour la version 5.0, VER40 pour la version 4...

CPU86 : toujours défini actuellement ; il signifie que vous utilisez une version Turbo Pascal destinée à la famille 80x86.

CPU87 : défini si, au moment de la compilation, vous disposez d'un coprocesseur arithmétique 80x87.

MSDOS : défini, lorsque les programmes sont créés pour le DOS (quel que soit l'environnement intégré utilisé).

MSDOS : défini, lorsque les programmes sont créés pour WINDOWS (quel que soit l'environnement intégré utilisé).

CORRECTION DES EXERCICES

Note : lorsque l'exercice proposé comporte l'écriture d'un programme, les réponses fournies ici doivent être considérées comme un exemple de solution. Généralement, beaucoup d'autres rédactions sont possibles.

Chapitre IV

1) a) signe = au lieu de :
   b) , au lieu de ;
   c) aucune erreur (si ce n'est que les identificateurs sont choisis de façon trompeuse)
   d) aucune erreur (seule la disposition typographique est discutable)
   e) instruction non conforme à la syntaxe (on ne peut attribuer de valeur à une variable dans une déclaration de type)
   f) : au lieu de =
   g) , au lieu de ;
   h) il faut écrire 0.5 et non .5

2) valeur : char ; x : integer ; z : real ; total : boolean ; minimum : integer

3)

a)
```
var nombre : integer ;
    rayon, surface : real ;
```

b)
```
var x, y, z      : real ;
    n            : integer ;
    car, lettre  : char ;
    variable, ok : boolean ;
```

4)
```
const taux_tva = 18.6 ;
var   prix_ht  : real ;
      quantite : integer ;
      prix_ttc : real ;
```

5)
```
program ordre_entier ;
var n : integer ;
begin
   write ('donnez un nombre :') ;
   readln (n) ;
   writeln ('son ordre est ', ord(n))
end.
```

6)

```
program avant_apres ;
var c : char ;
begin
   write ('donnez un caractere : ') ;
   readln (c) ;
   writeln ('caractere precedent : ', pred (c) ) ;
   writeln ('caractere suivant   : ', succ (c) )
end.
```

Chapitre V

1) a) entier : 2   b) réel : 2   c) incorrect   d) réel : 2

2) a) entier : 11   b) réel : 11   c) entier : 11   d) incorrect

3) a) entier : 5   b) entier : 0   c) incorrect   d) boolean : true

4) a) incorrect   b) réel : 103,5   c) caractère : e   d) caractère : f

5) b (affectation valeur réelle à variable entière)
   d (affectation valeur réelle à variable entière).

6) Il est nécessaire d'utiliser une troisième variable réelle, par exemple z. Les instructions suivantes effectuent alors l'échange des valeurs de x et de y :

```
z := x ;
x := y ;
y := z ;
```

7)

```
program surface_cercle ;
   var rayon, surface : real ;
   begin
   write ('donnez le rayon : ') ;
   readln (rayon) ;
   surface := pi * sqr (rayon) ;
   writeln ('surface : ', surface)
end.
```

Chapitre VI

1)

```
   a)   45
        32
        ^2.8150000000E+01
   b)   erreur d'entrée-sortie
```

c) 45
   32
   ^3.0000000000E+00
d) attente d'informations supplémentaires
e) 45
   32
   ^2.8150000000E+00
f) erreur d'entrée-sortie
g) attente d'informations supplémentaires
h) attente d'informations supplémentaires

2)

```
a1234-1234-1.2500000000E+00 1.2345678900E+05
 a 1234-1.250E+00 1.234568E+05
 bonjour-1234-1.3E+00
bonjour a        -1.25      123456.8
          -1  123457
          -1123456.79
 a-12341234
```

3)

```
program Exercice_VI2 ;
const taux_tva = 18.6 ;
var prix_unit   : real ;
    nb_articles : integer ;
    tva         : real ;
    prix_ht     : real ;
    prix_ttc    : real ;

begin
    write ('prix unitaire    : ') ;
    readln (prix_unit) ;
    write ('nombre d''articles : ') ;
    readln (nb_articles) ;
    prix_ht := prix_unit * nb_articles ;
    tva := prix_ht * taux_tva / 100. ;
    prix_ttc := prix_ht + tva ;
    writeln ('prix hors taxes : ', prix_ht:12:2) ;
    writeln ('tva             : ', tva:12:2) ;
    writeln ('-------------------------------') ;
    writeln ('prix TTC        : ', prix_ttc:12:2)
end.
```

Chapitre VII

1) a) un point-virgule est placé après l'instruction suivant *then*.
   b) Manifestement, il manque des *begin* après *then* et *else*. Le compilateur détectera

peut-être une erreur à la rencontre du premier *end*, si celui-ci ne s'assortit pas à un éventuel *begin* ; si, par hasard, ce *end* peut être associé à un *begin*, le compilateur trouvera quand même une erreur à la rencontre du *else* suivant.

c) emploi de : = à la place de = (opérateur relationnel d'égalité).

2) Si la valeur de a est inférieure à celle de b, on affiche le message 'merci'. Puis, dans tous les cas (que la valeur de a soit ou non inférieure à celle de b), on affiche 'croissant'. En effet, la deuxième instruction d'écriture ne fait pas partie de l'instruction *if*, contrairement à ce que pourrait laisser croire la manière dont le programme est présenté. Probablement a-t-on voulu écrire :

```
if a<b then begin writeln ('merci') ; writeln ('croissant') end
```

3)

a)
```
    if (a<=b) and (b<=c) then ordre := true
                         else ordre := false
```
ou :
```
    ordre := false ;
    if (a<=b) and (b<=c) then ordre := true
```

b)
```
    ordre := (a<=b) and (b<=c)
```

4)
```
program Facturation_avec_remise ;
const taux_tva = 18.6 ;
      taux_remise = 5.0 ;
var   prix_ht      : real ;
      n_articles   : integer ;
      prix_ttc     : real ;
      montant_ttc : real ;
      remise       : real ;
      net_a_payer : real ;

begin
     write ('nombre d''articles  : ') ;
     readln (n_articles) ;
     write ('prix unitaire ht   : ') ;
     readln (prix_ht) ;
     montant_ttc := prix_ht * n_articles  * (1 + taux_tva/100 ) ;
     if montant_ttc > 1000
        then remise := montant_ttc * taux_remise / 100.
        else remise := 0. ;
     net_a_payer := montant_ttc - remise ;
     writeln ('montant TTC : ', montant_ttc:12:2 ) ;
     writeln ('remise       : ', remise:12:2 ) ;
     writeln ('net à payer : ', net_a_payer:12:2 )
end.
```

5) a) correcte
   b) incorrecte : p n'est pas une constante
   c) corecte car nb + 1 est une expression constante
   d) correcte car nb + 1 est une expression constante.

6) a) premier lot
   b) deuxième lot
   c) premier lot
   d) deuxième lot
   e) autre

7)

```pascal
program tva_codee ;
const taux_A =  7.0  ;
      taux_B = 12.32 ;
      taux_C = 18.6  ;
      taux_D = 33.33 ;
var   prix_ht  : real ;
      taux_tva : real ;
      code_tva : char ;
      tva      : real ;
      prix_ttc : real ;

begin
    write ('prix hors taxes : ') ;
    readln (prix_ht) ;
    write ('code de TVA (A à D) : ') ;
    readln (code_tva) ;
    case code_tva of
        'A' : taux_tva := taux_A ;
        'B' : taux_tva := taux_B ;
        'C' : taux_tva := taux_C ;
        'D' : taux_tva := taux_D ;
      else
        writeln ('*** code incorrect - valeur par defaut : C') ;
        taux_tva := taux_C ;
    end ;
    tva := prix_ht * taux_tva / 100. ;
    prix_ttc := prix_ht + tva ;
    writeln ('taux de TVA : ', taux_tva:12:2) ;
    writeln ('TVA         : ', tva:12:2) ;
    writeln ('prix TTC    : ', prix_ttc:12:2) ;
end.
```

Chapitre VIII

1)

```
program Moyenne ;
var note    : real ;
    somme   : real ;
    moyenne : real ;
    i       : integer ;
    nb_notes : integer ;

begin
  repeat
    write ('combien de notes : ') ;
    readln (nb_notes) ;
  until nb_notes > 1 ;
  somme := 0 ;
  for i := 1 to nb_notes do
    begin
    write ('note ', i, ': ') ;
    readln (note) ;
    somme := somme + note
    end ;
  moyenne := somme / nb_notes ;
  writeln ;
  writeln ('moyenne de ces ', nb_notes, ' notes : ', moyenne:6:2)
end.
```

2)

```
program Moyenne ;
var note    : real ;
    somme   : real ;
    moyenne : real ;
    num     : integer ;
    nb_notes : integer ;
    ok      : boolean ;
begin
  somme := 0 ;
  num := 0 ;
  repeat
    num := num + 1 ;
    write ('note ', num, ': ') ;
    readln (note) ;
    if note >= 0 then
      somme := somme + note
    until note < 0 ;
  nb_notes := num - 1 ;
```

```
      if nb_notes > 0
        then
          begin
          moyenne := somme / nb_notes ;
          ok := true
          end
        else
          ok := false ;
      writeln ;
      if ok then writeln ('moyenne de ces ', nb_notes, ' notes : ', moyenne:6:2)
          else writeln ('--- aucune note fournie ---') ;
end.
```

3)

```
program Epsilon_machine ;
var epsilon : real ;
begin
   epsilon := 1 ;
   while ( 1 + epsilon ) <> 1 do
      epsilon := epsilon / 2 ;
   writeln ('l''espsilon machine vaut ', epsilon) ;
   writeln ('      à un facteur 2 près ')
end.
```

4)

```
program Triangle_etoile ;
var n_ligne : integer ;
    i, j    : integer ;
begin
    write ('combien de lignes : ') ;
    readln (n_ligne) ;
    for i := 1 to n_ligne do
       begin
       for j := 1 to i do
          write ('*') ;
       writeln
       end
end.
```

5)

```
program Nombre_premier ;
var nombre  : integer ;
    diviseur : integer ;
    premier  : boolean ;
```

```
begin
    repeat
       write ('donnez un entier supérieur à 2 : ') ;
       readln (nombre)
    until nombre > 2 ;

    premier := true ;
    diviseur := 2 ;
    repeat
       if nombre mod diviseur = 0 then premier := false ;
       diviseur := diviseur + 1
    until ( premier = false ) or (diviseur > sqrt(nombre) ) ;

    if premier then write (nombre, ' est premier')
               else write (nombre, ' n''est pas premier')
end.
```

Chapitre IX

1) b) *in* est un mot-clé

c) 3, 5, 7, 11 et 13 ne sont pas des identificateurs corrects

f) est correct mais notez bien que a, e, i o, u et y sont de simples identificateurs n'ayant rien à voir avec les caractères qu'ils évoquent.

Chapitre X

1) a)
```
program Inversion_1 ;
var mot : string[20] ;
    i   : integer ;
begin
    write ('donnez votre mot : ') ;
    readln (mot) ;
    write ('mot inverse : ') ;
    for i := length(mot) downto 1 do
        write (copy(mot,i,1)) ;
end.
```

b)
```
program Inversion_2 ;
var mot : string[20] ;
    i   : integer ;
    mot_inv : string[20] ;

begin
    write ('donnez un mot : ') ;
    readln (mot) ;
    mot_inv := '' ;
```

```
        for i := length(mot) downto 1 do
            mot_inv := mot_inv + mot[i] ;
        write ('mot inverse : ') ;
        writeln (mot_inv)
    end.
```

2)

```
    program juxtposition ;
    var mot : string[20] ;
        debut, fin : string[20] ;
        i    : integer ;
        long : integer ;
    begin
        write ('donnez un mot : ') ;
        readln (mot) ;
        long := length(mot) ;
        for i := 1 to length(mot) do
            writeln ( copy(mot,1,i) + copy(mot,long-i+1,i) ) ;
    end.
```

3)

```
    program Affiche ;
    var nombre : integer ;
        ch     : string[7] ;
        long   : integer ;
        i      : integer ;
    begin
        write ('donnez un nombre entier : ') ;
        readln (nombre) ;
        str(nombre,ch) ;
        for i := 1 to 7-length(ch) do
            ch := '*' + ch ;
        writeln (ch)
    end.
```

4)

```
    program Comptage_de_e ;
    var ligne : string[80] ;
        i, compteur : integer ;
    begin
        writeln ('donnez votre texte en terminant par une ligne vide') ;
        compteur := 0 ;
        repeat
            readln (ligne) ;
            for i:=1 to length(ligne) do
                if ligne[i] = 'e' then compteur := compteur + 1 ;
        until length(ligne) = 0 ;
        writeln ('votre texte comporte ', compteur, ' fois la lettre e')
    end.
```

Chapitre XI

1) a) *prenom* est un tableau de 26 éléments de type *char*, indicés par des entiers compris entre -5 et 20.

b) *suite* est un tableau de 256 éléments de type entier, indicés par des caractères.

c) *groupe* est un tableau de 15 éléments de type chaîne (*string[20]*), indicés par des entiers compris entre 1 et 15.

d) *test* est n tableau de 20 éléments de type booléen, indicés par des entiers compris entre 1 et 20.

e) *bizare* est un tableau de 2 éléments de type entier, indicés par des booléens.

2) (les variables *ci* etr *cj* sont supposées déclarées de type *char*)

```
for ci := 'a' to 'z' do
   for cj := 'a' to 'z' do
      compteur [ci, cj] := 0
```

3) (la variable j est supposée déclarée de type *jour*)

```
for j := lun to dim do
   recettes[j] := 0
```

4) Avec les déclarations suivantes :

```
var car : char ;
    coul : couleur ;
    somme : intensite ;
```

les instructions demandées pourraient être :

```
somme := 0 ;
for car := chr(0) to chr(255) do
   for coul := violet to rouge do
      somme := somme + intensite [car, coul]
```

5)

```
program premiers_premiers ;
const nb_max = 250 ;
var nb_premier : array [1..nb_max] of integer ;
    nombre     : integer ;
    nb_trouves : integer ;              { nombre de premiers déjà trouvés }
    i          : integer ;
    premier    : boolean ;
```

```
begin
    nb_premier [1] := 2 ;              { 2 est premier }
    nb_trouves := 1 ;
    nombre := 3 ;                      { on commencera l'examen à partir de 3 }
    repeat
        premier := true ;                      { examen de nombre }
        i := 1 ;
        repeat
            if nombre mod nb_premier[i] = 0
                then premier := false ;
            i := i + 1 ;
        until (i > nb_trouves) or not premier ;
        if premier then                        { prise en compte }
            begin                              {    si premier    }
            nb_trouves := nb_trouves + 1 ;
            nb_premier [nb_trouves] := nombre ;
            end ;
        nombre := nombre + 2 ;                 { passage nb impair suivant }
    until nb_trouves = nb_max ;
    writeln ('Les ', nb_max, ' premiers nombres premiers sont :') ;
    for i := 1 to nb_max do
        begin
        write (nb_premier[i]:6) ;   
        if i mod 12 = 0 then writeln
        end
end.
```

6)

```
program Tri_alphabetique ;
const nb_nom = 12 ;
var nom : array [1..nb_nom] of string[20] ;
    i, j : integer ;
    tampon : string[20] ;
begin
    writeln ('donnez vos ', nb_nom, ' noms') ;
    for i := 1 to nb_nom do
        readln (nom[i]) ;
    for i := 1 to nb_nom-1 do
        for j := i+1 to nb_nom do
            if nom[i] > nom[j] then
                begin
                tampon := nom[i] ;
                nom[i] := nom[j] ;
                nom[j] := tampon
                end ;
    writeln ('noms triés :') ;
    for i := 1 to nb_nom do
        writeln (nom[i]) ;
end.
```

Chapitre XII

1) a) la virgule doit être remplacée par un point-virgule
   b) correct
   c) le type de p doit être défini par un identificateur
   d) le type de *mot* doit être défini par un identificateur
   e) il manque le type de la fonction
   f) le type de la fonction doit être défini par un identificateur

2) a) il manque un argument
   b) correct
   c) les arguments 2 et 4, transmis par adresse, doivent être des variables
   d) correct
   e) les arguments 2 et 4 ne peuvent pas être des expressions
   f) correct (l'argument 3, bien que de type entier est de type compatible avec le type réel, car il est transmis par valeur)
   g) l'argument 4, transmis par adresse, doit être une expression de type réel.

3)

```
program Test_nombre_premier ;       { ne fonctionne correctement qu'à }
                                    { partir de n = 3 }
var  i : integer ;
     ok : boolean ;

procedure test ( nombre : integer ; var premier : boolean ) ;
    var i : integer ;
    begin
       premier := true ;
       i := 2 ;
       repeat
          if nombre mod i = 0 then premier := false ;
          i := i + 1
       until ( i > sqrt (nombre) ) or ( not(premier) ) ;
    end ;       {test}

begin
   for i := 3 to 20 do
      begin
      test (i, ok) ;
      write (i) ;
      if (ok) then writeln ('  est premier')
              else writeln ('  n''est pas premier') ;
      end ;
end.
```

4)

```
program Test_nombre_premier ;        { ne fonctionne correctement qu'à }
                                     { partir de n = 3 }
var  i : integer ;

function premier ( nombre : integer ) : boolean ;
   var i : integer ;
   prem  : boolean ;
   begin
      prem := true ;
      i := 2 ;
      repeat
         if nombre mod i = 0 then prem := false ;
         i := i + 1
      until ( i > sqrt (nombre) ) or ( not(prem) ) ;
      premier := prem ;
   end ;       {test}

begin
   for i := 3 to 20 do
      begin
      write (i) ;
      if (premier(i)) then writeln ('  est premier')
              else writeln ('  n''est pas premier') ;
      end ;
end.
```

5)

```
program Calcul_norme_vecteur ;
type vecteur = array [1..3] of real ;
var u : vecteur ;
    i : integer ;
function norme (v : vecteur) : real ;
   var nor : real ;
       i   : integer ;
   begin
      nor := 0.0 ;
      for i := 1 to 3 do
         nor := nor + sqr (v[i]) ;
      norme := sqrt (nor)
   end ;        { norme }
begin
   writeln ('donnez les composantes du vecteur') ;
   for i := 1 to 3 do
      readln (u[i]) ;
   writeln ('sa norme est : ', norme(u) )
end.
```

6)

```
program Calcul_norme_vecteur ;
type vecteur = array [1..3] of real ;
var u      : vecteur ;
    i      : integer ;
    norm : real ;
procedure norme (v : vecteur ; var nor : real ) ;
   var i : integer ;
   begin
      nor := 0.0 ;
      for i := 1 to 3 do
         nor := nor + sqr (v[i]) ;
   nor := sqrt (nor) ;
   end ;         { norme }
begin
   writeln ('donnez les composantes du vecteur') ;
   for i := 1 to 3 do
      readln (u[i]) ;
   norme (u, norm) ;
   writeln ('sa norme est : ', norm )
end.
```

7)

```
program Test_suppression_espaces ;
type chaine = string [50] ;
var phrase : chaine ;

procedure suppres ( var ch : chaine ) ;
   var tempo : chaine ;
       i     : integer ;
   begin
      tempo := '' ;
      for i := 1 to length (ch) do
         if ch[i] <> ' ' then tempo := tempo + ch[i] ;
      ch := tempo ;
   end ;    { suppres }

begin
   phrase := 'je me figure ce zouave qui joue du xylophone' ;
   writeln ('avant : ', phrase) ;
   suppres (phrase) ;
   writeln ('après : ', phrase) ;
end.
```

Chapitre XIII

1) Avec i et *somme* de type *integer* :

```
somme := 0 ;
for i := 1 to 200 do
  if i in nombres then somme := somme + i ;
```

1)

```
program Compte_voyelle ;
var mot : string[20] ;
    c    : char ;
    i    : integer ;
    nb_voyelles : integer ;
    voy_presentes : set of char ;
begin
  write ('donnez votre mot : ') ;
  readln (mot) ;
  voy_presentes := [] ;
  for i := 1 to length(mot) do
    begin
    c := mot [i] ;
    if c in ['a','e','i','o','u','y'] then
       voy_presentes := voy_presentes + [c] ;
    end ;
  nb_voyelles := 0 ;
  for c := 'a' to 'z' do
    if c in voy_presentes then nb_voyelles := nb_voyelles + 1 ;
  writeln ('votre mot contient ', nb_voyelles, ' voyelles différentes')
end.
```

2)

```
program Lettres_absentes ;
var texte  : string[80] ;
    c       : char ;
    i       : integer ;
    lettres_presentes : set of char ;
begin
  writeln ('donnez votre texte') ;
  readln (texte) ;
  lettres_presentes := [] ;
  for i := 1 to length(texte) do
    begin
    c := texte[i] ;
    if (c>='a') and (c<='z') then
       lettres_presentes := lettres_presentes + [c] ;
    end ;
  writeln ('les lettres suivantes ne sont pas presentes :') ;
```

```
        for c := 'a' to 'z' do
           if not (c in lettres_presentes) then
              write (c, ' ') ;
end.
```

3)

```
program Test_fonction_cardinal ;
type alpha = set of char ;
var  essai : alpha ;
function cardinal (lettres : alpha ) : integer ;
   var c : char ;
        n : integer ;
   begin
      n := 0 ;
      for c := 'a' to 'z' do
         if c in lettres then n := n + 1 ;
      cardinal := n ;
   end ;    { cardinal }
begin
   essai := ['a','b','e'] ;
   writeln (cardinal(essai))
end.
```

Chapitre XIV

1)

```
type code_pos = record
                   departement : 0..99 ;
                   numero : 0..99
                end ;
     num_tel  = record
                   indicatif : boolean ;
                   numero : string [8]
                end ;
     adres    = record
                   numero : string [10] ;
                   voie : (rue, av, imp, bd) ;
                   nom_voie : string [40] ;
                   code_postal : code_pos
                end ;
     fiche    = record
                   nom : string [20];
                   prenom : string [20] ;
                   telephone : num_tel ;
                   adresse : adres
                end ;
```

2)

```
i := 5 ;
a.c := 'a' ;
z := a.n + a.x ;
read (a.n) ;
```

Chapitre XV

1)

```
program Creation_fichier_d_entiers ;
var sortie : file of integer ;
    nombre : integer ;
    nomfich : string[11] ;

begin
    write ('donnez le nom du fichier à créer : ') ;
    readln (nomfich) ;
    assign (sortie, nomfich) ;
    rewrite (sortie) ;
    writeln ('donnez vos entiers (0 pour finir) ') ;
    repeat
       readln (nombre) ;
       if nombre > 0 then
            write (sortie, nombre)
    until nombre <= 0 ;
    close (sortie)
end.
```

2)

```
program Consultation_fichier_d_entiers ;
var entree : file of integer ;
    nombre : integer ;
    nomfich : string[11] ;
    numero : integer ;

begin
    write ('donnez le nom du fichier à consulter : ') ;
    readln (nomfich) ;
    assign (entree, nomfich) ;
    reset (entree) ;

    repeat
       write ('rang de l''entier cherché (-1 pour finir) ') ;
       readln (numero) ;
```

```
        if numero >= 0 then
          if numero < FileSize(entree)
            then
              begin
              seek (entree, numero) ;
              read (entree, nombre) ;
              writeln ('--- entier de rang ', numero, ' = ', nombre)
              end
            else
              writeln ('******** rang supérieur à la taille du fichier ') ;
      until numero <0 ;
      close (entree)
end.
```

3)

```
program Liste_fichier_texte ;
var entree : text ;
    nomfich : string[11] ;
    ligne   : string[80] ;
    num_ligne : integer ;
begin
    write ('nom du fichier à lister : ') ;
    readln (nomfich) ;
    assign (entree, nomfich) ;
    reset (entree) ;
    writeln (' **************** liste du fichier ', nomfich, ' **************') ;
    num_ligne := 0 ;
    while not eof (entree) do
        begin
        readln (entree, ligne);
        num_ligne := num_ligne + 1 ;
        writeln (num_ligne:6, ' ', ligne)
        end ;
    close (entree)
end.
```

Chapitre XVI

1)

```
procedure affiche (adr_pers : adr_personne ; nb : integer) ;
    var i : integer ;
    begin
        for i := 1 to nb do
            with adr_pers[i]^ do
                writeln (nom, ' ', prenom)
    end ; { affiche }
```

2)

```
procedure supprime (nom_cherche : nom_pers ;
                    var debut : lien ;
                    var trouve : boolean    ) ;
var courant   : lien ;
    precedent : lien ;
begin
                { localisation nom recherche }
    courant := debut ;
    trouve  := false ;
    precedent := debut ;
    repeat
       if courant^.nom = nom_cherche
          then trouve := true
          else begin
               precedent := courant ;
               courant := courant^.suivant
               end
    until trouve or (courant = nil) ;
                    { suppression si trouve }
    if trouve
       then if courant = debut
            then debut := courant ^.suivant
            else begin
                 precedent^.suivant := courant^.suivant ;
                 dispose (courant)
                 end
end ;  { supprime }
```

3)

```
program Premiers_premiers ;

type pointeur = ^element ;
     element  = record
                   premier : integer ;
                   suivant : pointeur
                end ;
var debut    : pointeur ;  { pointeur sur premier nombre premier }
    nombre   : integer ;   { nombre à tester }
    diviseur : integer ;   { diviseur courant }
    nb_max   : integer ;   { nombre d'entiers premiers à trouver }
    nb_prem  : integer ;   { nombre d'entiers premiers déjà trouvés }

procedure ajouter ( nombre : integer ;  debut : pointeur ) ;
  var courant, nouveau : pointeur ;
  begin
    courant := debut ;
```

```
        while courant^.suivant <> nil do
            courant := courant^.suivant ;
        new(nouveau) ;
        courant^.suivant := nouveau ;
        nouveau^.premier := nombre ;
        nouveau^.suivant := nil
    end ;    { ajouter }

    function premier (nombre : integer ; debut : pointeur ) : boolean ;
      var courant : pointeur ;
          prem    : boolean ;
      begin
        prem := true ;
        courant := debut ;
        repeat
            if (nombre mod courant^.premier) = 0 then prem := false ;
            courant := courant^.suivant
        until not(prem) or (courant = nil) ;
        premier := prem
    end ;    { premier }

    procedure afficher ( debut : pointeur ) ;
      var courant : pointeur ;
      begin
        courant := debut ;
        while courant <> nil do
            begin
            writeln (courant^.premier) ;
            courant := courant^.suivant
            end ;
    end ;    { afficher }

    begin
        write ('combien de nombre premiers voulez vous ? ') ;
        readln (nb_max) ;
        new (debut) ;
        debut^.premier := 2 ;
        debut^.suivant := nil ;
        nb_prem := 1 ;
        nombre := 3 ;
        repeat
            if premier (nombre, debut) then
                begin
                ajouter (nombre, debut) ;
                nb_prem := nb_prem + 1
                end ;
            nombre := nombre + 1 ;
        until nb_prem = nb_max ;
        afficher ( debut)
    end.
```

342

Chapitre XVII

1)

```
function Acker (m, n : integer) : integer ;
begin
   if(m<0) or (n<0)
      then acker := 0
      else if m = 0
         then acker := n + 1
         else if n = 0
            then acker := acker(m-1,1)
            else acker := acker(m-1,acker(m,n-1))
end ; { acker }
```

2)

```
program Test_Puissance ;
var x : real ;
    i : integer ;

function puissance (x : real ; k : integer ) : real ;
                  { necessite k > 0 }
begin
   if k = 1 then puissance := x
            else if k mod 2 = 0
               then puissance := sqr (puissance (x, k div 2 ))
               else puissance := x * puissance (x, k-1)
end ; { puissance }

begin
   x := 3. ;
   for i := 1 to 5 do
      writeln ( i, puissance(x,i) )
end.
```

INDEX

Imprimé en France. - JOUVE, 18, rue Saint-Denis, 75001 PARIS
N° 284891T. Dépôt légal : Septembre 2000
N° d'éditeur : 5919